COLLECTION SÉRIE NOIRE

Créée par Marcel Duhamel

DU MÊME AUTEUR

Dans la collection Série Noire

DIVORCE, JACK !, n° 2433
LA BICYCLETTE DE LA VIOLENCE, n° 2519 (Folio policier n° 357)
L'AUTRUCHE DE MANHATTAN, n° 2604
LA FILLE DES BRUMES, n° 2714

COLIN BATEMAN

Turbulences catholiques

TRADUIT DE L'ANGLAIS (IRLANDE)
PAR NATALIE BEUNAT

GALLIMARD

Pour Andrea et Matthew

Prologue

Comme souvent, tout avait commencé avec Cliff Richard.

Moira avait toujours été fan de lui. Âgée d'à peine trente ans, elle pouvait difficilement se souvenir de son idole à l'époque où, jeunot, il se trémoussait en compagnie du groupe The Shadows. Mais elle avait pris l'habitude étant môme de regarder ses films musicaux à la télé — surtout *Summer Holiday* — le samedi après-midi. Et puis quand il passait à l'émission *Top of The Pops*[1] pour chanter *Power to All Our Friends* avec en prime son petit déhanchement craquant, elle adorait. Tous ses copains écoutaient des groupes plus jeunes, plus à la mode, mais Cliff, c'était sa passion. Comme il avait eu la révélation divine et se déclarait volontiers chrétien, elle s'était convertie, s'attirant les foudres du reste de la population de son île, résolument catholique. On est tous chrétiens se disait-elle, pourtant le Dieu que Cliff chérissait lui paraissait différent, plus chaleureux[2].

Et un jour, on annonça un concert de Cliff pour Noël au King's Hall, à Belfast. Moira avait réussi à se procurer une place, d'autant que la location avait été ouverte une année à l'avance. Elle avait

1. Célèbre émission de la BBC. *(Toutes les notes sont de la traductrice.)*
2. Cliff Richard eut la révélation en 1966 lors d'un séminaire du pasteur Billy Graham.

9

choisi de s'y rendre seule, puisque ça ne concernait qu'elle et Cliff. Le ticket reposait sur le manteau de cheminée tout au long de ces mois interminables où, après avoir découvert avec angoisse qu'elle était enceinte, elle se torturait la cervelle pour décider quoi faire. Ayant refusé de dénoncer le père, elle avait dû batailler avec sa famille, puis avait frôlé la fausse couche, s'en était finalement sortie, toujours avec son Cliff, telle une lueur d'espoir au bout du tunnel.

Puis vint le jour du concert. Moira — enceinte de huit mois — avait du mal à se déplacer. Elle glissa son ticket et quelques affaires dans un fourre-tout et s'en alla prendre le ferry reliant l'île de Wrathlin à Ballycastle. De là, elle monta dans le bus pour Coleraine et attrapa enfin le train pour Belfast. Elle y arriva en fin d'après-midi. Il neigeait, une vraie neige de Noël, charmante mais glaciale, pas le genre de temps à traîner dans les rues pour chercher un hôtel. Elle ne s'était pas souciée de réserver une chambre — pas très malin pensait-elle à présent, alors qu'elle errait de réception en réception — mais elle connaissait Belfast pour y avoir déjà fait du shopping, et jamais elle n'avait eu de difficultés à se dégotter un hôtel en s'y rendant, comme ça, au petit bonheur. Sauf que cette fois, les hôtels étaient partout complets — à cause des inconditionnels de Cliff, et aussi des hordes de gens du Sud venus faire leurs courses de fin d'année, attirés par une livre sterling avantageuse, sans compter les milliers d'autres inscrits à la Convention mondiale du jouet qui se déroulait au Waterfront Hall — oui, à cause d'eux, plus un lit de libre nulle part.

Elle restait cependant persuadée que ça finirait par s'arranger. Elle se paya un thé dans un endroit sympa, puis s'offrit le taxi jusqu'au King's Hall. Elle verrait Cliff chanter, et tout se déroulerait au poil. Elle était assise au deuxième rang.

Il était *splendide*. À un moment, toute l'assistance reprit le refrain « Christmas time, mistletoe and wine »[1] en tenant un briquet allumé à bout de bras, sauf que Moira fit tomber le sien et qu'elle fut bien

---

1. Refrain du tube *Mistletoe and Wine*, une chanson de 1988.

incapable — compte tenu de ses rondeurs — de se baisser pour le ramasser assez vite. Quelqu'un envoya valdinguer le briquet d'un coup de pied. Allez, ça n'était pas si grave, non ? Quand il chanta des morceaux de *Heathcliff*, sa comédie musicale, Cliff se pencha au bord de la scène pour saluer la foule, et Moira réussit tant bien que mal à lui saisir la main. Même si de tendre son ventre en avant la faisait souffrir, elle fut bouleversée de sentir la chaleur de l'homme la pénétrer et lui parcourir tout le corps.

Elle était folle de joie.

Plus tard, arpentant les rues en sautillant — du moins comme une femme enceinte de huit mois peut le faire —, elle regagna le centre-ville et recommença à chercher un hôtel sans trop s'inquiéter, même si les trains ne circulaient plus à cette heure tardive. Elle se souvint que pas mal de nouveaux complexes hôteliers avaient été construits à Belfast depuis le cessez-le-feu, et qu'il arrivait aussi que les gens annulent leur réservation.

Sauf que partout où elle se rendait, les hôtels affichaient complet. Le personnel se montrait en général aimable, se renseignant pour elle sur d'autres disponibilités, mais c'était toujours la même réponse.

À présent, elle commençait à ressentir les effets de la fatigue. L'allégresse ne l'avait pas encore quittée, mais on n'en était pas loin. La neige, glaciale, avait redoublé d'intensité, et il fallait qu'elle s'allonge, ses chevilles douloureuses ayant gonflé comme des petits pains. Elle finit par échouer aux Stables, un hôtel-restaurant qui faisait aussi boîte de nuit. Une soirée pour la veille de Noël y battait son plein, et les trois videurs à l'entrée lui balancèrent quelques vannes sur la difficulté d'aller guincher dans son état. À la réception, toujours la même histoire, « désolé, ma p'tite dame, on est complet ».

Et alors elle craqua, n'ayant plus l'énergie de repartir ailleurs. Elle posa sa tête sur le comptoir du type et se mit à pleurer. Le directeur jeta un coup d'œil à son directeur adjoint, puis dit à Moira :

— Allons, allons…

Les trois videurs passèrent la tête et demandèrent en chœur :

11

— Hé, ça va, ma p'tite dame ? Vous voulez qu'on vous appelle un taxi ?

— Jusqu'à Wrathlin ? articula-t-elle entre deux sanglots.

Ils s'interrogèrent du regard les uns les autres, et le directeur adjoint murmura quelque chose à l'oreille du directeur qui secoua la tête énergiquement. Un des videurs insista :

— C'est *Noël*, tout de même.

Le gérant persistait à faire non de la tête.

— Je crois que vous devriez reconsidérer la chose, tonna un videur avec une voix menaçante — sous-entendu, « au prix où tu nous paies chaque mois pour assurer la protection de ta taule, ça vaudrait le coup de reconsidérer la chose ».

Après un long moment, suffisamment long pour que la décision puisse passer pour la sienne, le directeur s'adressa à Moira, une main protectrice posée sur son épaule :

— Si vous êtes vraiment coincée, on a une réserve, y a plein de bazar à l'intérieur, mais on pourrait vous y faire un peu de place, descendre un matelas... enfin, si vous tenez à passer la nuit ici ?

Moira leva ses yeux plein de larmes et lui sourit, avant de les embrasser à tour de rôle.

Une heure plus tard, alors que sur la route du retour recouverte de dix centimètres de neige, traînaient les derniers fêtards de la discothèque, Moira se pelotonnait sur un matelas impeccablement blanc. La tête sur un oreiller molletonné, elle contemplait les boîtes de céréales empilées et les énormes conserves de haricots blancs cuisinés qui s'entassaient dans la réserve, et elle pensait qu'elle avait eu un sacré coup de bol de tomber sur des gens aussi merveilleux.

C'est alors qu'elle perdit les eaux.

Et les contractions devinrent rapidement intenses et rapprochées.

Les videurs entendirent ses cris en premier et ils accoururent, suivis du directeur adjoint, puis du directeur, qui se collèrent tous dans l'embrasure de la porte, sans savoir quoi faire.

— Faut qu'on l'emmène à l'hosto ! se lamentait le directeur.

— Non ! hurla Moira, ça vient !

Et elle cria de plus belle.

— Y peut pas venir ! Vous avez juste commenc…

— Putain ! Je vous dis que ça vient ! hurla-t-elle.

Un vent de panique soufflait parmi ces messieurs qui partirent en courant chercher, qui des serviettes propres, qui de l'eau chaude. Le directeur appela quand même une ambulance, mais l'hôpital était bloqué par la neige. Il téléphona à la police, mais les flics étaient tous mobilisés à contenir une émeute survenue lors d'un rassemblement œcuménique à la messe de minuit.

— Y peut pas venir déjà ! s'écria le directeur adjoint en écho à la tirade de son directeur.

Un des videurs s'approcha de Moira en proie à une douleur si atroce qu'elle en oubliait toute pudeur et avait remonté sa robe de grossesse pour faire glisser sa culotte. Les yeux du videur s'arrondirent.

— Je crois que j'ai aperçu quelqu'un me faire coucou, fit-il, et ils se mirent tous à rigoler comme des bossus, y compris Moira — entre deux hurlements.

D'un seul coup d'un seul, le bébé sortit, sans problème, réceptionné par les trois videurs, trois ex-soldats des forces paramilitaires aux bras tatoués, visiblement heureux comme des rois.

Une heure plus tard, Moira était assise dans son lit, le bébé dans les bras. Un docteur avait fini par arriver, et les trois videurs, aux anges, roucoulaient autour d'elle. Ils sablaient le champagne tous ensemble.

Le directeur et son adjoint sur le seuil du cagibi souriaient de toutes leurs dents. Tout le monde rayonnait de bonheur.

— Vous savez quoi, dit le directeur à son adjoint, ça me fait penser au petit Jésus né dans une étable.

— En l'occurrence, né dans des écuries, dans les nôtres [1], renchérit le directeur adjoint.

— Né aussi d'une maman célibataire…

1. *Stables*, le nom de l'hôtel, signifie « écuries ».

— Marie… n'était pas une mère célibataire.

— Non, mais elle était vierge.

— Je ne crois pas que Moira prétendrait être…

— Non, ce que je veux dire, sur le plan métaphorique… puisqu'il n'y a ni mari ni père de présent, ça donne un petit côté… marial… (En tant que directeur adjoint, le directeur adjoint approuva son chef.) Bon, nous avons nos « écuries », la conception virginale… et alors si on se penchait un peu sur nos trois videurs ?

Le directeur adjoint lorgna vers Lenny, Jugs et Ripley Bogle.

— Des truands tous les trois, je dirais, pas de doute là-dessus.

— Et comment désigne-t-on les truands dans les films sur la Mafia ?

— Les films sur la Mafia ? Heu…

— Des affranchis, c'est ça, non ?

— Ben, ouais…

— Et ils viennent d'où, hein ?

— D'Italie, de New York…

— J'te parle pas de la Mafia — Lenny, Jugs, …

— Oh, ils sont du coin. Jugs est de Newtownards Road, Lenny, il est de…

— Belfast-Est ! Ils viennent tous les trois de Belfast-Est.

— Oui, c'est vrai.

— Bon, on a trois affranchis venus des quartiers est, conclut le directeur en affichant un large sourire.

— Tu crois pas que t'extrapoles un peu ?

— Ne perds pas le fil, je n'ai pas fini. Quelle est la première chose qu'elle a demandée après avoir accouché ?

Le directeur adjoint se concentra un instant, puis lâcha :

— Une cigarette.

— Et avec quoi l'a-t-elle allumée ?

— Elle n'avait plus son briquet, alors Lennie lui a donné le sien en lui disant de le garder, qu'il lui offrait…

— C'était un briquet en or.

— Doré, plutôt.

— Suis mon idée. Un briquet en or. Bon, après ça, qu'est-ce qu'elle a demandé? (Cette fois, le directeur adjoint avait du mal à suivre et son front se plissait sous l'effet de la concentration.) Qu'est-ce qu'elle a demandé après avoir crié et bramé tant et plus?

— Je ne sais...

— Elle voulait se maquiller. Donc, elle a voulu un...

— Miroir! lâcha-t-il en haussant le ton, si bien que les videurs se retournèrent, l'œil mauvais, avant de reprendre leurs gazouillements. Mais...

— Tu ne vois donc pas où je veux en venir? s'exclama-t-il d'un ton désapprobateur. On a la vierge *Moira* qui débarque en ville, qui ne trouve nulle part où se loger, contrainte de dormir dans *notre* étable, elle accouche, assistée de trois affranchis originaires de l'Est qui lui offrent de l'or, de l'encens et un miroir.

— *De l'encens?*

— Bon, d'accord, ça ne colle pas tout à fait, mais c'est pas loin, bordel! Si tu me poses la question, moi je te dirais qu'on assiste à la Seconde Venue du Messie. Crois-moi!

Le directeur adjoint hocha la tête de fatigue; il se faisait tard et son patron était frappadingue.

Il respira un grand coup et adressa son plus beau sourire à une Moira tenant l'enfant dans ses bras.

— Alors, ma petite, vous allez l'appeler comment votre fils?

— *Mon fils?* s'étonna Moira.

1

Le cardinal Tomas Daley, primat de Toute l'Irlande et assurément le mieux placé pour devenir le premier pape anglais de l'histoire depuis Robbie Coltrane[1], leva les yeux vers moi en disant :

— Vous avez l'air de quelqu'un qui aurait dignement fêté un événement.

J'acquiesçai d'un léger signe de tête. Laquelle tête me faisait un mal de chien. Ça démarrait dans les pieds pour remonter vers le haut, là où les Quatre Cavaliers de l'Apocalypse avaient attaché leurs impérieuses montures à l'arrière de mes globes oculaires. Les milliers de petits piverts malicieux qui — avec une fourberie certaine — s'étaient déguisés en gouttes d'eau pour marteler la fenêtre n'arrangeaient pas non plus les choses.

— Ma femme a accouché la nuit dernière.

— Vraiment ? (Je confirmai en hochant la tête. La douleur décupla.) Félicitations.

Il m'offrit le sourire avenant du mec sympa mais préoccupé, et se replongea avec perplexité dans la lecture du dossier étalé devant lui. Il y inscrivit quelques notes. Je ne suis jamais très à l'aise avec les

---

1. L'acteur Robbie Coltrane joue le rôle d'un prêtre élu nouveau pape par erreur dans le film de Peter Richardson, *The Pope Must Die* (1991).

gens qui détiennent un dossier sur moi, en particulier s'il s'agit de gens d'Église.

— Merci.

J'avais déjà rencontré le cardinal, sans doute à une conférence de presse, mais il n'en avait visiblement gardé aucun souvenir. C'était un homme rondouillard de cinquante-quatre ans, presque chauve, au visage respirant la santé. Cardinal depuis dix ans, il vivait la plupart du temps à Dublin, mais son accent du Nord ne l'avait jamais quitté. D'ailleurs, il possédait toujours une maison à Belfast où s'était déroulée sa formation sacerdotale. Sa première paroisse se situait dans ce qu'il nommait affectueusement Derry et il ne manquait jamais une occasion d'y retourner. Ses paroissiens semblaient l'estimer. Il œuvrait beaucoup pour des actions œcuméniques, de celles qui consistent à aller serrer la paluche des protestants. Quoi de plus symbolique me direz-vous ?

— Vous auriez dû me téléphoner, on aurait repoussé le rendez-vous. Vous ne semblez guère en état de...

— J'étais intrigué.

C'était vrai. Mes relations avec l'Église catholique sont aussi rares qu'épisodiques. Il m'était arrivé une fois de n'avoir survécu que grâce à une bouteille de rouge que j'avais dérobée et quelques hosties ; ce qui s'apparentait bien peu à de la dévotion religieuse.

— Je comprends. Vous ne m'en voudrez pas si ce qui va suivre doit rester entre nous.

— Pourquoi les meilleures histoires débutent-elles toutes ainsi ?

À nouveau, il se fendit d'un sourire.

— Je sais ce que vous vous dites. Vous me comprendrez mieux dès que je vous aurai tout expliqué, poursuivit-il en tripotant sa lèvre inférieure. Vous n'êtes pas religieux, Dan, n'est-ce pas ?

Je suis en fait le résultat d'un mariage mixte. Mon père est agnostique et ma mère athée, bien qu'ils se déclarent volontiers bons protestants. Le protestantisme n'a jamais traité et ne traitera jamais de

18

religion. Il traite de propriété, de culture, et de la manière de cracher sur les catholiques.

— Non, j'ai bien peur que non, répondis-je. Je me suis marié dans une église presbytérienne, si ça peut aider.

— Mais vous n'êtes pas pratiquant…

— À part la pratique du foot, moi, vous savez… D'ailleurs, y avait une bonne équipe dans ma paroisse.

Son regard ne me lâchait pas, mais ça n'était pas pour me jauger. Il s'était forgé une opinion bien avant mon entrée dans cette pièce. Le dossier, évidemment. La seule chose qui m'étonnait encore était son manque d'empressement à me proposer un verre.

— Diriez-vous alors que vous ne trouvez dans la religion aucun intérêt digne de ce nom ?

— Absolument pas, dis-je, et je me convertirais sur l'heure à n'importe quoi, du moment qu'on y met le prix.

Il dodelina de la tête, l'air abattu. Pas le genre d'attitude à laquelle je m'attendais venant de lui.

— Et l'Église catholique ? Avez-vous des opinions spécifiques à son sujet ?

— Aucune.

— Mais vous n'êtes pas anticatholique, n'est-ce pas ?

— Nullement.

La pièce sentait le renfermé. De gros livres reliés cuir étaient rangés tout autour de moi, le genre de volumes qu'on vous propose dans les offres promotionnelles des suppléments des journaux du dimanche. J'avais l'impression que ma tête n'allait pas tarder à tournicoter et je commençais à regretter d'avoir répondu favorablement à cette assignation. Si la demande n'avait pas été outrageusement polie et raisonnablement mystérieuse, je ne me serais même pas pointé du tout. J'avais mille autres choses plus intéressantes à ne pas faire.

— Cardinal, à quoi rime tout cela ?

— Ah oui ! Désolé ! J'en viens au fait. C'est toujours pareil avec l'Église, on perd trop de temps à pontifier, quoique le Seigneur sait bien que je fais de mon mieux… mais bon… Diriez-vous que vous maîtrisez bien tout ce qui concerne les traditions de l'Église catholique d'Irlande ?

— Non.

— Par exemple, connaissez-vous Oliver Plunkett ?

— Non.

— Il s'agit du saint.

— Est-ce lui qui a pris la relève de Roger Moore ?

— Vous vous moquez de moi ?

— Si peu, répliquai-je dans un sourire qu'il me rendit d'un air las. Je vous prie de m'excuser. J'ai la tête à l'envers depuis hier soir. *Oliver Plunkett.* Y a une école qui porte son nom, n'est-ce pas ?

— Oui, comme des douzaines d'autres. Oliver Plunkett fut notre dernier martyr catholique en Angleterre. On lui a coupé la tête il y a de ça trois cents ans. Elle a été miraculeusement préservée et est conservée ici, à Drogheda, identique à la tête qu'il avait le jour de sa mort. Ce n'est pas banal, je vous l'accorde, mais ça reste l'une des curiosités touristiques les plus prisées du pays.

— J'ignorais… Je n'en doute pas une seconde, répondis-je en dodelinant la mienne, de tête.

Le cardinal saisit dans mon dossier une feuille de papier, format A 3, pliée en deux, et me la tendit.

— Vous rappelez-vous avoir écrit ceci ?

C'était la copie d'un de mes articles du *Sunday News*. Le chapeau annonçait : « La veillée en solitaire de l'orangiste Flynn ».

— Ça remonte bien à deux ans, déclarai-je.

— Trois.

— Le temps passe vite.

— Le père Flynn, vous vous souvenez de lui ?

— Oui, bien entendu, son histoire était géniale. Enfin… un bon sujet… vraiment.

— Une histoire qui a provoqué un sacré scandale à l'époque.

— Inévitablement.

20

Je m'en souvenais parfaitement. Ça me changeait un peu de l'éternelle cohorte d'attentats à la bombe et d'assassinats politiques. Frank Flynn n'était qu'un simple prêtre dans une ville rendue célèbre pour la violence paroxystique qui y régnait. Dans des contextes pareils, les gens se réfugient dans la religion, et Crossmaheart n'avait jamais connu rien d'autre que la violence. La communauté de fidèles sur laquelle veillait Flynn était très active — enfin, pour ceux qui n'avaient pas été tués —, mais Flynn, lui, n'était pas en grande forme. Cœur défaillant. Alors que ses jours étaient comptés, on le transféra d'urgence à Londres pour une transplantation cardiaque. Après une assez longue convalescence à l'issue de laquelle il revint dans sa paroisse, l'homme semblait métamorphosé : du prêtre maigrelet au teint terreux marchant avec peine, il était devenu un homme dynamique au visage aussi délicat qu'une petite gaufrette. D'avoir frôlé la mort de près lui avait ouvert de nouveaux horizons et il s'empressa de les partager avec ses ouailles. Au début, les fidèles l'accueillirent avec allégresse, ravis de le voir revenir et de constater que ça lui réussissait. Mais très vite on commença à canarder dans tous les sens et, pour une fois à Crossmaheart, pas au fusil d'assaut Armalite. La rumeur courait que le prêtre cynique et austère qui les avait quittés n'avait pas seulement été sauvé, mais sauvé grâce à un cœur protestant. Autrement dit, un châssis catholique propulsé par un moteur protestant. Il incarnait désormais le contraire absolu du prêtre catholique. Ses ouailles ne tardèrent pas à se disperser. Le tir à vue se transforma en mépris, et le mépris en haine. On refusait de le servir dans les magasins. On l'injuriait. On lui crachait dessus, littéralement. Il avait été jugé et condamné sur la seule foi de la rumeur et du dépit. Lorsque je l'avais rencontré dans son église désertée, c'était un homme seul, uniquement soutenu par son évêque. J'avais écrit un bon papier débordant de pathos, focalisant sur les conséquences de trois cents ans de bigoterie religieuse. J'avais mené ma propre enquête, eh oui, le cœur qui battait dans sa poitrine provenait bien d'un donneur protestant.

21

— Dans mes souvenirs, dis-je en lui tendant la feuille, c'était un gars assez sympa, le problème c'est que tout le monde le haïssait.

— Oui, nous savons cela.

— Et aujourd'hui ?

— Eh bien, c'est un peu plus compliqué.

Le cardinal se cala sur son siège et tripota sa lèvre une nouvelle fois. Puis il se mit à tapoter ses dents de la pointe de son ongle, un bruit plus que déplaisant à mon oreille.

— Cardinal, pourquoi ne m'exposez-vous pas simplement ce que vous souhaitiez me dire ? Il existe bien peu de choses dans la vie qu'on ne puisse résumer en une phrase : règle de base de tout bon secrétaire de rédaction.

— Ah, si tout était aussi simple ! La voie la plus droite n'est pas toujours la meilleure, Dan. Le nombre de fidèles du père Flynn à l'époque où vous l'aviez interviewé ne dépassait pas la dizaine.

— Vous voulez dire qu'il était réduit à une seule personne, lui-même.

— Il faut croire que les temps changent. Bien que nous ayons eu du mal à nous y résoudre, nous l'avons déplacé et renvoyé d'où il venait. Vous connaissez l'île de Wrathlin ?

— J'en ai entendu parler. Je ne peux pas dire que j'y sois allé, c'est un endroit un peu trop perdu pour moi.

— Pour la plupart des gens aussi. Flynn y réside et, chaque semaine, il prêche dans une église bondée.

— Bonne nouvelle.

— Oui, enfin… c'est là que le bât blesse. Il s'est un peu éloigné du dogme de notre Église.

— Je vois.

— Dan, en Irlande, l'Église s'est toujours montrée enthousiaste en matière de miracles. J'ai déjà évoqué le cas de Plunkett, mais, à dire vrai, nous passons rarement une année sans que soient recensés une apparition de la Vierge ou un Christ en croix pleurant, et ce

22

pour le plus grand bonheur de la communauté des croyants. J'imagine que vous en avez entendu parler.

— Vaguement, surtout dans le Sud.

— Oui, plus au sud. Par chez nous, les miracles se font rares. L'ennui, c'est que Flynn a suivi cette voie. Il a commencé par avoir des visions. À proclamer toutes sortes de vérités. Et des gens l'ont suivi là-dedans. Ça dépasse l'entendement.

— Des vérités ? De quel genre, Cardinal ?

— C'est là tout le problème. Les histoires de Vierges ou autres, on peut démontrer, le cas échéant, qu'elles sont fausses. Je veux dire, c'est ce qu'on fait le plus souvent, mais il arrive qu'on accrédite occasionnellement un miracle, cela a un impact formidable sur la fréquentation de la messe, vous comprenez ?

— Oui, comme un encart promotionnel inséré dans un journal ; et maintenant, voici le spot publicitaire de Notre Seigneur.

— Si vous voulez. Sauf que Flynn a poussé le bouchon un peu loin.

— Pardon ?

— Il croit que le Messie est né sur son île. Il proclame qu'il s'agit de la Seconde Venue du Christ.

2

Ses paroles restèrent un instant en suspension dans l'air avant que le cardinal ne jette sur moi un regard grave et pénétrant avec une attention non dissimulée. Ses joues rose pâle ressortaient sur son visage légèrement empourpré. Je le fixai à mon tour, guettant une étincelle d'humour qui l'aurait déridé. Mais rien ne vint. Allez, un p'tit sourire ? Bon, j'en esquissai un pour la bonne forme.

Le cardinal se leva brusquement et s'approcha de la fenêtre. Les satanés piverts s'activaient toujours.

— Oh ! Vous pouvez en rire, me lança-t-il. (À vrai dire, je n'en étais pas là.) Moi aussi, j'aimerais bien trouver ça drôle si cela ne me concernait pas directement. (Il dodelina de la tête et mit les mains dans son dos. Il resta silencieux puis se retourna vers moi.) À l'époque où Flynn a été lâché par tous ses fidèles, j'ai été celui qui a continué à le soutenir. Je n'ai jamais cessé de le faire. Mais à présent qu'il évoque une scission d'avec Rome si on refuse de considérer ses thèses, je me retrouve en bien mauvaise posture.

— Je suppose que vous avez écarté la possibilité que ce soit effectivement le Messie ?

— Oui, évidemment.

— Mais il doit bien s'appuyer sur une preuve ?

— Une preuve ? Bon sang, on est en train de parler de l'Église catholique ! On n'a pas besoin de preuves ! On a besoin d'avoir la foi, de croire, d'être dans la confiance. Depuis quand a-t-on recours à des preuves en matière de religion ?

— Mais il doit se fonder sur…

— Sur des visions. Sur des visions provoquées par des substances.

— Des substances ?

— Il a pris des médicaments pour son cœur. Ça a dû avoir une incidence ou une autre. Après tout, je n'en sais rien. Ce qui est certain, c'est qu'il est totalement fêlé ! Nous devons agir avant que ses divagations n'empoisonnent pas uniquement son île.

— Voilà ce qui vous préoccupe ?

— Oui, et ça me navre. Cela vous paraîtra un peu tiré par les cheveux, mais je crois que nous avons tous constaté ce qu'un accès soudain d'intégrisme pouvait engendrer. Voyez le Moyen-Orient. L'intégrisme est une peste pernicieuse et dangereuse, et je n'aimerais vraiment pas que nous vivions ce genre de contamination. Il n'existe malheureusement aucun antidote. Remarquez, si c'est pris assez tôt, et c'est le cas, on peut la tuer dans l'œuf avant que le McCooey ne s'en empare.

— Le quoi ?

— Ah oui ! Désolé ! Le mouvement McCooey, répéta-t-il en haussant les épaules. On l'a appelé comme ça d'après le nom de la famille impliquée dans l'affaire.

— Pourquoi ne pas tout bonnement excommunier le père Flynn ? demandai-je en risquant moi aussi un haussement d'épaules, ce qui dans mon état n'était guère conseillé.

— Daniel, n'avez-vous donc aucune idée de la rareté des excommunications au sein de l'Église ? Avez-vous déjà entendu parler d'un tueur de l'IRA ou d'un assassin de la Mafia qui ait été excommunié ? Daniel, si Hitler était vivant — et catholique — il serait en sursis avec mise à l'épreuve. Non, l'excommunication n'est pas à l'ordre du jour — en outre, cela pourrait lui servir de manière indirecte pour légitimer ses assertions. Dan, j'ai besoin de quelqu'un

25

qui puisse se rendre là-bas, évaluer de près la situation et m'en rendre compte — personnellement.

— C'est là que j'entre en scène. (Le cardinal acquiesça.) Et pourquoi m'avoir choisi ?

— Flynn a parlé de vous en termes très élogieux. Il a beaucoup apprécié l'article que vous avez écrit sur lui — des centaines de personnes l'ont contacté après sa parution, des gens du monde entier. Je pense que si vous vous rendiez à Wrathlin pour enquêter sur ce qui se passe, l'interviewer sur ses projets, peut-être seriez-vous en mesure d'obtenir un peu plus de renseignements que nos maigres informations récoltées jusqu'ici…

— Je ne vous suis pas, pourquoi ne pas vous déplacer vous-même ? Dépêcher un évêque sur place. Ou un prêtre. Envoyer une personne habilitée à débattre de ces sujets et qui puisse réfuter la thèse selon laquelle ce môme serait le Messie.

— Daniel, nous l'avons fait.

— Et alors ?

— Il n'est pas revenu.

— Mon Dieu ! Mais… pardonnez-moi… il a été tué ?

— Pire que ça, répondit le cardinal, la mine sombre. Ils l'ont converti.

*

Le centre-ville était bondé de gens faisant leurs courses. Le cessez-le-feu semblait une bonne nouvelle pour tout un chacun, à l'exception des journalistes. Le mot « Armistice » — comme dirait Maupin [1] — ne collait pas avec l'idée que même les terroristes deviennent un jour adultes.

Je garai ma Fiesta dans l'enceinte du Royal Victoria Hospital,

1. Jeu de mots sur le nom de l'écrivain américain Armistead Maupin (né en 1944, et connu en France pour ses *Chroniques de San Francisco*).

sous l'œil vigilant d'un type de la sécurité. J'arrangeai ma coiffure dans le rétroviseur — j'avais les cheveux trempés — avant d'attraper à l'arrière un sac en papier kraft. Je descendis de voiture, en verrouillai les portières, remontai le col de ma veste noire pour me protéger de la pluie et me dirigeai au pas de charge vers l'aile de la maternité.

Je grimpai les marches quatre à quatre, puis m'arrêtai une seconde au niveau des portes battantes qui menaient aux salles de l'hôpital. Je scrutai la pièce à travers le plastique épais. J'aperçus Patricia, assise à une demi-douzaine de lits sur la gauche, la tête penchée vers quelqu'un. Je jurai dans ma barbe en tournant les talons et remontai le couloir jusqu'aux couveuses. Je restai là un moment à contempler à travers la vitre la rangée de minuscules corps roses.

Je ne pouvais pas distinguer leurs noms et il me restait à deviner lequel d'entre eux était au moins un demi-Starkey, et encore, par mariage seulement. J'avais quitté l'hôpital la veille au soir dans un état hébété, et pour une fois l'alcool n'y était pour rien. Personne ne m'avait préparé à ça — Patricia moins que quiconque — le sang et la douleur et les cris et tout ce bordel. Ça s'apparentait plus à éviter la mort qu'à vouloir donner la vie. Au final, l'arrivée du bébé m'avait semblé presque incongrue. Le pauvre n'avait guère eu le loisir de remarquer ma présence, car, à peine né, on l'emportait en couveuse — plus violet que rose, tel un simien flétri bloqué à un stade reculé de l'Évolution.

Un des bébés, celui près de la vitre, avait dans le regard quelque chose de Patricia quand elle se met en rogne. Un autre, au fond de la pièce, possédait comme elle des cheveux noirs et arborait une moue identique, lèvres pincées.

Une infirmière m'effleura le bras.

— Le père ? demanda-t-elle.

— Mari. (Elle esquissa un sourire.) Starkey, j'ajoutai immédiatement.

27

— Ah oui, celui qui s'est débattu comme un beau diable ! (J'acquiesçai.) Vous l'avez repéré ?

Je pointai vaguement ma tête en direction du bébé qui faisait la lippe.

L'infirmière tapota la vitre en indiquant un autre coin.

— C'est si mignon un rouquin avec sa petite tête couleur rouille. (Je confirmai d'un léger signe de tête.) N'est-il pas adorable ?

Le visage de la jeune femme rayonnait.

— Délicieux.

Je m'en retournai vers la salle commune dont les portes battantes s'ouvrirent brutalement.

— Hé ! Salut Dan ! Comment tu vas ?

Le père de Patricia se tenait devant moi, souriant. Il était devenu tout rabougri depuis la dernière fois où je l'avais vu. Ça remontait à un an. Rabougri à cause de la vieillesse. Rabougri à cause de la maison de retraite où il vivait sur la côte Nord-Ouest balayée par les vents. Rabougri à cause du décès de sa femme. Rabougri à force d'attendre la mort.

— Salut John ! Vous avez l'air en forme.

— C'était bien toi qui nous observais y a pas deux minutes à travers le plastique ?

— Euh oui…

— Tu es d'abord parti voir le gosse.

— Euh… oui.

— Un bébé adorable.

— Ouais.

Il me tendit le bras et on se serra la main.

— Je sais ce que tu dois ressentir, fiston.

— Merci. J'ai cru que vous étiez, enfin vous comprenez, que vous étiez *lui*.

Il me serra la main un peu plus fort encore, avant de se décider à la lâcher.

— Oui, je comprends.

28

— Comment est-elle ?

— Fatiguée et irritable, comme d'habitude, quoi. (Il me tapota le bras.) Je suis navré de partir comme un voleur, mais j'ai un train à prendre.

— Je pourrais vous déposer si…

— Bah, non, t'en fais pas… va rejoindre ta femme.

Nouveau sourire. Nouvelle poignée de main. Il s'éloigna ensuite d'une démarche un peu raide, le dos voûté, s'apprêtant à négocier la première marche de l'escalier. Je filai vers la salle commune.

Patricia m'aperçut tout de suite. Sa mimique était mi-sourire, mi-grimace, ce qui en disait long.

J'adressai un bonjour aimable à sa voisine ainsi qu'à son visiteur, puis m'arrêtai au pied du lit de Patricia, la main levée en un salut.

— Salut à toi, Césarienne !

Vu la persistance de son demi-sourire, cette vanne ne fit rire que moi. Le visage blafard, elle s'exprimait presque à voix basse.

— Bonjour Dan.

— Je viens porter mes offrandes.

Je m'approchai de Patricia et me penchai pour l'embrasser doucement sur les lèvres, puis je lui tendis le sac en papier kraft.

Elle plissa les yeux et mima le ravissement.

— Merci, dit-elle en secouant le sac comme pour en deviner le contenu avant de le poser à côté d'elle. Viens t'asseoir.

J'attrapai une chaise en plastique noire.

— Ouvre-le, fis-je.

— Je regarderai plus tard, je veux juste…

— Allez, jette un coup d'œil…

— Dan, je…

— Juste un coup d'œil…

Elle poussa une exclamation puis se décida à l'ouvrir. Elle regarda dedans d'un air dubitatif. Après en avoir extrait un œuf qu'elle examina, elle sortit une pleine poignée de cacahouètes.

— Des œufs durs et des cacahouètes, je commentai.

29

— Pardon ?

— Des œufs durs et des cacahouètes, berk !

— Dan…

— Des œufs durs et des cacahouètes, berk !

— Dan !

— Tu ne te souviens pas ?

— Je ne me souviens pas de quoi ?

Je gonflai mon ventre et secouai ma tête dans tous les sens comme si j'étais énervé.

— Des œufs durs et des cacahouètes, berk !

— Dan !

— Laurel et Hardy ! Des œufs durs et des cacahouètes, berk ! Stan rend visite à Ollie à l'hôpital, il est immobilisé avec une jambe dans le plâtre ; Stan lui apporte des œufs et[1]…

Patricia balança le sachet sur le lit.

— Bon sang, Dan, pourquoi faut-il toujours que tu agisses différemment des autres ? Tu ne pouvais pas m'apporter un bouquet de fleurs ou un peu de raisin ? Faut que ce soit marrant, c'est ça ? Tu ne peux pas t'en empêcher ? Toi et tes irrésistibles blagues !

— À une époque, t'aimais bien.

— À une époque, j'aimais bien beaucoup de choses.

Échange de regards furieux pendant vingt bonnes secondes.

— Je croyais que ça roulait, nous deux, dis-je.

— Ouais.

— Je croyais qu'on était en train de vivre notre seconde lune de miel.

— Ouais, tu veux parler de ma cystite.

Je m'affaissai sur ma chaise et fixai le plafond d'un air morose. Parfois il m'arrive sincèrement de ne plus aimer du tout Patricia. Cela ne dure jamais longtemps, mais ça m'arrive. Je lorgnai sur le couple d'à côté. Je remarquai alors qu'elle berçait un bébé dans les

---

1. Scène culte de leur film *County Hospital* (1932).

plis de son immense chemise de nuit. L'homme surprit mon regard et m'adressa un sourire.

— Il n'est pas venu te voir ?

— Qui ça ? répondit Patricia.

Je haussai les épaules en ajoutant :

— J'ai croisé ton père.

— Il m'a apporté quelques affaires. De couleur neutre. Il n'était pas sûr pour le sexe du bébé…

— Ça ne change pas grand-chose, de toute façon, non ?

— J'imagine que non.

— Dans la mesure où ça ne va pas être de la tarte d'habiller un rouquin.

— Dan…

— Tu aurais pu me prévenir.

— Et comment je l'aurais su ? dit-elle d'un ton cassant, grimaçant presque. Tu crois que ça se voit sur leurs foutues échographies. Tony n'est pas roux.

— Ça n'est pas dû à son ADN alors ? On est passé direct des pantalons pattes d'éph' de monsieur Tony à Elephant Man.

— Arrête, veux-tu ? Qu'est-ce que ça change maintenant ? sifflat-elle, tandis que son visage reprenait soudain quelque couleur. Nom de Dieu, Dan, je viens de vivre les douze heures les plus atroces de toute ma vie, une douleur dont tu n'as même pas idée, et toi tu t'amènes ici, puant la bière, tu me donnes ce sac rempli d'œufs et de cacahouètes, et tu te lamentes sur la couleur de ses cheveux, et pendant ce temps, moi, putain, je souffre toujours autant, et ce pauvre putain de môme lutte pour rester en vie. Merde, Dan !

Je comptai mentalement jusqu'à dix.

Ça ne me calma pas.

— Plutôt mort que rouge !

Elle poussa un cri et me jeta à la figure œufs durs et cacahouètes.

3

Elle n'avait aucune idée de ce que, moi, j'endurais.

Dans la cafétéria de l'hôpital, je buvais un Coca light accompagné d'un Twix, attablé face à un mur nu. Il y avait du thé renversé et du sucre éparpillé sur la table et j'avais posé mon coude dessus sans m'en rendre compte.

Elle n'avait vraiment aucune idée de ce que j'étais en train de traverser, bien que ça paraisse sacrément évident. Je dois avouer, pour ma part, que je n'avais aucune idée non plus de ce qu'elle avait subi. Je m'étais contenté d'assister à la scène avec compassion.

L'homme qui avait rendu visite à la voisine de Patricia vint s'asseoir en face de moi, une tasse de café à la main.

— Vous avez des coquilles d'œufs coincées dans les cheveux, dit-il.

Je les brossai avec mes doigts et quelques fragments beige foncé tombèrent sur la table.

— Merci.

Du genre baraqué, une barbe de plusieurs jours, il portait un pull-over bleu tricoté main par-dessus une chemise blanche. Les épaules rentrées, il se pencha en avant et posa ses deux coudes dans la petite mare de thé. Il les enleva aussitôt.

— Et merde ! dit-il en s'essuyant.

32

— Il m'est arrivé la même chose.

— Vous pensez que…

— Ouais, vous devriez.

De plier ses coudes avait fait remonter sa chemise sur l'avant-bras et dévoilait la moitié d'un tatouage à la gloire de l'IRA. Je m'apprêtais à lui suggérer un brin de chirurgie esthétique au laser, ou alors une vérification de son QI, mais je m'abstins. Nos têtes se rapprochèrent un instant, avant que je ne relève les yeux en m'excusant.

— Désolé pour tout à l'heure.

— Pas de problème, mec, je connais la chanson.

— Pas avec des œufs durs et des cacahouètes.

— Ça va vous étonner, mais c'est notre septième gosse. Les nanas sont comme ça. D'avoir un môme, ça les rend toutes bizarres. Je crois que c'est dû à des molécules chimiques dans leur cerveau. Nous, y faut juste qu'on s'en souvienne et qu'on prenne sur nous, sinon, ça aggrave les choses. Laisse-lui le temps de décompresser, puis tu lui amènes une tasse de thé avec une barre de chocolat. Une petite engueulade, c'est pas le pire qui puisse arriver.

Non, ça n'était pas le pire, quoique ça en fasse partie. Non, le pire, c'était que l'autre n'avait même pas pris la peine de venir voir son fils à la maternité.

Une fois, il y a longtemps, j'ai eu une liaison. Ça n'avait pas été bien loin. Pour se venger, Patricia s'offrit elle aussi une aventure extraconjugale qui ne marcha guère mieux. Nous nous aimions toujours, alors on décida de revivre ensemble. Mais elle était enceinte de lui. Et monsieur voulait assumer financièrement. Contrairement à lui, je ne gagnais pas beaucoup d'argent à l'époque. Patricia soutenait qu'il avait certains droits puisqu'il était le père. Je m'insurgeais : « Putain, tu parles qu'il en a ! » Mais sa présence flottait entre nous tel un fantôme, et je craignais qu'elle n'en fût toujours amoureuse.

— Salut, c'est encore moi !

— Salut, répondit-elle.

— Il va bien ?

— Oui, je crois.

— Je suis désolé.

— Moi aussi.

— Je n'aurais pas dû me montrer si indélicat.

— Ça ne fait rien.

Je lui pris la main.

— Tu as toujours aussi mal ?

— On m'a éventrée au scalpel.

— Donc tu souffres. (Elle fit oui de la tête.) Tony n'est pas encore passé te voir ? (Elle frissonna.) Tu veux que je lui téléphone ?

— Laisse tomber, Dan.

On cessa de parler. Moi, j'observais la femme du lit voisin. Ils avaient emporté son bébé, et à présent elle se reposait, allongée sur le dos, émettant un léger ronflement, en paix avec le reste du monde.

— Ce matin, j'étais convoqué à une audience privée avec le primat de Toute l'Irlande, déclarai-je comme si c'était là une habitude.

— Pardon ?

— Oui, avec le cardinal Daley.

— Dan ?

— Je pensais que ça t'intéresserait.

— Tu veux dire que tu l'as interviewé pour un papier ?

— Absolument pas. Ce serait même plutôt le contraire.

— Dan ?

J'emprisonnai sa main dans les miennes.

— Ma belle, tu sais que mon désir le plus cher est d'avoir du temps pour écrire mon livre. Me mettre au vert et écrire, tu sais que c'est mon rêve depuis toujours. (Patricia acquiesça, mais sans conviction.) Et tu sais aussi que toutes mes demandes de bourse ont été rejetées. Bon, le cardinal Daley gère une bourse attribuée dans le cadre de la coopération avec le Nord... Tu t'en souviens ?

— Oui, enfin, oui...

— Elle est attribuée à des écrivains pour leur premier roman, elle

34

leur permet de vivre… et le truc, c'est que… il m'en fait bénéficier. Tu vois, quelqu'un a fini par trouver que je valais quelque chose…

— Dan, c'est formidable… vraiment… mais on vient juste d'avoir un…

Je pressai sa menotte un peu plus fort.

— Mais tu ne comprends pas… chérie, tu viens avec moi. Et le gosse aussi. C'est ça qu'est chouette. On part… loin de Belfast… aussi longtemps qu'on veut… on aura notre petit cottage… de l'argent… la tranquillité… la paix. Quoi de mieux pour élever un enf…

— Dan… c'est trop tôt…

— On a un ou deux mois devant nous. Fais-moi confiance, ma petite Trish. (Je lui décochai mon sourire qui tue.) Est-ce que je t'ai déjà laissé tomber ?

4

La maison me semblait vide.

C'était le cas, bien sûr, même avec moi à l'intérieur.

À peine arrivé, je m'ouvris une canette de Harp. Je conservais les languettes en métal. Au bout de soixante-quinze, on pouvait commander par correspondance une copie de la Coupe du monde de football. Je possédais trois cent quatre-vingt-sept languettes mais j'étais trop flemmard pour les poster. Je me mis un disque. L'intro à la guitare de *Complete Control* des Clash me parut pour une fois bien trop bruyante et j'éteignis la musique. Je montai jusqu'à la chambre du bébé en étreignant la canette contre ma poitrine.

Patricia l'avait repeinte en bleu sans que je l'aide. Elle avait eu l'intuition que ce serait un garçon. Nous n'avions vu que des échographies du début de grossesse, assez pour être rassurés quant à l'état de santé du fœtus. Je m'étais engagé à la repeindre en rose s'il apparaissait qu'elle s'était gourée. Son père nous avait donné un petit lit d'enfant en bois qu'on avait placé contre le mur. Quelqu'un avait dû y faire ses premières dents, on voyait des traces de morsures sur les montants. Dans un coin étaient empilés des bons vieux jouets d'antan qui avaient appartenu à Patricia et, dans un autre, nos propres cadeaux. Patricia était spécialiste des peluches géantes. Moi, j'avais acheté des bidules à piles, pas très appropriés il est vrai. Mickey Mouse avait été peint au pochoir sur tous les murs.

Je me sentais abandonné. J'avais l'impression d'être tout seul au lieu de me penser à trois. Je culpabilisais à mort d'être un salopard d'égoïste. Pourtant, j'essayais souvent de ne pas être un salopard d'égoïste mais, au bout du compte, vous êtes toujours ce que vous êtes, et les gens vous aiment pour ça, ou bien vous haïssent pour ça. Les deux sentiments s'entremêlent parfois.

J'aurais dû me montrer plus compréhensif. Je pouvais lire dans ses yeux toute sa peine, comme si j'avais lacéré son âme. J'aurais dû manifester un peu plus d'intérêt pour le bébé et éviter de ricaner sur la teinte de ses cheveux. On doit pouvoir certainement finir par aimer les rouquins.

Mais je ne culpabilisais absolument pas d'avoir été avare d'informations sur la mission exacte confiée par le cardinal.

Je n'avais pas menti. Il *m'avait proposé* un cottage. La bourse d'écriture *émanait* réellement des fonds gérés par lui. Selon le vieil adage, la vérité sort toujours de la bouche des enfants, sauf si on aménage cette vérité.

Les épouses n'ont pas besoin d'être au courant de tout. Elles n'ont pas besoin de savoir que vous allez boire un petit coup entre potes l'après-midi. Elles n'ont pas besoin de savoir que le travail de nuit se résume parfois à zieuter les matchs de foot à la télé. Elles n'ont pas besoin de savoir que vous vous branlez — ni quand, ni où, ni à quelle fréquence — quoique très souvent elles s'en doutent.

Elle n'avait même pas besoin de savoir pour le père Flynn parce que je n'avais pas l'intention de passer beaucoup de temps à enquêter sur lui une fois à Wrathlin. Le fruit de mes observations là-bas serait transmis au cardinal d'une façon ou d'une autre, mais sans que ça devienne ma priorité. Daley considérait que l'écriture de mon livre constituerait une excellente couverture pour surveiller le prêtre renégat. Je considérais, moi, que c'était là le but principal de mon séjour sur Wrathlin.

Ah oui, Wrathlin. Cette information-là, il faudrait bien que je la lui livre.

Elle devait s'imaginer : Donegal pittoresque.

Ou bien : promenade en bateau sur le lac Fermanagh.

Ou encore : quand reverrai-je Tony ?

Je redescendis l'escalier et je ramassai le répertoire personnel de Patricia près du téléphone. Je fis glisser mon index le long des onglets. Avant de composer son numéro, je pris une profonde inspiration.

À la quatrième sonnerie, une voix de femme me répondit en marmonnant un « allô » avec un solide accent de Belfast.

— Bonjour. Tony est là ?

— Oui, Anthony est ici. Qui le demande s'il vous plaît ?

— Euh, Willy. Willy du boulot.

— Attendez une seconde.

Elle l'appela en précisant : « William, de ton bureau ». Pas en criant, non, elle était trop raffinée pour cela. J'entendis des pas rapides sur un parquet. Parquet ciré, ambiance meubles anciens et tasses en porcelaine. Je sirotai ma bière.

— Qui est à l'appareil ?

— Dan Starkey.

Soudaine froidure.

— Oh, bonjour, fit-il, impassible, avant d'enchaîner avec un guilleret « *William*, que se passe-t-il ? »

— Patricia a accouché ce soir d'un garçon.

Bruits de gorge.

— Ah oui, euh… j'ai appelé l'hôpital, murmura-t-il. (Puis à voix haute :) Oui, je vois de quel dossier il s'agit. Tout va bien ?

— Il a été entre la vie et la mort, mais il se porte à présent comme un charme.

— Super ! s'exclama-t-il, j'avais prévu de me pencher sur son cas, mais j'étais occupé.

— Je crois que Patricia s'attendait à ce que tu lui rendes visite aujourd'hui.

— Mmmm, oui, bien sûr… J'ai été débordé.

— Écoute-moi bien. Tu es le père de ce petit salopiot, alors tu vas te bouger le cul et aller le voir.

— C'est difficile de m'échapper. Je suis marié, ajouta-t-il entre ses dents.

— Oh oui, je sais que tu es un putain d'homme marié. Moi aussi, figure-toi.

— Je ne tiens pas à m'immiscer dans votre vie privée.

— Si tu t'étais pas immiscé dans son vagin, ducon, tu ne serais pas dans cette situation, pigé?

Tony fut pris d'une sévère quinte de toux. J'éloignai le combiné de mon oreille.

— Bon, finit-il par dire à voix haute, le dossier est clos à ce que je comprends. Il reste évidemment quelques petits détails à régler.

— T'es un vrai connard de lèche-bottes, toi, pas vrai?

— Évidemment.

— Tu lui dois bien ça. T'as pas arrêté de lui dire que tu t'occuperais du môme. Tu t'y prends drôlement bien.

— Comme je te l'ai expliqué, j'ai été très occupé sur d'autres dossiers. Mais je vais me pencher sérieusement sur celui-ci dès demain. Merci de m'avoir téléphoné à la maison pour me le rappeler. Vraiment, je t'assure. À très bientôt, William.

— C'est ça, dis-je avant de raccrocher.

J'allai me chercher une autre bière. La troisième. Pour la troisième mi-temps.

Wrathlin est située à environ une cinquantaine de kilomètres au nord-ouest de nos côtes. Un millier d'habitants y vivent, je le sais, j'ai fait des recherches dessus autrefois, c'était pour une rédaction à l'école primaire. Cette île est célèbre pour la grotte qui servit de cachette à

Robert Bruce[1] et dans laquelle il observa une araignée tisser inlassablement sa toile. Elle fut également le lieu des premières expériences de communication sans fil menées par Marconi, sinon par lui en personne, du moins, par ses assistants. Et je me souviens aussi d'un truc plus récent, le patron de Virgin, Richard Branson, dans un de ses mémorables atterrissages forcés en ballon il y a quelques années de ça. En échange de leur aide, les insulaires avaient marchandé la construction d'un nouveau foyer municipal.

Pas terrible comme infos.

Le lendemain matin, un samedi, je pénétrai dans les locaux du *News Letter* pour aller voir Mark Gale. Lui et moi avions fait nos études de journalisme ensemble, à une époque perdue dans la nuit des temps, bien avant la séparation des Sex Pistols.

Il me repéra tandis que je traversais la salle de rédaction. Il s'enfonça dans son fauteuil, derrière l'ordinateur, et s'étira. Puis se gratta machinalement la bedaine avec un sourire.

— Dan, l'homme qui tombe à pic ; tu vas peut-être pouvoir m'aider. J'ai une question.

— Pas de problème.

— Qui était Sam Andreas et de quoi s'est-il rendu coupable ?

— Je n'en ai pas la moindre idée.

— Pas possible.

Je pris appui sur son bureau et me penchai par-dessus son ordinateur.

— Et toi, tu pourrais m'expliquer qui était Sam Quinton et pourquoi ils lui en voulaient à mort ?

— Je n'en ai pas la moindre idée.

— Pas possible.

Il attrapa son paquet de clopes, des Berkeley Mild. Pour une mort plus douce.

1. Robert Bruce (1274-1329) est un des héros écossais les plus vaillants qui lutta contre les Anglais. Il devint roi d'Écosse en 1306.

— On pourrait peut-être régler ce différend si tu me disais qui était Sam Francisco et pourquoi ils en avaient tous après lui?

Je hochai la tête et il fit de même.

— Alors, t'es débordé?

— Non, sans blague? (Il me proposa une cigarette, que je refusai. Il s'en alluma une.) Depuis cette putain de trêve, y a plus rien à faire. Vivement qu'ils se remettent à s'entre-tuer à coups de bombe. Si tu cherches du boulot, tu ferais mieux de téléphoner aux Provos[1] pour exiger qu'ils reprennent leurs activités.

Je m'assis sur le bord du bureau. Le réseau informatique installé récemment par le *News Letter* était censé avoir créé un environnement libéré de tout support papier afin de protéger les arbres. Mark n'en avait rien à foutre de la déforestation. Au contraire, il aimait le bois, les essences rares de préférence. Son bureau était envahi de suffisamment de piles de papiers pour reconstituer une forêt miniature.

— Je ne suis pas venu chercher du boulot, Mark. Je suis venu solliciter tes méninges. Ça te dirait une petite pinte?

— J'ai arrêté de picoler. À cause du Carême, répondit-il d'un ton mélancolique.

— T'es sérieux? Je croyais que le Carême était terminé…

— C'est ma femme qui a insisté.

— Nom de Dieu! Ils sont tombés les héros…

— Raconte, fit-il avec un air de malheureux. Qu'est-ce que tu veux savoir?

— Tu es né sur l'île de Wrathlin, non?

— Exact.

— Je pensais que tu pourrais m'en parler un peu.

— T'en parler?

— Je vais bénéficier d'une bourse d'aide à l'écriture. Ça signifie vivre dans un petit cottage quelques mois sur cette île, me mettre au

---

1. Les Provos sont les membres de l'IRA provisoire.

vert, quoi, loin de la foule déchaînée comme aurait dit Oliver Hardy. Je me demandais juste à quoi ça ressemblait là-bas.

Il me lança un petit sourire narquois. Que je lui rendis.

— T'as déjà été à la Barbade ?

— Non.

— Bien. Parce que ça n'a rien à voir. (Il se frotta les mains puis se gratta le menton, envahi par une barbe de plusieurs jours.) Et maintenant, comment te décrire Wrathlin ? J'imagine que c'est un coin sympa, l'été, pour y passer la journée. Tu y vas quand, d'ailleurs ? L'été prochain ?

— D'ici un mois ou deux.

— Aïe, alors là c'est la caillante assurée.

— Ah bon ? C'est pas la bonne époque ? On va partir dès que le bébé sera suffisamment en forme.

Mark parut étonné.

— Oh, j'avais oublié que Patricia allait accoucher. Alors, fille ou garçon ?

— Un petit garçon.

— Félicitations. Tout s'est bien déroulé ?

— Comme sur des roulettes.

— Tu n'as pas l'air hyper-enthousiaste.

— Il m'en faut beaucoup pour l'être.

— Hé, mon vieux, t'es sûr que ça va ? dit-il en s'approchant de mon visage.

— Super.

— T'es bien sûr ?

— Archisûr.

— Ma femme pense que t'as un problème d'alcool.

Je me levai.

— Je n'ai pas un problème d'alcool, Mark, j'ai la gueule de bois. C'est une différence subtile qui a son importance.

Il semblait tout gêné.

— Ah, Dan, désolé… je voulais pas…

42

— Ne t'excuse pas et parle-moi plutôt de Wrathlin.

— D'accord. Comme je t'ai dit, l'endroit est super si tu fais l'aller-retour dans la journée, qu'il fait beau et que la mer est calme. Ce qui est le cas à peu près une semaine par an. Pour le reste, c'est... eh bien... c'est un trou paumé. Il pleut. Il vente. Il neige. La grêle, le tonnerre, les éclairs. Et là ce n'est qu'une entrée en matière. Bon, je ne suis pas tout à fait objectif. Ça peut être sympa, si la vie sur une île te botte — on se croirait au siècle dernier, mêmes principes moraux, mêmes attitudes ancestrales, du basique.

— Ils ont l'électricité, tout de même ?

— Oui, Dan, bien entendu. C'est pas ça qui craint. C'est leur mentalité insulaire. Et même ça, tu t'y attends, avec une population de huit cents âmes à tout casser. En hiver, impossible d'apercevoir le continent. Isolée est le mot qui la définirait le mieux. L'endroit est déprimant. Pas grand-chose à y faire et le peu de travail est immanquablement saisonnier.

— Est-ce que tu dirais des habitants qu'ils sont portés sur la religion ?

— Par périodes, oui. Au cours des trois derniers siècles, les catholiques de toute la côte Nord-Ouest y ont souvent trouvé refuge. Ceux qui avaient les moyens de fuir les persécutions ont choisi l'Angleterre, ou la France, ou le sud de l'Irlande. Les autres ont fini sur Wrathlin. Et la plupart n'en sont jamais repartis. C'est une communauté unie par des liens indéfectibles.

— Pourtant, toi, tu l'as bien quittée.

— Ouais. C'est tout le problème avec Wrathlin. Elle n'est pas assez importante pour l'ouverture d'un collège, alors la majeure partie des adolescents est expédiée dans des écoles sur le continent. Là, ils prennent conscience qu'ils n'ont aucune envie de rentrer. Le nombre d'habitants diminue chaque année à ce que j'ai entendu dire.

— T'as toujours de la famille là-bas ?

— Exact.

43

— Tu y vas de temps à autre ?

Mark secoua la tête en signe de dénégation.

— Je devrais, mais je ne trouve jamais le temps. Tu sais comment c'est.

— Oh oui…

— Tu vas y emmener Patricia aussi ?

— Oui, avec le bébé.

— Tu crois que c'est prudent ?

— Tu penses que non ?

— Je n'irais pas jusque-là. Mais Patricia… enfin, c'est plutôt une fille de la ville, je me trompe ?

— C'est vrai.

— Dan, Wrathlin est tout sauf une ville. Imagine qu'ils attendent toujours qu'on y programme *Autant en emporte le vent*.

— Je me suis engagé à y aller. Le cas de Patricia, je m'en chargerai en temps voulu.

— Et tu as l'intention de gérer ça quand ?

— Dans une demi-heure environ.

— Oh là là, ça craint !

— J'te confirme.

Au sein de l'Ulster Volunteer Force[1] existe un groupe dissident qui a pour nom le Red Hand Commando. Parfois, on appelle cette aile de l'UVF la Barmy Wing.

Alors que le reste de la Province se réjouissait de la trêve, ce groupe préparait un attentat meurtrier. Alors que j'étais en train de tirer gentiment les vers du nez de Mark à propos de Wrathlin, deux tueurs se pointaient à la maternité du Royal Victoria Hospital pour liquider un militant républicain.

La victime était en fait cette forte femme, voisine de lit de Patricia.

---

1. L'UVF est un groupe paramilitaire protestant qui comporte un millier d'activistes clandestins.

Ils entrèrent sans problème pendant les heures de visite, vêtus de simples vestes et de jeans, casquettes de base-ball sur le crâne. Ils vérifièrent la feuille de soins accrochée au pied du lit de Patricia, secouèrent la tête et se dirigèrent vers le lit d'à côté où dormait la femme. Patricia leur cria dessus. La femme se réveilla. Pour se trouver nez à nez avec le canon d'un flingue. À dix centimètres de son visage. À bout portant. Bouche béante de la femme. L'homme appuya sur la détente. L'arme s'enraya. Il appuya à nouveau sur la détente. Le pistolet s'enraya encore.

— On tente sa chance encore une fois ? dit un des tueurs en appuyant sur la détente.

Toujours rien. Il se mit à rigoler.

— T'es une sacrée veinarde, espèce de salope. On t'aura la prochaine fois. Amuse-toi bien en attendant.

Il la frappa violemment du revers de l'arme et lui entailla profondément le crâne. Puis le commando s'éloigna dans le couloir aussi tranquillement qu'il était entré.

Au moment où je parvenais à la maternité, un cordon de flics et de militaires entourait le bâtiment. Il me fallut parlementer un moment puis piquer une grosse crise pour qu'on m'autorise à entrer.

Lorsque j'arrivai auprès de Patricia, elle était en larmes. Elle tenait Le Rouquin dans ses bras, en le berçant frénétiquement de droite à gauche. Le bébé aussi pleurait. Plus aucune trace de sa voisine, son lit avait été refait et son armoire vidée.

— Dan, emmène-nous loin ici, dit-elle alors que je la prenais dans mes bras, je ne veux pas rester une seconde de plus dans ce putain d'hôpital.

— Pas de problème, ma chérie, dès qu'on le pourra, on partira très loin.

Les voies du Seigneur sont impénétrables.

5

C'était épatant ; tout se déroulait au petit poil.

Patricia rentrait chez nous. Le bébé se portait comme un charme. On l'avait emmitouflé pour lui faire découvrir le monde en vrai. Le soleil pointait son nez pour la première fois depuis des semaines. Tony n'avait pas pointé le sien. J'avais nettoyé la maison ; huit heures m'avaient été nécessaires, mais je m'en étais plutôt bien sorti. J'avais réussi à faire fonctionner l'aspirateur ; il m'avait fallu découvrir cette procédure sophistiquée qui consiste à mettre en relation une prise de courant mâle avec la prise de courant femelle. Trois chaussettes et un chausson manquaient à l'appel à la fin de l'opération, mais je ne regrettais rien de ce sacrifice quand je lus l'expression de ravissement sur le visage de Patricia qui pénétrait dans notre salon.

— Tu as fait le ménage, balbutia-t-elle, stupéfaite.

Je haussai les épaules.

Elle glissa son index le long de l'accoudoir du canapé.

— À fond, renchérit-elle.

Je lui enlevai Le Rouquin des bras, l'air dégagé.

— Je le couche dans son berceau ?

Souriante, elle approuva et m'embrassa sur la joue.

— Allons-y, dit-elle.

Je le portai au premier, Patricia dans mon sillage. En entrant dans la chambre bleue, il gazouilla de plaisir. Je soulevai la couverture pour le déposer délicatement dans son lit. Je l'y calai sans trop serrer, puis me redressai. Il gazouilla encore et Patricia gazouilla de son côté. J'émis un léger gazouillis à mon tour et à mon grand étonnement je n'en concevais aucune honte.

— Notre vie est complètement bouleversée.

— Cela te gêne ? demanda-t-elle. (Je fis non de la tête.) Tu en es bien certain ?

— Oui, j'en suis sûr.

— Dan, je sais combien cela n'a pas été simple pour toi.

— Je sais combien je n'ai pas été facile avec toi.

— Mais... enfin, tu vois ce que je veux dire...

— Absolument.

Un peu plus tard, je donnai le biberon au bébé. Patricia était assise, les pieds surélevés. J'aperçus des feuilles de chou qui dépassaient de son soutien-gorge. Je ne posai aucune question[1]. J'ouvris une bouteille de vin et préparai le dîner que je lui servis sur un plateau.

— Mon cœur, qu'est-ce qui t'arrive ?

— Rien. Je t'aime, c'est tout.

— Ah !

Je lui parlai de Wrathlin.

Elle y réfléchit trois bonnes minutes sans me regarder, concentrée sur son verre qu'elle agitait doucement.

— D'accord.

— Qu'est-ce que tu entends par « d'accord » ?

— D'accord. Ça me va. C'est O.K., je te suis. Tu pensais que j'allais te répondre quoi ?

— Je pensais que tu allais me dire d'aller me faire foutre.

— Dan...

1. Les feuilles de chou sont censées éviter les montées de lait chez les femmes qui viennent d'accoucher.

— Je pensais que tu allais me suggérer de me la mettre bien profond, mon île de Wrathlin.

— Dan, je…

— Je suis super-heureux.

— Moi aussi. (On trinqua.) J'en ai plein le dos de cette ville. Ce qui s'est passé à l'hôpital m'a flanqué une sacrée trouille. On finira peut-être notre vie sur Wrathlin.

— Ne t'avance pas trop, mon lapin, répliquai-je alors que je lui caressais la jambe, tu ne sais pas dans quoi tu t'embarques.

— Je serai avec toi et le bébé, c'est tout ce qui compte.

— Eh, chérie, dis-je en la fixant droit dans les yeux, c'est un endroit très loin de tout.

— Parfois, c'est toi qui es loin.

Alors que défilaient les semaines, Patricia apprenait à s'occuper du gosse. J'y consacrais moi-même quelques heures. Je commençais également à mettre nos affaires en carton en vue d'un séjour prolongé sur l'île de Wrathlin. Je m'efforçais de me concentrer sur le minimum vital pour habiller un bébé, une femme et un homme.

Le cardinal m'avait décrit le cottage comme un meublé parfaitement équipé de tous les appareils modernes, ce qui réduisait considérablement l'ensemble des choses que nous devions expédier sur l'île. Je lui téléphonai pour qu'un lit d'enfant nous soit fourni sur place. Il s'y engagea, impatient qu'il était que j'arrive au plus vite là-bas. Il m'adressa même le chèque pour couvrir nos frais une fois sur place. Trois mille livres pour un séjour de dix semaines, c'était pas mal du tout si l'on songe que mon dernier à-valoir pour un livre s'était élevé à trente-six livres, plus un pot de confiture de fraises.

Les femmes sont très différentes des hommes. On explique à une femme et son enfant qu'on ne peut emporter que le strict nécessaire, elle sera totalement d'accord avec vous. Sauf qu'elle entassera assez de trucs pour soutenir une ville comme Mafeking[1]. Un homme, lui, est capable de voyager léger. Un rasoir de bonne qualité. Une brosse à dents. Une pile de tee-shirts propres. Quelques jeans. Une machine à écrire. Une ramette de papier. Un walkman, des cassettes des Clash, de Van Morrison, de Neil Young. Ah oui, et une antenne parabolique.

Ils allaient prochainement retransmettre des matchs de boxe à la télé, mais seulement sur les chaînes satellite. La catégorie poids lourd s'animait un peu depuis quelques mois, et même Fat Boy McMaster de Belfast revenait dans le classement officiel. Pas question de louper un match. Et il me semblait peu probable que quiconque sur Wrathlin sache à quoi ressemblait une antenne parabolique. On m'avait raconté qu'ils avaient découvert dernièrement l'existence du premier vol de Youri Gagarine.

Je ne m'y connais pas des masses en matière d'antennes paraboliques. Ma première intention fut de récupérer ma vieille antenne en la sectionnant à la hache, pour ensuite la scotcher contre le mur du cottage et espérer que ça marcherait. Après réflexion, je trouvai préférable de me renseigner. Comme c'était nocturne dans les boutiques du centre-ville, j'embrassai femme et enfant et pris ma voiture pour aller consulter mon sympathique revendeur. Il se montra fort aimable, j'acquiesçai à tout ce qu'il m'expliquait sans en comprendre un traître mot.

Je me surpris à siffloter sur le chemin du retour. Bien que ce ne fût pas dans mes habitudes, siffloter me semblait approprié. Tout se déroulait à merveille. Je m'arrêtai chez le caviste pour m'acheter un pack de douze Harp sans oublier une bouteille de vin pour Patricia.

Je m'apprêtais à me garer devant la maison lorsque j'aperçus Tony descendre de sa BMW et s'approcher de la porte d'entrée. Il se tenait dans la lumière du porche, et arrangeait ses cheveux d'un petit geste nerveux avant d'épousseter sa veste Barbour constellée de

1. Ville assiégée durant la deuxième guerre des Boers.

gouttes de pluie. Je lançai une bordée d'injures et poursuivis ma route en contournant le pâté de maisons pour me garer un peu plus loin. Il était entré chez nous. Je baissai ma vitre et crachai dehors.

Il fallait que je me décide. Il commençait à pleuvoir à verse. Je me savais bien au sec dans la voiture, mais il aurait bien pu tomber des trombes d'eau à l'intérieur que ma mauvaise humeur n'aurait pas été pire. Je filai un grand coup de poing sur mon volant. Puis un second ! Keith Moon tapait comme un sourd sur mon cœur transformé en batterie. Ma place était aux côtés de ma femme, mais elle voulait certainement lui parler en privé. Ma place était là-bas, à sauver notre couple. Sauf que Le Rouquin était de lui. Je savais ce que je devais faire vis-à-vis de Patricia. La laisser respirer. Elle m'aimait, elle me l'avait dit. Elle allait me suivre sur Wrathlin. Si jouer les suspicieux était ma spécialité, jouer les cocus zélés n'était pas mon fort. Je décapsulai une canette de bière. Elle lui avait téléphoné juste après mon départ et l'autre s'était pointé dare-dare. Et maintenant, si ça se trouve, ils étaient… Je cognai de nouveau sur le volant, mais cette fois sur le klaxon. Personne n'y prêta attention.

Je sifflai le reste de ma canette en deux temps trois mouvements et la balançai sur la banquette arrière. Je descendis de voiture et marchai jusqu'au portail. Je levai les yeux vers la maison et scrutai la façade. Les rideaux du salon étaient tirés et il m'était impossible de distinguer d'éventuelles silhouettes à l'intérieur.

Je restai scotché près du portail. Je surveillais ma maison, immobile et trempé jusqu'aux os. Je ne bougeai plus pendant une dizaine de minutes fixant porte et fenêtres, à l'affût du moindre mouvement, mais rien.

La voiture de Tony était flambant neuve, racée et élégante avec ses lignes pures. Je sortis mes clés et la rayai tout du long, côté conducteur. Elle me semblait à présent plus du tout racée et moitié moins élégante. Je retournai à ma voiture pour y chercher mon sac rempli d'alcool. Je remontai la rue ; à deux cents mètres à peine se trouvait un square avec des jeux pour les mômes. Je m'installai sur le tourni-

50

quet où j'entrepris de siroter une autre bière, plongé dans mes idées noires.

Deux heures plus tard, je m'engageai dans ma rue et pataugeai dans l'eau. J'avais beaucoup cogité sans arriver à une conclusion particulière, excepté celle me confirmant que j'aurais atteint exactement le même résultat en restant au sec dans ma bagnole. Il n'était pas loin de minuit. La voiture de Tony avait disparu. J'entrai chez moi et m'ébrouai comme un chien. Patricia se tenait sur le seuil de la cuisine et berçait Le Rouquin.

— Au nom du Ciel, où t'étais passé ?

Sa voix contenait un subtil mélange de soulagement, de colère, d'inquiétude et de suspicion.

— Est-ce que c'est important ?

— Je veux que c'est important ! Dan ! Tu es trempé jusqu'aux os !

— Ouais, et bourré.

— Dan...

— J'ai aperçu sa caisse, je ne voulais pas dérang...

— Dan, j'attendais que tu reviennes...

— Je pensais que c'était mieux de vous laisser tous les deux seuls... enfin... tous les trois.

— Dan, je voulais que tu sois là...

— Je croyais...

— Dan, tu crois trop de choses, mon amour...

Elle vint à ma rencontre d'un pas rapide et m'attira à elle. Nous nous embrassâmes.

— Tu écrases le bébé, dis-je.

Elle éclata de rire, me repoussa et déposa un baiser sur la joue du petit.

— Tu es un idiot. (Elle m'entraîna vers le salon de sa main libre. J'entrai dans la pièce, tout dégoulinant de flotte. Elle m'obligea à m'asseoir.) Dan, tu es un idiot, doublé d'un salopard soupçonneux et fou. Tu as du bol que je t'aime.

51

— J'ai du bol, je répétai.

— Il a téléphoné juste après ton départ. Il m'a demandé s'il pouvait faire un saut pour voir le bébé. Je lui ai expliqué que tu reviendrais dans une heure et qu'il fallait qu'il t'attende. Mais tu n'es pas revenu.

— J'ai été retardé.

— Tony m'a avoué que tu l'avais appelé.

— Et il t'a raconté quoi ?

— Que tu l'avais engueulé parce qu'il n'était pas venu me rendre visite. (Elle me dévisagea un instant. J'adorais ses yeux. J'ai toujours trouvé qu'elle en avait de magnifiques.) Il m'a dit que tu avais eu raison de t'en prendre à lui.

— Monsieur est trop bon ! Quel homme magnanime, déclarai-je en savourant le choix de ce dernier mot. Monsieur est trop fort.

— Tu n'avais pas besoin de lui téléphoner, souffla-t-elle sur le ton de la réprimande.

— Oh, si, tu te languissais de sa visite.

— Dan ! Tu ne me comprendras donc jamais ? Je ne me languissais pas de lui.

— Oh que si.

— Dan, je…

— Bon, d'accord, tu ne te languissais pas de lui. Comme tu le sens. Je voulais simplement le remotiver, je pense qu'il devait venir te voir.

— Voilà qui est fort magnanime de ta part.

— Touché, ma belle. Ne suis-je pas touchant ? Toutes ces choses ne sont que des problèmes de syntaxe. De quoi pourrais-tu me syn-*taxer* ?

Patricia déposa doucement le bébé sur le sol et se pencha pour m'embrasser.

— Merci, dis-je en pointant le bébé qui reposait calmement sur le dos et ne quittait pas sa mère du regard. Il serait peut-être temps de le mettre au lit, non ?

52

Elle approuva, s'approcha de lui pour lui caresser la tête. Il gazouilla.

— Il faut qu'on lui trouve un prénom.

— Nous y avions déjà réfléchi.

— Je sais, mais il ne me semble désormais guère adéquat.

— Je déteste revenir là-dessus, mais…

— Je sais… ses cheveux roux.

Nous avions pensé à Richard. Richard Starkey.

— Richard, ça ne colle pas avec rouquin, n'est-ce pas ?

Elle secoua la tête et déclama :

— Richard le Rouge roule sa bosse rien qu'à Wrathlin.

— Ritchie le Rouquin a la rage.

— Bon, Richard, vaut mieux oublier, dit-elle en se concentrant. On doit écarter tout prénom avec un *r*. Lettre suivante : *s*. S comme Sam.

— Sam Starkey ?

— Samuel Starkey. Samuel S. Starkey.

— S pour quoi ?

— S pour… Steven ?

— Et Samuel en référence à qui ?

— Mon oncle Sammy, celui qui tient une baraque à frites.

— Et Steven pour qui alors… ?

— J'en sais rien… Spielberg…

— SS Starkey. Ça me fait penser à un nom de porte-avions.

— Après tout, on va prendre le bateau pour Wrathlin. Embarquons sur le *SS Starkey*.

Et voilà comment, aussitôt dit, aussitôt fait, il eut un prénom.

Vers cinq heures du matin, le *SS Starkey* eut une avarie et lança un bruyant SOS. Patricia dormait profondément, la tête enfoncée dans le creux de mon estomac. Je restai allongé sans bouger quelques minutes pour voir si les cris allaient s'arrêter. Ils se transformèrent en vagissements. Bien que j'aie essayé de m'extraire du lit aussi doucement que possible, Patricia grommela dans son sommeil avant de reprendre sa place. J'enfilai ma robe de chambre et pénétrai à pas feutrés dans la chambre bleue.

J'avais la bouche sèche à cause de l'alcool. J'inspirai une bouffée d'air par le nez tandis que je me penchais au-dessus de son lit et espérais ainsi le tromper s'il me soupçonnait d'être un beau-père abruti par la bibine. Raté. Cependant, il s'arrêta presque sur-le-champ de hurler et me sourit alors que je le prenais dans mes bras. Il paraissait évident qu'il avait apprécié mon haleine de chacal.

— Qu'est-ce qui ne va pas, petit bonhomme ?

Je lui fis un câlin.

« Putain, mon vieux, je crève d'envie de m'en jeter un », semblaient me répondre ses yeux.

Je le descendis avec moi et lui préparai un biberon.

Pendant que ça réchauffait, je changeai sa couche. J'opérai la mise au point qui s'imposait :

— Ne te fais aucune illusion, ceci restera le boulot de ta mère.

Assis à la table de la cuisine, je lui donnai à manger, son petit corps chaud blotti contre moi. Pendant qu'il tétait goulûment, je commençai à lui raconter toutes ces choses que l'on doit savoir pour affronter la vie, quelle que soit la vie que l'on aura d'ailleurs. Qu'il ne faut jamais se porter volontaire à l'école comme gardien de but, toujours se proposer pour être le buteur. Que John Barnes fut le meilleur joueur qu'on ait eu à Liverpool. Que George Best fut le meilleur depuis la nuit des temps. Que les morceaux *Anarchy in the UK*, *God Save the Queen* et *Pretty Vacant* resteraient les trois meilleurs titres jamais produits par un groupe. Que Sugar Ray Leonard et Muhammad Ali furent les plus grands boxeurs de l'histoire du sport, sauf qu'aucun des deux ne prit sa retraite quand il aurait dû. Je le mis en garde contre les cheveux permanentés, contre le mauvais goût de porter des chaussettes blanches, contre les dangers des pantalons pattes d'éph'. En principe, j'aurais dû aussi lui dire de se méfier des rouquins, mais cela me parut quelque peu déplacé. Je lui expliquai que Dieu n'existait probablement pas, toutefois, dans l'hypothèse inverse, il était peu vraisemblable que son fils vive sur l'île de Wrathlin.

J'ignorais s'il en retiendrait quelque chose. On le saurait peut-être un jour.

6

Juste assez grand pour transporter deux voitures et une poignée de passagers, le *Fitzpatrick* était un chalutier reconverti en ferry. Il assurait la liaison deux fois par semaine quand la météo le permettait. Les habitants de l'île avaient longtemps réclamé un bateau d'un tonnage supérieur, ce qui aurait, selon eux, donné un coup de fouet au tourisme. Mais en cette matinée baignée de soleil, ce besoin ne semblait pas prioritaire. Patricia, Stevie et moi étions les seuls à voyager. Partis en voiture de Belfast aux premières lueurs de l'aube jusqu'au port de Ballycastle, on avait aperçu l'île qui émergeait d'une brume délicate. Durant cinq bonnes minutes, absorbés dans notre contemplation, nous étions restés assis sur le quai avec ma femme, mon bébé et trois mille tonnes de fringues, de quoi largement tenir les dix prochaines semaines.

— Tout a l'air si paisible.

J'étais bien d'accord.

Le capitaine du *Fitzpatrick* s'appelait Charlie McManus. C'était un vieil homme à l'air rabougri avec une chevelure ébouriffée comme on en avait rarement vu. Il conduisit notre Fiesta à bord de l'embarcation et l'arrima avec des kilomètres de chaînes. En la contournant, il hocha la tête devant la quantité de bagages entassés à l'intérieur.

— Vous z'allez ouvrir une boutique ou un truc comme ça? Ses yeux rieurs étaient écarquillés de curiosité.

— On va s'installer dans un cottage pour deux mois environ. J'ai un travail à terminer.

Il m'examina de la tête aux pieds et connaissait d'avance la réponse à sa question :

— Z'êtes pas fermier, vous, pas vrai?

— Non, je suis écrivain. Le genre tranquille et serein, vous voyez?

Il se gratta le menton.

— Ah! Bien.

Il grimpa derrière son gouvernail. Le moteur crachota un bon bout de temps avant de démarrer.

On s'installa à la proue pendant que Charlie manœuvrait le bateau hors du port et, dès qu'on navigua en pleine mer, le vent se leva. Patricia me poussa du bras et m'expliqua qu'il serait préférable pour elle et Little Stevie d'aller s'asseoir dans la voiture. J'avais décidé de le surnommer Little Stevie parce que ça me rappelait Bruce Springsteen [1] et, comme ça, j'en oubliais ses cheveux roux.

Je rejoignis donc Charlie qui m'accueillit avec bienveillance.

— Magnifique matinée, dis-je.

— Oui.

Il portait une barbe taillée avec soin qui contrastait avec ses cheveux.

— Vous assurez cette navette depuis longtemps?

— Oui. Assez longtemps.

— Et sur l'île, ça se passe comment?

— Euh…, pas mal.

— Je vois.

Charlie était le genre de gaillard à ne pas se laisser déboussoler par la venue de l'Antéchrist, encore moins par celle du Messie. Je l'imagi-

---

1. Little Steven était un des musiciens de l'E-Street Band, le premier groupe de Bruce Springsteen.

nais disant «Ah, quelle plaie, faut faire avec», en se souciant plutôt que le bateau parte bien à l'heure. Je décidai de rejoindre Patricia dans la voiture.

— Qu'as-tu appris de Capitaine Œil-de-lynx ?

— Rien du tout.

Le voyage dura un peu plus d'une heure. Une promenade en mer comme jamais je n'en avais vécu. Les flots ondulaient avec grâce, un vent frais soufflait raisonnablement. Les mouettes ne nous lâchaient pas depuis le départ, dupées par le vieux chalutier et les odeurs suspectes qui se dégageaient de la couche de Little Stevie.

L'approche pour entrer dans le port n'était pas facile car de puissants courants nous repoussaient vers le large. Une demi-douzaine d'autres chalutiers étaient amarrés au quai. Pendant que Charlie manœuvrait le *Fitzpatrick*, nous sortîmes de la voiture pour nous poster à l'avant du bateau et observer en détail le rivage. La ville — ou plutôt le village — s'élevait tout autour du port, comme collée à lui. De petits cottages aux murs blanchis à la chaux bordaient le front de mer. Des rangées de maisons plus vastes et plus modernes, parsemées çà et là de quelques boutiques, remontaient à flanc de colline en direction d'une église construite en son sommet et qui scintillait sous le soleil automnal. Quelle magnifique journée… Patricia glissa sa main dans la mienne. Elle leva vers moi un visage radieux et désigna l'île.

— Superbe.

Charlie jeta une corde à terre et deux jeunes types l'aidèrent à arrimer l'embarcation. Puis il enleva la barrière et je descendis sans problème la voiture sur le quai. Charlie nous adressa un petit signe de main. Nous aussi. Stevie se contenta d'un gazouillis.

— Bienvenue au Paradis, annonçai-je à Patricia, ce qui nous fit bien marrer.

On rigolait toujours deux cents mètres plus loin quand on arriva à hauteur du pub.

Je m'étais documenté ; il y avait un seul pub sur l'île, propriété de

Jack McGettigan depuis trente ans. Un pub tout simple qui ne faisait ni restaurant ni discothèque. Pas même jeu de fléchettes. On y servait des pintes de bière et des alcools forts, rien de plus, et d'ailleurs on n'avait besoin de rien d'autre. Et c'était assurément tout ce dont, moi, j'avais besoin. Je fantasmais sur ma nouvelle vie, m'imaginant le matin en train d'écrire quelques feuillets, seul dans ma mansarde, sans compter l'épouse comblée et le gosse espiègle, après, petite virée au pub pour y boire deux ou trois verres, puis retour à la maison en flânant ; à nouveau écriture de quelques feuillets supplémentaires, au passage, un baiser sur la joue de ma femme et des chatouilles au bébé, enfin la soirée passée en compagnie des gens du coin, et même avec ce bon vieux Jack en personne, autour de quelques pintes supplémentaires, et de temps à autre j'aurais glissé ma tête par l'entrebâillement de la porte pour voir si un miracle ne s'était pas produit, tout là-haut, sur la colline.

Je freinai brutalement.

— Qu'est-ce qu'il y a ? s'inquiéta Patricia.

Je me sentais vidé d'un coup. Dracula venait de me pomper tout mon sang.

— Le pub…, murmurai-je.

— Ben oui, quoi ?

— Il est fermé.

— Il est encore tôt, c'est normal.

Je secouai la tête et ouvris ma portière.

— Non, tu ne vois pas, il est *fermé*, dis-je en sortant sur la route. Fermé définitivement. Mais regarde, Patricia ! Ce putain de pub est fermé.

— Je vois bien.

— Tu le savais ?

— Bon sang, Dan, comment aurais-je pu le savoir ?

Je m'approchai de la porte du pub et je tirai dessus. Elle était bien verrouillée et les fenêtres protégées par des planches clouées.

— Nom de Dieu !

Les deux jeunes gars qui nous avaient aidés pour le *Fitzpatrick* surgirent derrière ma voiture. L'un d'eux, la tignasse naturellement bouclée, portait un pull-over d'Aran. Il trimbalait en bandoulière un sac de la poste estampillé « Royal Mail » dans lequel il ne semblait pas y avoir beaucoup de courrier.

— Qu'est-ce qui est arrivé à ce pub ?

— Fermé, me répondit-il.

— Définitivement ?

— Oui.

— Le vieux Jack est mort ?

— Non, il traîne dans le coin.

Ils poursuivirent leur chemin. Je remontai en voiture.

— Bordel de merde ! criai-je en frappant le volant.

— On a peut-être encore le temps de rentrer à la maison, non ? suggéra Patricia en s'étranglant de rire.

— Ça n'a rien de drôle. Putain, je n'ai rien emporté à boire.

Elle me pinça la jambe.

— Mon pauvre chou ! dit-elle sans aucune compassion.

— Tu te rends compte ! Fermer un pub. Est-ce qu'on a déjà vu ça ? Mais comment font ces gens ?

— Dan, ils doivent fabriquer leur propre gnôle. Fabrication illicite de whisky, voilà comment ils font.

— Du whisky local, mon cul, oui ! Je veux mes Harp.

— Dan, dans deux jours, saute dans le prochain bateau. Retourne sur le continent faire le plein si tu te sens désespéré à ce point.

— Un jour et demi, autrement dit des siècles ! Pour l'amour du Ciel, je suis censé faire quoi en attendant ?

— Souffrir.

— Merci.

Jeune, je m'étais aventuré à fabriquer du whisky de contrebande. Il fallait faire bouillir des kilos de pommes de terre et laisser le résidu fermenter. Au final, ma mixture n'était même pas vaguement alcoolisée, j'en avais toutefois obtenu une purée acceptable.

Je m'installai en silence derrière mon volant en essayant d'analyser la situation. La bière ne tenait pas une telle place dans ma vie, cependant l'idée qu'il y en avait de disponible me rassurait, sans nécessairement avoir *besoin* d'en boire. En revanche, savoir qu'il n'y en avait pas sauf à une journée de bateau, c'était terrible. Ça me foutait les boules. Je frappai mon volant une nouvelle fois.

— Il doit bien y avoir de la bière quelque part sur cette île.

— Oublie un peu la bière, chéri, c'est l'heure du biberon.

Elle se pencha sur Little Stevie qui commençait à hurler. Manifestement, ils avaient répété leur scène.

À son tour, Patricia se montra hargneuse.

On longea la côte sur une route sinueuse pendant presque deux kilomètres jusqu'à un phare. Là, nous devions tourner vers l'intérieur des terres. Encore un petit kilomètre, et nous étions à Snow Cottage. Notre chez-nous.

Une baignoire à moitié remplie d'eau sale était couchée sur le côté, à quelques mètres devant la maison. Les murs du cottage avaient dû autrefois être blanchis à la chaux, mais là, ils étaient humides et sombres. Des herbes folles avaient envahi le jardin.

— Tout cela ne me plaît pas, fut la seule remarque de Patricia.

— N'en tire pas de conclusions hâtives. Tu vas voir que l'intérieur sera un vrai petit palace.

— C'est ça.

— Tu sais que tu peux être très caustique quand tu veux.

— Tu vas vite te rendre compte de ce que je veux! cracha-t-elle. Si cette baraque est un trou à rats, t'es un homme mort!

Bien entendu, l'endroit n'était pas un trou à rats, sauf qu'il n'avait rien non plus d'un palace.

La clé nous attendait sous le paillasson, maintenue bien au chaud grâce à des centaines de cloportes dont j'évitai de mentionner la présence à Patricia. À n'en point douter, ils n'étaient là que de passage. Je pénétrai dans la maison en tenant des propos rassurants au moment où Patricia entrait à son tour. Elle visita les pièces une à

61

une, telle une furie, Stevie dans les bras, et poussa moult exclamations de désapprobation. Il y avait bien une salle de bains aménagée, relativement neuve, mais le gars qui s'y était baigné en dernier nous avait laissé quelques souvenirs de son passage. Des casseroles sales dépassaient de l'évier. Sur la table de la cuisine, des restes de Frosties dans un bol étaient figés dans du lait fermenté dégageant une odeur fétide.

— On se croirait sur cette saloperie de *Mary Celeste*[1], commenta Patricia.

— Ça pourrait être pire.

— Pardon ? J'aimerais bien que tu m'expliques comment, Dan ?

— On aurait pu découvrir des porcs dans le salon.

— Oh ! mais des porcs, il y en a eu dans cette putain de cuisine, Dan ! Qu'est-ce que je suis censée faire de tout ce bordel ? (Ses yeux se mirent à scruter la pièce en tous sens.) Où est le micro-ondes ?

— Quel micro-ondes ?

— Dan, le micro-ondes ?

— Quel micro-ondes ? À l'évidence, je ne vois aucun micro-ondes ici.

— Mais comment je vais cuisiner ?

— Avec la cuisinière. Regarde dans le coin, ce truc, là-bas. C'est la cuisinière, elle est branchée, prête à l'emploi.

— Mais… mais…

— Trish, ce n'est pas bien difficile.

— Moi j'utilise toujours un micro-ondes. Et j'ai apporté des plats à réchauffer au micro-ondes.

— Ma Trish, ici, ils ne doivent pas connaître les micro-ondes, ni les ondes d'ailleurs.

— Je déteste cette maison, Dan, elle pue.

---

1. Le *Mary Celeste*, navire marchand qui quitta New York le 7 novembre 1872, fut retrouvé à l'abandon sans aucune trace de l'ensemble de l'équipage. Ce mystère ne fut jamais élucidé.

— Chérie, un petit coup de ménage, et il n'y paraîtra plus.

— Ah oui ? Et qui va se le cogner ?

— Euh… nous deux.

— Ce n'est pas un endroit pour un bébé.

— Ça va aller, mon cœur. On finira par trouver nos marques, et après on se marrera bien. Vraiment, je t'assure.

La chambre était jolie. Le lit à deux places avait été fait. Mais pas de lit d'enfant.

Patricia le remarqua immédiatement.

— Tu avais promis !

— Le cardinal avait promis.

— Le cardinal semble t'avoir promis un tas de choses. Dan, tu vas lui téléphoner et lui raconter dans quel état est cette foutue baraque. C'est une honte !

Visiblement, elle n'avait plus trop le moral.

— Je suis navré d'attirer ton attention là-dessus, Trish, mais…

— Quoi ? dit-elle en me dévisageant.

— Ton idée de téléphoner au cardinal…

— Oui ?

— Pour cela, il faudrait qu'on ait le téléphone.

— Dan…

— Je suis désolé, mais je t'avais expliqué que c'était un cottage isolé, et donc il n'y a pas de…

— Mais comment je vais pouvoir appeler…

Elle s'interrompit. Machine arrière. Un silence pesant s'installa entre nous. Je suggérai une suite :

— Tony ?

— *Papa*, Dan. Tu n'es pas sympa. Papa va s'inquiéter si je ne l'appelle pas.

— T'as qu'à lui envoyer un pigeon voyageur, lui balançai-je sur un ton beaucoup plus cassant que je ne l'aurais voulu. (Elle eut l'air offensée. Je haussai les épaules.) Excuse-moi.

— Tu ne cesses de t'excuser auprès de moi à longueur de temps.

— Je sais. Excuse-moi.

— Je veux rentrer à la maison ! s'exclama-t-elle.

Et elle commença à pleurer. Je vins me blottir contre elle et on resta bien serrés tous les trois.

— Tout ira bien, susurrai-je sans y croire vraiment.

Little Stevie finit par s'endormir sur notre lit.

On entreprit de tout nettoyer avant de défaire nos bagages. Des produits d'entretien étaient rangés sous l'évier. Une fois à pied d'œuvre, le ménage de la cuisine et de la salle de bains nous prit moins de temps que prévu. Je surveillais Little Stevie : il dormait à poings fermés. On rapporta certains de nos effets de la voiture et Trish se prépara du thé. Je bus ce qu'il y avait, à savoir une canette de Pepsi light tiède.

— C'est pas si mal, hein, chérie ?

— Mmmmm.

Elle prit un air absent, comme si elle dressait mentalement la liste de tout ce qui *allait si mal*. Le bruit d'un moteur de voiture la tira subitement de sa rêverie. On aperçut par la fenêtre une Land-Rover qui s'engageait dans l'allée. Un grand gaillard vêtu d'une salopette bleue tachée de boue en descendit. Il contourna le véhicule et sortit du coffre un lit d'enfant.

— Génial ! cria Patricia avant de se précipiter vers la porte.

7

— Je suis vraiment désolé, dit l'homme, je croyais que vous n'arriveriez pas avant la semaine prochaine. J'ai eu le choc de ma vie quand ils m'ont dit au magasin que vous étiez au cottage.

Il transportait le lit d'enfant dans ses robustes bras. Je me précipitai pour un coup de main qu'il déclina.

— Duncan Cairns. (Il agita deux de ses doigts tout en maintenant le lit contre lui.) Je suis l'instituteur. J'aurais dû ranger cette maison il y a des siècles de ça… enfin vous savez comment c'est…

— Ce n'est pas grave, répliqua Patricia qui s'approchait de lui pour lui serrer le petit doigt. C'est gentil à vous de nous l'avoir apporté.

Duncan lui sourit timidement et glissa le lit de biais par l'embrasure de la porte d'entrée. Je m'abstins prudemment de sacrifier au rituel de l'étreinte de petit doigt avant d'avoir déterminé ses préférences sexuelles.

Patricia entra sur ses talons, l'air très affairé. Je lui glissai à l'oreille :

— Tu as changé de rengaine. « C'est gentil à vous de nous l'avoir apporté », l'imitai-je en minaudant.

— Je voulais juste être aimable, murmura-t-elle.

— Tu pourrais l'être aussi avec moi.

— J'aimerais voir ça, siffla-t-elle entre ses dents avec assez de venin dans la voix pour être intégrée à la famille des vipéridés.

Je les suivis tous les deux en haussant les épaules. C'est marrant comme les liens sacrés du mariage vous autorisent à vous montrer déplaisant au possible avec l'être aimé et tout à fait charmant avec un étranger. J'ai toujours pensé que c'était l'inverse qu'il fallait pratiquer. Je me sentais par conséquent dans mon bon droit pour signifier à ce connard de Duncan Cairns de se le foutre au cul, son lit d'enfant, comme aurait dit Oscar Wilde à ma place. Mais je me retins. Il avait le visage rougeaud et les yeux cernés du type qui pourrait savoir où était planquée la bière.

Duncan installa le lit dans la chambre et se recula pour l'admirer.

— C'était le mien.

— Ah bon…, répondit Patricia.

Il contempla Little Stevie qui dormait profondément.

— Quel joli tableau.

— Oh oui…, reprit Patricia.

Bon, assez tourné autour du pot, me dis-je ! Je l'avais invité à entrer chez moi, je l'avais accueilli chaleureusement, je lui avais présenté de nouveaux amis — c'est-à-dire nous — et, en plus, c'était un vrai moulin à paroles.

— Écoutez, je vous offrirais bien un verre, mais il semble qu'il n'y ait rien à boire sur cette île.

— Non, y a pas, répondit-il en secouant légèrement la tête.

— Et pour quelle raison ? En venant, j'ai croisé un pub fermé.

Patricia manifesta quelques signes de désapprobation.

— Dan, tu es obsédé par l'alcool. Puis-je vous offrir une tasse de thé, Duncan ?

— Je ne voudrais pas déranger…

— Cela ne nous dérange pas le moins du monde.

Elle sortit en coup de vent pour filer à la cuisine.

— Si on peut plus boire un coup, comment vous faites ?

— Oh, eh bien, le vieux Jack McGettigan… il tenait ce pub…

ben… il est devenu… voyez-vous… religieux… et il a décidé de fermer boutique.

— Ça a dû être bien accueilli !

— En fait, plutôt bien. Le Conseil a voté favorablement pour bannir ce type d'établissements.

— Mon Dieu !

— On peut le dire comme ça.

Il me dévisagea un instant, tourna les talons et se rendit à la cuisine.

Ils prirent le thé. Je bus un autre Pepsi light. Si jamais j'écrivais mon roman, il faudrait que je note sur la couverture « édulcorant ajouté ».

— Qui occupait le cottage avant nous ? demanda Patricia, coudes posés sur la table, poings serrés sous le menton. Ils ont laissé un sacré bazar.

— Je sais, je suis vraiment désolé. Deux jeunes dandys qui venaient du continent l'avaient loué. Ils avaient l'air de gens bien, mais… bon, vous comprenez… ils ne l'étaient pas. On leur a demandé de partir.

— Et on dirait qu'ils ont décampé en vitesse, notai-je.

— C'est ça.

Il hocha la tête comme pour dire que le sujet était clos. Il jeta un coup d'œil circulaire à la cuisine. Je fis de même. La pièce avait bien meilleur aspect depuis notre coup de ménage. Il poursuivit :

— Vous croyez que ce sera assez confortable ici, avec le bébé ?

— Bien sûr que oui, s'exclama Patricia en lui touchant amicalement le bras.

Duncan était un homme sympathique ; bavard, certes, mais pas cancanier. Il nous témoignait de l'intérêt sans pour autant être indiscret, et nous livrait des informations sans révéler de secrets. Pas un mot par exemple sur l'enfant Messie. Je n'abordai pas la question non plus. Ça pouvait attendre. Même assis, Duncan semblait imposant. Sous sa tignasse de cheveux noirs bouclés, son visage sans ride semblait un peu pâle pour une peau comme la sienne, tannée par le vent. Difficile de lui donner un âge. Il nous raconta qu'il travaillait depuis six ans comme instituteur, qu'il était né sur l'île où il avait grandi. Il avait perdu ses parents très tôt, et il habitait seul dans un cottage derrière l'école. En fait d'école, il s'agissait d'une unique salle de classe où il enseignait à des enfants entre cinq et douze ans. On les envoyait ensuite sur le continent poursuivre leurs études.

— Mais alors, où avez-vous fait votre formation d'enseignant ? l'interrogea Patricia.

— À Derry.

— Et vous êtes revenu ensuite ?

— Oui, c'était prévu. Comme mon père avait été instituteur sur l'île, on s'attendait à ce que je prenne sa suite.

— Je trouve ça chouette.

— Ça l'est.

Son regard s'attarda sur Patricia.

À moi aussi cela m'arrive, et assez souvent même, sauf que moi, j'ai le droit. J'ai signé pour ça.

Duncan s'adressa à moi :

— Je me disais, vous pourriez peut-être me rendre visite pour lire un de vos textes aux enfants.

— Vous croyez vraiment que sexe, drogue et rock'n'roll sont des lectures pour eux ?

— Oh, dit-il d'une voix atone en fixant la table.

— Dan..., fit Patricia. (Je haussai les épaules.) Il plaisante, vous savez, il faut vous habituer à son sens de l'humour.

Duncan me scruta à nouveau.

— Alors, qu'est-ce que vous êtes en train d'écrire ?

Il existe deux façons de se comporter quand vous commencez à être de méchante humeur. Soit vous dites ce qui vous passe par la tête, sans réfléchir, honnêtement, avec passion. Et vous vous foutez des conséquences. Soit vous vous montrez poli. En général, on ignore pour quelle attitude on a opté avant d'avoir effectivement ouvert la bouche.

— Je suis en pourparlers avec Spielberg sur un scénar. (Patricia s'offusqua.) Le sujet aborde les dernières années d'un Oskar Schindler bouffé par l'alcoolisme. Ça s'appellera *La Biture de Schindler*.

— Dan…

— Je ne trouve pas ça drôle, déclara tranquillement Duncan, sans me regarder.

Il fixait sa tasse de thé et tournait lentement sa cuillère.

— Moi si.

— Vous ne devriez pas vous moquer d'un sujet pareil. Six millions de Juifs sont morts.

— Ach! Relax! répliquai-je en visant la poubelle avec ma canette, mais je la manquai. Je partis la récupérer pour la déposer dans la boîte à ordures.

— Il a raison, Dan, ça n'est pas très…

— Je connais bien le sujet, mon père s'est battu pendant la guerre, et ils tuaient des Allemands à une époque où Spielberg était bien au chaud dans un utérus.

— Spielberg n'est pas né avant 1946, corrigea Duncan.

— Sa mère a eu une grossesse anormalement longue. (Un silence s'installa entre nous. Patricia me fusillait du regard. Duncan ne cessait de tourner sa cuillère. Et moi je tournais en rond. Une fois parti sur ma lancée, j'ai souvent du mal à m'arrêter.) Et comment vous savez ça, vous d'ailleurs? Il n'y a pas un seul cinéma sur cette foutue île.

— Je lis beaucoup.

— Sur le cinéma?

— Eh ben oui.

— C'est comme de lire des livres sur la musique.

Il arrêta de tourner sa cuillère et souffla bruyamment par le nez. Il se leva d'un bond et sa chaise tomba à la renverse.

— Je ne vais pas vous présenter des excuses pour la vie que vous allez mener sur cette île, grommela-t-il, c'est vous qui avez choisi d'y venir. (Il se pencha pour ramasser la chaise.) Désolé, lança-t-il à Patricia, de toute façon, il faut que je parte. Je suis sûr que vous avez plein de travail à terminer.

— Allons, ne partez pas…, commença Patricia, mais il marchait déjà vers la porte.

— Allons, c'était pas méchant, assurai-je un peu tardivement.

Ma mauvaise humeur se dissipait. Le petit coup de colère n'y était pas étranger.

Patricia le raccompagna à la porte.

Je restais assis sur mes fesses en me sentant un peu minable. Je l'entendis s'excuser :

— Je suis navré, je prends facilement la mouche sur ce sujet…

— Je vous en prie, Duncan, c'est lui, il n'a pas été très sympa. C'est son côté soupe au lait. On se revoit très bientôt, j'espère. Pourquoi ne viendriez-vous pas dîner un soir ?

Je n'entendis pas sa réponse. Peut-être lui avait-il répondu d'un geste.

La porte se referma.

— Tu entends quoi par « il n'a pas été très… » ?

Patricia revint et me colla une tape à l'arrière de la tête.

— On peut savoir ce qui t'a pris ? coupa-t-elle, l'air enragée.

— Je suis désolé, je voulais simplement…

— Pourquoi faut-il toujours que tu sois si méchant avec des gens gentils ?

Je mordillai ma lèvre puis me massai l'arrière du crâne.

— Tu le sais bien, je ne me sens pas à l'aise avec les gens gentils, les personnes qu'on voit pour la première fois et qui se montrent tout miel. Je ne suis pas sûr de moi.

— Tu peux être sûr d'une chose, tu as des manières de goujat, c'est impardonnable. Tu agis comme un gosse qui ne veut pas prêter ses jouets. Tu t'étais comporté comme un cuistre avec Tony quand je te l'avais présenté. Tu avais essayé de le frapper.

— Un peu, oui ! Il couchait avec toi !

— Pas à cette *époque-là*, Dan.

— Ben voyons !

— Ton attitude ouvertement hostile pousse les autres dans leurs ultimes retranchements. Tu n'as pas encore compris, Dan ? T'as vraiment de la veine que je t'aime, parce que tu n'es qu'un enfoiré égocentrique qui n'a même pas une bonne raison pour justifier tant d'arrogance. Ce pauvre type se déplace spécialement pour nous porter le lit, son propre lit d'enfant, merde ! Tout ce que tu avais à faire, c'était d'être sympa avec lui, mais non ! (Sa main s'abattit si violemment sur la table que je me reculai sous l'effet de surprise.) Tu files dehors sur-le-champ, tu le rattrapes et tu t'excuses.

— C'est hors de question.

— Oh que si.

Et elle me fixa comme elle savait le faire, c'est-à-dire sans ciller. C'était la championne du regard fixe.

— D'accord.

Patricia partit dans la chambre pour donner à manger à Little Stevie et le changer. Ou le changer et lui donner à manger. Je ne suis pas très au fait des priorités en la matière.

Elle referma la porte derrière elle.

Je lui écrivis un mot. JE SUIS DÉSOLÉ. JE T'AIME. JE ME CONDUIS COMME UN CRÉTIN, JE SAIS. PARDONNE-MOI. DUNCAN A L'AIR D'UN MEC BIEN. SI JE RECOMMENCE, JE ME RASE LA TÊTE. Dans le grand ordre de l'univers, on ne peut pas dire que la menace était terrible, mais Patricia savait combien je tenais à mes cheveux. Que j'aurais d'horribles cauchemars à l'idée qu'ils ne repoussent pas. Ou qu'ils repoussent roux…

8

La nuit tombait, superbe crépuscule d'automne. Le soleil dispa-
raissait lentement, comme à la dérive, derrière des vagues alanguies.
Je remontais la colline en direction de l'école. J'avais contemplé avec
insistance et regrets le pub quand j'étais passé devant en voiture.
Il devait certainement y avoir de la bière quelque part, mise sous clé.
Si le propriétaire avait été frappé par la révélation divine, je ne
pouvais imaginer pour autant une liquidation totale... du liquide.
Il faudrait songer à mener une enquête plus approfondie dans
l'hypothèse où ça irait vraiment mal. Allez, je rigole... j'allais bien
survivre.

Les boutiques de Main Street, rutilantes, étaient en train de fermer. Je saluai deux hommes qui lorgnèrent un instant sur cette
voiture étrangère au pays avant de me rendre mon bonjour. L'un
me sourit et l'autre m'adressa un geste. Je me sentais plutôt en
forme. Présenter des excuses à Duncan me cassait les pieds, mais
j'allais me débarrasser de ça vite fait. Peut-être pourrait-il même me
souffler où était planqué l'alcool? Je me consacrerais ensuite à l'écriture ; deviendrais-je le digne représentant du roman made in Ulster ?
Peut-être avais-je simplement besoin de m'éloigner des tentations de
la ville et de mes potes. Wrathlin m'apparaissait comme un petit
paradis, si loin d'une Irlande en proie aux querelles et à la peur.

Je me garai dans la cour de l'école, un jardinet poussiéreux et boueux où la terre desséchée avait été tassée par de nombreux piétinements. À travers la fenêtre, j'aperçus des pupitres d'écoliers, des chaises, un tableau. Le genre spartiate. Elle me rappelait ma propre classe de primaire, trente ans plus tôt, une époque sans vidéo, sans ordinateurs, une époque où on ne poignardait pas son instit en plein cœur pour une sale note en maths. Près de la porte, je remarquai une petite boîte en carton d'où émergeaient les pointes de plusieurs paires de baskets. Ah ça oui, ça me ramenait en arrière, la boîte à chaussures de tennis installée en dur dans chaque école, avant qu'on ne décide de les retirer suite à la grande épidémie de verrue plantaire de 1971. Une boîte en bois placée sur le bureau du maître contenait une demi-douzaine de flûtes à bec. À côté, une bouteille de Dettol destinée aux instruments que l'on devait consciencieusement désinfecter des traces de salive après chaque utilisation par un enfant. Sans doute une conséquence de l'épidémie d'herpès de 1978. J'avais l'impression d'être à bord de la Machine à Remonter le Temps. Je remarquai sur le tableau noir le signe de la croix tracé à la craie.

Un petit bungalow grossièrement repeint à la chaux se dressait derrière l'école, les couches de blanc semblaient inégales, comme appliquées par des dizaines de petits pinceaux. C'était probablement le cas. L'emplacement pour garer une voiture était vide. Je frappai à la porte. Aucune réponse. Je jetai un œil à l'intérieur : un salon austère avec un fauteuil, un canapé et un secrétaire sur lequel étaient empilés des cahiers. Aucun poste de télévision. Je m'éloignai de la fenêtre. Pour les excuses, faudrait repasser plus tard.

Depuis la cour, j'observai la ville étalée au pied de la colline, sereine, et au-delà de la mer, vers la ligne d'horizon, le continent formant une mince ligne bleutée et floue telle une barrière qui tient les intrus à distance. Mon regard remonta jusqu'à l'église au sommet de la colline, figée dans sa solitude. Sûre d'elle-même, elle surveillait sa communauté, et régnait peut-être aussi en maître. Je grimpai parmi les herbes hautes. « Pas de meilleur moment que le moment présent » est une expression qui n'appartient pas d'ordinaire à mon vocabulaire. « N'importe quel autre moment » me correspondrait mieux. Cependant, en cette agréable fin de journée, tout me paraissait paisible et doux, et si le père Flynn n'y était pas, j'aurais une petite chance de pouvoir me dégotter du vin de messe.

J'atteignis le sommet de la colline légèrement essoufflé, et même un peu plus que ça. Je devrais reprendre le sport. À une époque, j'étais assez costaud pour enfoncer une porte. Là, coup de bol, celles de l'église *étaient ouvertes*. Je ne les conçois pas autrement. Des années auparavant, Flynn m'avait offert l'asile dans son église de Crossmaheart. Bien que cela n'ait dissuadé aucun des tueurs qui me pourchassaient en secret, c'était un beau geste. Voilà qu'à mon tour je le traquais.

Traquer est un grand mot. Il n'y avait personne dans l'église. Je restai sur le seuil à inspecter la nef.

Je ne m'y connaissais guère en architecture intérieure d'église, encore moins celle d'une église catholique. J'ai grandi dans un quartier de Belfast où s'organisaient rarement des activités entre les deux communautés. Ou alors le type d'activité qui consiste à s'en vouloir à mort. La seule fois où je m'étais rendu dans une église catholique, c'était pour un baptême. Nous étions tout un groupe de protestants pur jus, plus par filiation ou hasard géographique que par ferveur religieuse. Néanmoins sur nos gardes, nous nous étions postés en un groupe très compact à côté de la sortie de ce territoire hostile, bien décidés à dégager en vitesse si ça sentait le roussi. Durant toute la célébration — en fait, imprégnée de beaucoup plus de spiritualité que dans la version protestante, détail subtil pour un athée-agnostique comme moi — mon pote Tommy Nailor n'avait cessé de murmurer sa litanie de façon ininterrompue : « Il soulève à présent le bébé… il brandit le couteau… il lui tranche la gorge… il suce tout son sang. » Tordus de rire, nous avions rigolé si fort que lorsque le prêtre annonça « la paix du Christ » en invitant chacun à étreindre la main de son voisin, nous pensâmes être repérés. Nous avions alors serré les rangs, prêts à la bagarre. Très drôle. Quinze jours plus tard, quelqu'un mettait le feu à l'église et la réduisait en cendres ; grâce au Ciel nous avions tous des alibis.

Je descendis la nef. Les flammes vacillantes d'une demi-douzaine de bougies éclairaient l'église, fraîche et agréable. Le Christ sur la Croix. La Vierge Marie. Leurs visages farouchement britanniques. Sûr que la Chrétienté ne se serait pas répandue jusqu'ici si le Christ avait eu la tête de Yasser Arafat.

Je ne voyais toujours pas, ni ne sentais, de vin. Je redescendis la nef et fis une halte près des fonts baptismaux. Je plongeai ma main dans l'eau froide. Je me penchai pour en laper un peu. Elle était douce, avec un goût de pierre. J'essuyai ma bouche et, en me redressant, croisai le regard d'un enfant planté comme un piquet sur le seuil. Sa tête était auréolée des derniers feux du soleil déclinant.

J'en eus un coup au cœur.

Blond, les cheveux coupés court, âgé de cinq ans tout au plus, il portait un short bleu, un tee-shirt blanc et des sandales en plastique. Nous nous dévisageâmes un instant. Le gosse me fixait d'un regard bleu intense.

— Salut, je fis.

Il ne me répondit pas. Je tentai un bref sourire. Il ne me le rendit pas.

— Comment tu t'appelles ?

— Qu'est-ce que tu fous là ?

Je me détendis. Ce gosse ne pouvait pas être le Messie.

— Je cherche le père Flynn. Tu l'as vu ? (Il secoua la tête avec méfiance.) Comment tu t'appelles ? répétai-je.

— Qu'est-ce que ça peut te faire ?

Son ton maussade et cette lassitude correspondaient mal à son âge.

— Eh bien, je me disais qu'on pourrait être amis.

— Sale pervers, lança-t-il en se sauvant.

Je le suivis jusqu'à l'extérieur, sur la colline. Il s'éloignait à grands pas à travers les herbes hautes que j'avais foulées durant ma venue.

Je vis trois autres gamins surgir de la végétation, leurs mines renfrognées pointées vers moi alors que leur copain les rejoignait. Ils discutèrent entre eux avec des voix étouffées. Mon jeune ami pointait un index dans ma direction.

— On va parler sur toi..., hurla-t-il avant de redescendre lentement la colline avec ses potes.

Je m'apprêtai à leur crier « je voulais juste... » — je commençai même à prononcer ma phrase —, lorsque je m'interrompis. Je me mis à jurer mentalement. Je n'allais tout de même pas me justifier auprès d'une poignée d'elfes.

Au pied de la colline, je m'arrêtai dans une petite épicerie dont la propriétaire, une grosse bonne femme au tablier amidonné, me souhaita la bienvenue sur l'île avec un immense sourire. Je lui répondis que j'étais très heureux d'être là. Elle me rétorqua qu'ils étaient également heureux de me recevoir. Je concluai en affirmant que j'étais heureux qu'ils soient heureux, et cela aurait pu durer un bout de temps si je n'avais rompu le cycle des salamalecs en l'interrogeant sur l'endroit où me procurer la presse.

— J'ai bien peur que nous ne recevions plus rien du continent.

— Aucun journal ?

— On n'a pas la clientèle pour, conclut-elle en hochant la tête.

Je lui achetai du jambon fumé, ce qui sembla lui plaire. Moi, je n'étais pas aussi ravi. Le jambon ne me paraissait guère avenant, mais il fallait bien qu'on mange quelque chose. Bien entendu, elle avait du poisson, mais nous étions habitués dans notre couple au poisson en bâtonnets — le poisson en bâtonnets, cramé sur une face et congelé sur l'autre, est en fait un mets délicat que vous pouvez déguster dans très peu d'autres foyers de Belfast — et je n'étais pas dans les dispositions d'esprit à acheter du poisson sous la forme que Dieu lui a donnée. Ils étaient allongés sur la tôle en métal, leurs yeux dirigés vers moi. L'épicière en faisait des tonnes : pêchés de ce matin, grillés dans la poêle avec un peu de beurre. Il aurait fallu que je lui demande d'enlever les arêtes, de leur ôter les yeux, de leur couper la tête, et elle se serait certainement exécutée sans hésiter, sauf que cette simple pensée me donnait la nausée. Alors que j'allais partir, elle tenta de me fourguer un lapin, mais franchement, il faisait pas envie.

À mon retour, la Land-Rover était à nouveau garée devant la maison.

Ou plutôt non, une autre Land-Rover. De loin et dans le crépuscule déclinant, le véhicule semblait identique au précédent, sauf qu'à la lumière du porche apparaissaient de légères différences que seul l'œil exercé du journaliste international que je suis pouvait remarquer. Le phare avant était cassé et le capot sévèrement cabossé.

La porte d'entrée s'ouvrit avant même que je glisse la clé dans la serrure.

— Je pensais bien que c'était toi, dit Patricia, Little Stevie dans ses bras, le visage éclairé d'un sourire. Nous avons de la visite, ajouta-t-elle plus bas.

— Qui ? articulai-je en silence.

— Il te connaît, murmura-t-elle.

J'entrai dans le salon. Vêtu d'une chemise noir avec le faux col d'ecclésiastique, le père Flynn était installé dans le fauteuil, une tasse de thé sur les genoux. Je m'attendais, je ne sais pas pourquoi, à le trouver habillé en civil. Ou bien portant une soutane ample et une crosse en bois.

Je m'approchai pour le saluer.

— Bonjour, on se connaît, pas vrai ?

— Bien sûr qu'on se connaît, Dan.

Je m'arrêtai en face de lui.

— Vous êtes…, dis-je en jetant un coup d'œil à Patricia.

— De Crossmaheart, Dan.

— Non… ah oui ! Voilà… Père… Frank Flynn ! Père Frank Flynn… Mon Dieu… Désolé… J'ignorais que vous viviez ici… enfin… comment allez-vous ? Et le palpitant ?

Le père Flynn posa sa tasse et sa soucoupe sur le sol et se leva. On échangea une poignée de main ferme et chaleureuse. Ses yeux brillaient. Soit il avait eu un traitement au collagène, soit il avait rajeuni de dix ans.

— Je suis en forme, Dan, et vous ?

— Super, tout simplement super.

— J'ai vu il y a quelques semaines que vous alliez venir habiter ce cottage. J'avais hâte de vous revoir. Je ne peux pas oublier ce que vous avez fait pour moi à Crossmaheart.

— Oh, ça n'était rien.

Il se tourna vers ma femme.

— Il a écrit un très bel article sur moi, Patricia. Je ne sais pas s'il vous en a parlé ? Peu importe, j'ai dû subir une transplantation cardiaque, on m'a greffé un cœur protestant, ce qui a gêné les gens de ma paroisse. Ils m'en ont vraiment fait bavé.

— Je crois que ça me dit quelque chose…, affirma Patricia.

— Il a écrit un papier très sympathique qui m'a valu un courrier incroyable, de partout dans le monde. Certains m'offraient leur soutien, m'envoyaient des cadeaux, même de l'argent. Je me sentais si déprimé. Si seul. Cet article m'a fait beaucoup de bien. Et toujours, je me disais, il faut que j'aille le remercier, mais vous savez comment sont les choses, jamais on ne prend le temps. Et voilà que je vous retrouve sur ma petite Wrathlin. Quelle formidable coïncidence !

— C'est vrai. Aimez-vous toujours prendre un whisky de temps à autre, mon Père ?

— Je n'ai pas bu une seule goutte depuis ma transplantation cardiaque, Dan. Comme vous le savez, je n'étais plus le même avec mon nouveau cœur.

Oui, mais tu t'en donnais à cœur joie, pensai-je. Je me souvenais parfaitement d'avoir descendu quelques verres de whisky irlandais en sa compagnie. Cela remontait à trois ans, et j'ai tendance à me souvenir avec précision des verres que j'ai bus dans certaines circonstances. Je me souviens des sept verres d'alcools forts avant mon mariage. Le premier et dernier Bacardi-Coca de ma vie qui manqua me tuer avant mon premier rendez-vous avec une fille. La bière que j'avais décapsulée en pleurant dans la chambre de mon père, juste après qu'il eut rendu son dernier souffle.

— Oh, pas de problème, ça m'est égal. Quoique la prohibition semble avoir frappé ici.

Le père Flynn se mit à rire, suivi par Patricia.

— Oui, c'est vrai ; et ça fonctionne plutôt bien. Vous savez qu'on n'a pas eu un seul délit sur l'île depuis que la picole y est interdite.

— Sans blague ?

— C'est comme ça que ça devrait être, renchérit Patricia, l'île est merveilleuse et je crois qu'on va l'adorer.

— Je n'en doute pas.

On bavarda encore une vingtaine de minutes. Le père Flynn était d'une compagnie agréable. Je le raccompagnai jusqu'à sa voiture.

Je tapotai le capot.

— L'instituteur — Duncan quelque chose — nous a rendu visite tout à l'heure. Lui aussi possède une Land-Rover. Comme la vôtre.

— Oui. Il y en a une demi-douzaine sur l'île. La Communauté européenne nous a alloué une subvention pour l'aide au développement. Avec, on a acheté beaucoup d'autres équipements. L'année prochaine, on demandera une subvention pour l'essence.

Il éclata de rire et je lui souris.

— Vous avez eu un accident, non ?

— C'est bien de nous attribuer des subventions, encore faudrait-il qu'il y ait quelqu'un sur l'île qui puisse nous apprendre à conduire ! On a tous des éraflures.

— La vôtre a un peu plus qu'une éraflure.

— Ah oui ?

— Les voies qu'emprunte le Seigneur restent impénétrables, c'est cela ?

Un instant silencieux, il contempla le ciel sombre et poussa un soupir de contentement.

— Quelle merveilleuse nuit.

— Oui, approuvai-je en levant la tête.

— Dan, dit-il d'un ton détaché, je sais pourquoi vous êtes venu.

— Ah bon !

— Je connais le but de votre présence ici.

— Je suis ici pour écrire un livre.

— Oui, je le sais. Et c'est ce que vous ferez.

— Bien vu.

— Mais je sais vraiment pour quoi vous êtes là.

— Eh bien, vous l'avez dit ; pour écrire un livre.

Il ouvrit sa portière et grimpa dans la voiture. Puis il se pencha à l'extérieur.

— Je me disais que si demain vous aviez un peu de temps libre, je pourrais vous faire découvrir l'île. Une petite promenade, ça vous dit ?

— D'accord.

— Ça nous ferait du bien de causer, Dan. Laisser sortir les choses au grand air.

— Sortir quoi au grand air ?...

— Dan..., dit-il en hochant la tête.

Je fis un geste d'au revoir alors qu'il mettait le moteur en route.

Patricia était en train de border Little Stevie à mon retour dans le cottage.

— Un type bien, commenta-t-elle sans se retourner.

— Ouais.

— Il m'a proposé de venir à l'église dimanche.

— J'espère que tu lui as répondu que tu préférerais brûler en enfer !

— Je lui ai dit qu'il se pourrait que j'y aille, ajouta-t-elle en m'embrassant sur les lèvres.

— Alors là, Patricia, tu m'en bouches un coin.

— Hé ! Ne sois pas si étonné. Regarde, je t'aime toujours, même si ça n'en a pas toujours l'air.

— M'ouais.

9

Je souffre de techno-phobie, sous sa forme la plus virulente.

C'est une véritable maladie. On la classe dans la même catégorie que le vertige, pas très loin de la claustrophobie. Ce n'est pas tant que je déteste les ordinateurs ou les magnétoscopes ou les grille-pain. Je ne me définirais pas comme un Luddite[1] ; je ne peux tout simplement pas m'en servir. Je les *adore* sur le plan intellectuel, sauf que les détails pratiques me posent problème. Si je dois remplacer une ampoule, je vais tâcher de l'enclencher d'un coup sec jusqu'à ce qu'elle tienne. Mais je déconseillerais à quiconque de s'asseoir dessous parce qu'elle risquerait de chauffer, puis de tomber en vous cramant les cheveux sur le sommet du crâne. Dans le même ordre d'idées, j'arrive à effectuer un branchement électrique à la condition de surveiller la prise vingt-quatre heures sur vingt-quatre pour m'assurer qu'elle ne foute pas le feu à la maison. Je suis un illettré électrique. Je me débrouille comme un pied. Patricia, même topo. Une fois, il a fallu demander au vendeur du magasin de se déplacer

1. À l'origine, « Luddite » (du nom de leur leader Ned Ludd) désignait, au tout début du XIXᵉ siècle, un mouvement d'ouvriers qui s'insurgeaient contre les changements liés à la Révolution industrielle en cassant les machines. Depuis, le terme désigne toute personne opposée au progrès technologique.

pour nous expliquer comment éjecter une cassette du magnéto-scope.

C'était donc pure folie que de prétendre installer l'antenne para-bolique.

Un vent tourbillonnant avait soufflé toute la nuit précédente et le ciel merveilleusement bleu de la veille s'était métamorphosé en un gris sinistre. Je grimpai sur l'échelle, l'antenne à la main, et me tins en équilibre tant bien que mal sur le dernier barreau. Je tentai alors de fixer ladite antenne sur le mur de façade à l'aide d'un tournevis, d'un marteau et d'une vis. Je perdis la vis à trente-trois reprises. Le marteau chuta deux fois, dont une sur ma tête. Patricia m'observait en pouf-fant de rire, puis rentra dans la maison car le bébé s'époumonait.

Une heure plus tard, toujours perché sur mon échelle, je me rendis compte soudain qu'un homme m'observait depuis la clôture du jardin. J'avais enregistré sa présence du coin de l'œil et lui restait là, à me fixer. Pendant quelques minutes, je cherchai à donner le change comme si je maîtrisais parfaitement la situation. Mais il m'apparut évident qu'il pouvait tout aussi bien être posté à cet endroit depuis vingt minutes et avoir constaté quel beau crétin je faisais. Je décidai donc de lui adresser la parole.

— Bonjour.

— Bonjour, me répondit-il.

Le type n'était plus tout jeune, dans les soixante-cinq ans, et pas très grand, moins d'un mètre soixante-dix. Il portait une veste usée, un jean et un bonnet de laine qui lui aussi avait vécu.

— Fait frais ce matin.

— Oui, dit-il sans cesser de braquer son regard sur moi.

Au prix d'un gros effort, je luttai pour accrocher définitivement l'antenne contre le mur. Mais «gros efforts» et «techno-phobie» ne font pas bon ménage. Je me donnai un grand coup de marteau sur le pouce et je lâchai l'antenne dans un hurlement.

— Qu'est-ce que vous faites? s'enquit l'homme.

— Je fais cuire un putain de gâteau! (Je lâchai le marteau dans la

foulée et me mis à sucer mon pouce. L'autre m'observait toujours.)
Désolé, j'ai pas de bol avec ce truc.

— Les antennes sont interdites, répondit-il doucement.

Avant de s'en aller.

Le père Flynn arriva à onze heures précises et gara sa Land-Rover derrière notre Fiesta. Je finissais de me raser dans la salle de bains quand Patricia l'accueillit. J'entendais leur conversation :

— Déjà enfermé dans son bureau à écrire ?

— Plutôt à chercher l'inspiration, dit-elle en riant.

Je sortis de la pièce et je lui serrai la main. Patricia nous accompagna jusqu'à la porte et me flanqua une petite tape sur les fesses au passage. C'était mignon. Alors que nous quittions la maison, Flynn observa mon antenne parabolique, désormais solidement fixée au mur. Mieux encore, je pouvais à présent capter trente-deux chaînes différentes sur mon téléviseur portable, sauf que pas une n'échappait aux parasites. À moins de faire venir un expert, je pouvais dire adieu au championnat du monde de boxe. Flynn ne fit aucun commentaire sur l'antenne.

— Une petite promenade à pied ne vous gêne pas, j'espère ? dit-il.

Contrastant avec le rose de ses joues, il portait un grand coupevent du même vert que ses bottes de caoutchouc. J'étais en baskets, blouson d'aviateur et jean noir.

— Je suis opérationnel.

Je ne mentais pas. Pour la première fois depuis longtemps, je n'avais pas l'ombre d'une gueule de bois. Excepté pour mon pouce écrasé, je me sentais le roi du monde.

Du portail, on s'engagea à droite pour remonter la route sur une centaine de mètres. Il me guida ensuite vers un sentier boueux qui descendait rapidement vers la côte. Nous n'étions pas bien loin que déjà mes baskets dégoulinaient de gadoue. Flynn ne semblait pas l'avoir remarqué. Il avançait sereinement à grandes enjambées pendant que je patinais derrière lui dans la boue, ce qui ne m'était pas arrivé depuis l'école primaire.

On avait commencé par bavarder de tout et de rien, mais très vite la conversation tourna court. Dans les rares occasions où je réussissais à marcher de front avec lui, je pouvais me rendre compte que le visage du prêtre était sombre et son front soucieux. Il avait visiblement une chose à me dire et se creusait la cervelle pour savoir comment l'aborder.

Le chemin se terminait par un à-pic d'une dizaine de mètres au bord de l'eau. On s'arrêta pour contempler le roulis des vagues qui déferlaient sur la grève. Le vent me faisait monter les larmes aux yeux.

— Magnifique, commenta Flynn.

J'acquiesçai.

Il pointa son doigt d'abord vers la côte d'Antrim, puis dans l'autre direction, vers l'Écosse, même si on ne pouvait rien distinguer de ce côté.

— Quatre fois par jour, la pression de la marée propulse les millions de tonnes d'eau de la mer d'Irlande dans le goulet situé entre Torr Head par là-bas, dit-il en désignant le continent, et la péninsule de Kintyre en Écosse. Le courant file ensuite vers le nord-ouest où il croise la route d'un autre courant s'engouffrant en sens contraire et là… ouah! Énorme bousculade! Juste après Rue Point — vous apercevez le phare? (Je fis oui de la tête.) Les vagues sont d'une telle violence que vous les entendez à deux kilomètres. Vous mesurez alors toute la puissance de Dieu.

Belle entrée en matière, pensai-je, et si c'était fait de manière délibérée, il n'en tirait aucun avantage. Nous restâmes silencieux encore un moment. À deux reprises il ouvrit la bouche, comme sur le point de parler, mais se contenta de humer l'air.

Je me rabattis sur ma bonne vieille tactique.

— Vous savez, mon Père, il existe bien peu de choses dans la vie qu'on ne puisse résumer en une phrase: règle de base de tout bon secrétaire de rédaction.

Flynn hocha lentement la tête, avant de se tourner vers moi, le regard soudain hagard.

— J'ai eu des visions. J'ai parlé à Dieu. (J'acquiesçai à chaque fois.) Il m'a annoncé que le Messie était né, ici, sur Wrathlin.

— Oh, fis-je.

On suivait un chemin longeant le littoral où, excepté les lapins, nous étions tout seuls.

— Ce sont des lièvres, précisa le père Flynn. Vous me croyez fou, n'est-ce pas ?

— Au contraire, je suis certain qu'il s'agit de lièvres.

— Je parlais du… Messie.

— Pas nécessairement.

— C'est la raison de votre présence ici, n'est-ce pas ? Vous êtes venu écrire mon histoire. Pour me diffamer.

— Pas du tout.

— Si seulement vous saviez…

Je m'arrêtai et le tirai doucement par le bras.

— Racontez-moi.

— Vous pensez vraiment que j'ai besoin que cette histoire s'étale à la une des journaux ?

— Non, effectivement, d'ailleurs ce n'est pas dans mes intentions. Si vous souhaitez ne rien me raconter, libre à vous, et continuons notre promenade. Mais je sens que vous avez envie de me parler, ajoutai-je avec mon plus beau sourire, celui censé mettre en confiance. (Ça marche rarement.) Tout ce que vous avez à faire, c'est prononcer la formule magique.

— Ah oui ? Comme « laissez-moi en paix » ?

— Non, comme « ceci restera strictement entre nous ».

— Je vous ai toujours beaucoup apprécié, Dan.

— Alors, ce Messie ?

J'avais froid. Je fourrai mes mains au fond de mes poches. Enclenchai la cassette. Il n'avait pas prononcé la formule magique.

— D'abord, il faut que vous compreniez que je n'ai jamais été particulièrement religieux. Cela vous semblera étrange venant d'un prêtre, mais c'est la vérité. Devenir prêtre, parfois, c'est un peu comme devenir plombier ou électricien; vous le choisissez parce que c'est un boulot stable ou encore parce que vous avez des dispositions naturelles pour l'exercer. Sans adorer forcément ce métier, vous finissez pourtant par vous y habituer. Voilà comment j'étais avant mon opération. Je travaillais comme prêtre, c'était juste un bon job. Puis je suis tombé malade et il y a eu cette transplantation.

— Qui a fait de vous un autre homme et vous a aliéné vos ouailles.

— Oui, un autre homme. Un homme avec une meilleure approche de la vie. De la science. De l'amour. Mais pas nécessairement de Dieu.

— Mais cela aussi a changé.

— Oui, bien évidemment. Ça a commencé par des suées.

— Beaucoup de choses débutent comme ça.

— Des suées très intenses, pendant sept nuits d'affilée. J'étais trempé et… effrayé, car mes draps étaient littéralement imbibés de transpiration. J'avais vraiment très peur, je me disais que mon corps rejetait ce cœur. Et j'avais tout aussi peur d'aller consulter le médecin. Je refusais de savoir, persuadé que c'était la fin. Puis, lors de la huitième nuit, je fis un rêve absolument incroyable. C'était une parfaite nuit de sommeil, suivie d'une vision merveilleuse, formidable.

— Un rêve sans suer, en quelque sorte, dis-je pour faire mon malin.

— Oui, un rêve si agréable, si réconfortant. (Il parlait à présent très vite, presque à bout de souffle, et faisait de grands gestes avec ses mains.) Je grimpais les marches d'un escalier, un vieil escalier en pierre, comme dans un château. Par les meurtrières, je pouvais contempler tous les deux à trois mètres un magnifique paysage baigné dans la plus belle lumière qui soit. J'éprouvais un sentiment irrésistible de paix et de sérénité.

— Vous n'étiez plus à Crossmaheart alors ?

— Non, dit-il en riant, vraiment pas. C'était un peu comme si j'étais au paradis, ou du moins l'idée que je m'en faisais. Lorsque j'arrivai en haut des marches, une immense porte en bois s'ouvrit devant moi. Je pénétrai dans une pièce circulaire au bout de laquelle une grande fenêtre aux volets rabattus offrait à la vue le plus fantastique des paysages sur des centaines de kilomètres. Sur un canapé placé devant cette fenêtre se tenait assis un homme qui n'était autre que Dieu.

— Comment le saviez-vous ?

— Je le savais.

— À quoi ressemblait-il ?

— Pas très grand, costaud, de petits yeux. Il portait un chapeau noir à larges rebords.

— Ça me fait penser à Van Morrison.

— Il s'adressa à moi en disant : « Bonjour Frank, je suis content de te voir », et je sus immédiatement que j'étais en présence de l'homme le plus bienveillant de l'univers.

— Alors c'était sûrement pas Van Morrison.

— Non, Dan ! Pas Van Morrison, Dieu.

— Et ensuite ?

— Ensuite je me suis réveillé.

— C'était un peu une douche froide, non ?

— Non, non, absolument pas. La même chose s'est reproduite la nuit suivante. À peine avais-je posé ma tête sur l'oreiller que me voilà à nouveau dans ce château, dans cette pièce, avec Lui. Il m'invita à m'asseoir et nous discutâmes tant et plus.

— Comment était-Il ? Je veux dire, comme genre de gars ?

— Que pourrais-je vous répondre ? Omniprésent, omnipotent.

Le seul autre mot qui commençait par « omni » étant omnivore, je me mis à cogiter là-dessus.

— Et c'est là qu'il vous a parlé du Messie.

— Oui, il m'a expliqué que l'humanité avait eu deux mille ans pour s'améliorer depuis qu'elle avait crucifié Son Fils. Qu'elle allait être testée une nouvelle fois. Que le Messie allait naître et qu'il remettait Sa destinée entre mes mains.

— Et ensuite vous vous êtes réveillé.

— Et ensuite Il m'a indiqué où et quand.

— Alors, quand ?

— Le 13 juin.

— De cette année ?

— Il y a quatre ans.

— Quatre ans — c'était avant que vous ne veniez ici.

Flynn acquiesça.

— Je devais aller dans une maison, le Furley Cottage.

— Il vous *a précisé* l'adresse ?

— Incroyable, n'est-ce pas ? répliqua Flynn dans un demi-sourire.

Là, j'étais d'accord.

Nous avions atteint une déclivité du sentier transformé en une petite mare boueuse. Flynn avait interrompu son récit pour avancer avec précaution dans le cloaque et m'aider à traverser, moi qui n'avais pas de bottes. Il me tenait d'une poigne ferme. Je le remerciai et mis quelques minutes à reprendre mon souffle.

— Donc, dès le lendemain, dis-je alors que nous reprenions notre promenade — lui avec sérénité, moi de façon plus laborieuse —, j'imagine que vous avez voulu vous rendre directement à ce Furley Cottage pour saluer notre nouveau Messie.

— Je m'étais empressé de vérifier, mais le Furley Cottage n'existait pas.

— Mauvais trip.

— Alors j'allai me coucher ce soir-là pour Lui demander s'Il était certain de Lui — oui, je sais que ça vous semblera ridicule — et passai une nuit tout à fait normale. Idem la nuit suivante, et celle

88

d'après. Je réussis à m'autoconvaincre que j'avais fait des rêves de fada. Puis vint ce jour où la vieille Mary Mateer me trouva à l'église. À quatre-vingt-dix ans, elle s'y rendait presque quotidiennement. Son mari était mort électrocuté dix ans plus tôt alors qu'il tentait de bricoler une douche électrique. La décharge l'avait assommé et il s'était noyé. Que peut-on dire à une veuve dans des circonstances pareilles? Comme elle était la doyenne de l'île, je lui avais soudain posé la question: «Mary, avez-vous jamais entendu parler du Furley Cottage?» Elle me répondit qu'elle croyait bien se souvenir que l'un des anciens cottages de Main Street portait ce nom quand elle était petite, mais qu'il avait été rebaptisé pour une raison quelconque il y a longtemps de ça. Je procédai alors à une vérification dans les archives de la paroisse; elle avait raison. Le Furley Cottage avait changé de nom en cours de route.

— Mon Père, vous êtes en train d'insinuer que Dieu travaille avec des plans périmés?

— Je n'ai pas dit que je pourrais expliquer quoi que ce soit, Dan, je vous expose simplement le déroulement des faits.

— D'accord! Et ensuite? Vous y êtes allé…

— Je me sentais tout drôle. Dans un état d'euphorie. D'effroi. De nervosité. D'allégresse. Presque trop effrayé pour m'y rendre… mais il le fallait bien sûr. J'ai descendu la colline, longé la plage et attendu facilement dix minutes devant le cottage. Je ne savais pas quoi faire. D'un côté je mourais d'impatience, de l'autre j'étais sacrément embêté. Vous comprenez, n'est-ce pas? Je ne me voyais pas entrer pour demander: le Messie est-il à la maison? Le Messie a-t-il fini ses devoirs?

— Effectivement, c'était gênant.

— Ça oui!

— Finalement, qu'avez-vous fait?

— J'ai prié, j'ai respiré à fond, j'ai marché jusqu'à la porte d'entrée et sonné à la porte. Puis j'ai attendu.

— Et alors?

— Eh bien, rien. La sonnette ne marchait pas. La pression est retombée d'un coup. J'ai cogné à la porte, toujours aucune réponse. Alors j'ai contourné la maison et remonté l'allée menant vers le jardin de derrière. Une femme faisait la vaisselle dans sa cuisine. Je l'ai à moitié reconnue, elle fréquentait la messe. Elle m'aperçut et s'arrêta. Nous nous dévisageâmes durant quelques minutes. Je ne savais quelle attitude adopter. Elle ôta ses gants en caoutchouc et vint m'ouvrir la porte en disant :

— Vous êtes venu pour ma fille, n'est-ce pas ?

10

Patricia et moi étions allongés dans les bras l'un de l'autre, à écouter la pluie tomber. Des nuages s'étaient formés dans la soirée et l'orage couvait. Sauf qu'il avait tardé à éclater comme s'il attendait que nous allions nous coucher pour déverser toute sa hargne et engendrer un maximum de fracas. D'insupportables roulements de tonnerre nous assurèrent une insomnie carabinée. On en prit plein les oreilles.

Puisqu'il était hors de question de se laisser intimider, on se réfugia sur notre île imaginaire : Patricia s'était lovée contre moi et j'étais heureux.

Le tonnerre cessa peu à peu. Il abandonna sur place une averse tellement balayée par les vents, tellement irrégulière, qu'elle ne put même pas nous inciter à la somnolence. Blottis sous les couvertures, nous n'étions plus fatigués. Little Stevie avait émis de joyeux gazouillis dans son sommeil toute la durée de l'orage. Il possédait toutes les qualités de l'enfant qui s'élèverait sans problèmes. Y avait de la marge, certes ; moi-même, je n'avais toujours pas terminé ma croissance. Quoiqu'il n'y ait vraiment aucune raison pour qu'il tienne de moi. Nous n'avions en commun que Patricia.

C'était le bon moment pour causer un peu ; c'était surtout le bon moment pour faire l'amour, mais Patricia ne s'était pas encore remise de l'accouchement.

— Je te ferai signe, prévint-elle.

— Merci.

— Ça pourrait durer des semaines.

— Pas des mois, tout de même.

— J'en sais rien. Je te tiendrai au courant.

— Merci bien.

— Cela pourrait durer des années.

— Tu ne pourras pas me résister aussi longtemps. Le temps travaille pour moi.

Elle s'étrangla de rire, ce qui n'était guère encourageant, vu qu'il n'y avait là rien de drôle. Je changeai de sujet et lui racontai la vague possibilité que la fille de Dieu habite à huit cents mètres de chez nous.

Il me fallut dix minutes pour la convaincre que je n'étais pas en train de la baratiner et que Flynn — fou ou sain d'esprit — parlait tout à fait sérieusement.

— Il me paraissait si normal.

— Je sais, répondis-je en lui caressant le front, les gens normaux sont en général ceux qu'il faut surveiller de près. La question est : Dieu l'a-t-il vraiment chargé de veiller sur Sa fille, ou bien est-il totalement timbré ? Ta réaction immédiate, ce serait quoi ?

— Tu étais au courant avant de venir ici, pas vrai ?

— Pas du tout. Alors ta réaction ?

— Tu mens.

— Pour qui tu me prends, enfin ?

— Pour ce que tu es, Dan. Un être retors et je ne t'apprends rien, dit-elle en me donnant une tape amicale. Tu le savais ?

— Absolument pas.

— Reconnais-le, j'en suis convaincue rien qu'à te voir.

— Nous sommes dans le noir au cas où tu ne l'aurais pas remarqué.

— J'ai surtout remarqué ton visage rayonnant.

Elle me connaissait par cœur.

— Bon d'accord. J'étais vaguement au courant. Je ne suis pas venu pour ça, mais pour écrire. Et tu le sais bien. Ça va faire dix ans que j'en parle.

— Ah oui, dix ans qu'on en parle.

— Écoute, je n'élabore pas de mensonges si tôt à l'avance. Peu importe, il n'était pas dans mon intention de te déraciner, ni toi ni le bébé, ni de t'attirer par-delà les mers dans ce trou à rats juste pour le plaisir hasardeux de gagner trois sous en profitant d'une revendication religieuse ridicule sortie de la tête d'un fêlé. Tu peux me croire, non ?

— Dan, venant de toi, rien ne m'étonnerait. J'ai constaté que tu t'étais lancé à écrire ton roman avec ton habituel enthousiasme de flemmard.

— Donne-moi une chance, veux-tu ? On n'est arrivés que depuis quarante-huit heures, merde ! Rome ne s'est pas faite en un jour, que je sache !

— Mais l'univers l'a été en sept !

— Pendant que toi, tu ne bougeais plus d'un iota durant des mois.

— Tu aimes tout ramener au sexe, n'est-ce pas ?

— Je fais de mon mieux.

— Eh bien, continue d'en parler parce que c'est tout ce qu'on fera.

— Je pourrais tenter ma chance ailleurs si tu y mets aussi peu de bonne volonté.

— Oui, c'est ça, avec un lapin tant que tu y es. Si tu l'attrapes !

— Les filles pourraient être séduites par l'attrait de l'inconnu. Je suis sûr qu'il doit y avoir des mœurs incestueuses dans ce bled.

— Ah, l'inceste ! Comme on dit, faut pas que ça sorte de la famille !

— Comme tu dis !

Elle fut prise d'un fou rire et on s'embrassa.

— Mon Dieu, et si c'était vrai ? Ça serait pas épatant, le Messie, ici, sur Wrathlin, et une fille par-dessus le marché ?

— Je me demande ce qui m'ennuie le plus : que le Messie

93

revienne, qu'il soit irlandais ou que ce soit une fille ! En fait, je crois que c'est l'ensemble qui me tracasse.

— T'imagines… ce serait… merveilleux.

— Tu le crois vraiment ?

— Eh bien, *différent*, en tout cas. Je veux dire… le monde a tellement changé… difficile d'imaginer Jésus sur Internet, ou en train de téléphoner d'un mobile.

— Moi-même, je ne m'imagine pas sur Internet ou téléphonant d'un…

— Arrête, tu vois très bien ce que je veux dire. Il s'agit d'une fille. D'une femme. La plus proche que nous ayons connue en termes de femme de pouvoir, c'est Margaret Thatcher.

— T'es pas tombée loin, pour certains, elle fut le Messie. Pour d'autres, l'Antéchrist.

Little Stevie se réveilla, je le berçai dans mes bras pendant que Patricia réchauffait son lait à la cuisine. Quand elle revint, le biberon à la main, elle marqua une pause sur le seuil pour nous contempler. Elle m'offrit un sourire charmant en s'approchant de moi pour me le reprendre.

— Le père Flynn t'aurait-il demandé de t'abstenir d'écrire quoi que ce soit sur le Messie ? dit-elle en s'asseyant au bord du lit. Est-ce la raison pour laquelle il t'a rendu visite ?

Patricia prononçait le mot « Messie » avec une aisance telle qu'on aurait dit qu'elle le prenait comme une chose possible. Allongé, bras croisés sous ma tête, je lui expliquai :

— Au contraire, il attend de moi que je raconte toute l'histoire.

— Très bien. Même s'il est cintré, ça te fera toujours un peu d'argent.

— Ce n'est pas aussi simple que ça. Il veut que j'écrive toute l'histoire, que je témoigne, mais pas en vue d'une publication dans un journal. Il veut que je suive le moindre événement qui concerne Christine…

— Christine ?

— C'est son nom, coïncidence ou pas.

— Inspiration divine, plutôt, non ?

— Ouais, on peut le dire. Le père Flynn attend de moi que je chronique chaque fait et geste se rapportant à Christine.

— Autrement dit, tu vas nous écrire la suite de la Bible ?

— Il ne l'a pas exprimé sous cette forme, mais oui, je pense que c'est ce qu'il avait en tête. Je suis mandaté officiellement pour la rédiger.

— Et que lui as-tu répondu ?

— Qu'est-ce que tu crois ? J'ai discuté du montant de mes droits d'auteur.

— Sans blague ?

— Il me semblait essentiel de poursuivre notre discussion sur le ton de l'humour. Du moins, jusqu'au moment où on lui passera la camisole de force.

— Et sa réaction à lui ?

— Il s'est contenté de sourire.

— Et ça signifie quoi ?

— Je n'en sais rien. Il m'a suggéré de me rendre ce matin à l'église pour que je rencontre Christine. Il a l'air de croire que cela pourrait me convaincre.

— Et tu vas y aller ?

— Bien sûr. Tu n'avais pas prévu de sortir, au moins ?

— En fait, si.

— Si, dans quel sens ?

— Dans le sens que je n'ai rien à me mettre.

— Pourquoi les femmes pensent-elles d'abord toujours aux fringues ?

— Je n'ai pas un vêtement, c'est une réalité.

— Mais bordel, qu'est-ce qu'il y a dans toutes ces valises, alors ?

— Dan, je n'ai aucune fringue décente pour jouer les bigotes.

— Est-ce que tu penses vraiment qu'on va t'interdire l'accès au

Paradis parce que tu n'auras pas la tenue de messe appropriée ? J'y crois pas !

— Et si je suis amenée à rencontrer le Messie ?

— Pour l'amour du Ciel, le Messie vient à peine de quitter ses langes. Je ne la vois pas en train de te vouer aux gémonies pour une histoire de sapes.

Une soudaine lassitude s'empara de Patricia et elle l'exprima.

— Des fois j'en ai vraiment marre de toi, tu sais ça ?

11

Dimanche s'annonçait comme une autre belle journée : ciel bleu et mer calme. Pas comme Patricia. Avis de tempête force 7.

Elle hurlait.

Moi, j'étais encore au pays des rêves, ce royaume coincé entre sommeil et réveil. Elle, s'était levée tôt pour avancer dans le ménage.

— Daniel ! hurla-t-elle à nouveau.

Je me redressai sur mon séant. Quand elle m'appelait Daniel, c'est qu'il y avait urgence, ou bien que j'avais merdé, ce qui en général allait de pair.

— Qu'est-ce qu'il y a ?

Charge d'un troupeau d'éléphants dans le couloir d'où elle accourut pour se planter sur le seuil.

— Il y a un rat dans la baignoire.

— Et il est content ? dis-je, le regard trouble.

— Daniel, il y a un rat dans la baignoire.

— Bordel de merde, marmonnai-je.

— Il y a une saloperie de rat dans la baignoire, il est énorme !

Je secouai un peu la tête pour me réveiller, descendis du lit et cherchai l'équilibre sur mes jambes pour me mettre debout.

— Il y a un rat dans la baignoire, il y a un rat dans la baignoire ! Fais-le partir !

Patricia était blanche comme un linge. Elle tenait Little Stevie contre son sein.

— Les rats dévorent les yeux des bébés, continua-t-elle en me laissant passer.

Je longeai le couloir et passai prudemment la tête par la porte de la salle de bains. Des poils noirs jonchaient la baignoire. Je me tournai vers Patricia.

— Il s'est tiré et, à mon avis, il est chauve à l'heure qu'il est.

— Pas celle-ci, me lança-t-elle avec méfiance du seuil de la chambre, la baignoire qui est dans le jardin de devant. (On se regarda en chiens de faïence, et elle ajouta :) Avec des enfants, les rats, c'est exclu !

— Ça pourrait nous rendre service, maugréai-je entre mes dents, mais pas assez bas.

Elle l'entendit.

— Pardon ?

— Je disais, rends-moi service, et trouve-moi un objet assez lourd pour que j'aille discuter le coup avec lui. D'accord ? Je vais enfiler un pantalon.

— D'accord, répondit-elle de mauvaise grâce, et assure-toi que t'as bien refermé la porte, je hais les rats !

Je sautai dans un pantalon et enfilai un tee-shirt. Patricia me tendit un marteau qui avait connu des jours meilleurs. J'ouvris la porte d'entrée ; le soleil m'éblouit. Je m'approchai de la baignoire, le marteau au bout de mon bras tendu, convaincu que j'avais l'air parfaitement ridicule. Je foulai la pelouse sans bruit, l'effet de surprise serait déterminant. Je craignais surtout qu'une agitation excessive et soudaine n'entraîne la chute de l'antenne parabolique et ne me tue.

La baignoire couchée sur le côté était remplie à peu près au quart d'une eau stagnante et puante. Il y avait bien un animal à l'intérieur, mais pas un rat. Ni même un rat noyé. Un hérisson.

Patricia, qui bravait sa propre interdiction, s'était postée devant la porte.

— Défonce-le ! Explose-lui la cervelle !

— Qu'as-tu appris à l'école ? Ce n'est qu'un pauvre hérisson.

— Ah ! fit-elle en fonçant vers moi, visiblement pas gênée de cette volte-face à trois cent soixante degrés.

Elle scruta la baignoire par-dessus mon épaule.

— Qu'est-ce qu'il fout dans la baignoire ?

— Une seconde, je lui demande.

— Il s'est noyé ?

— J'imagine que oui... (En me penchant, je constatai que le hérisson respirait faiblement ; il s'accrochait à la vie. Je montrai à Patricia la paroi de la baignoire.) Il a glissé et n'a pas pu remonter, regarde les traces de griffures sur l'émail. Pauvre petite bête.

— Ouais.

L'animal remuait faiblement.

— Pauvre petit bonhomme, il bouge encore. (Je me baissai pour le ramasser. Et me piquai.) Aïe !

Je courus vers la maison pour prendre le vieux drap qui avait servi à protéger l'antenne parabolique pendant le transport. J'entourai ma main d'un morceau de linge et soulevai avec douceur le hérisson hors de l'eau répugnante.

— On devrait le laisser se remettre, dis-je en le posant par terre, pour qu'il vive sa vie.

— Pas question, il est trop affaibli. Je vais lui chercher du lait avec un peu de pain. C'est ce que mangent les hérissons.

— Foutaises !

— Je t'assure, Dan. Du lait et du pain...

— Oui, bien sûr, ils se nourrissent comme ça... ils s'activent jour et nuit à cuire des petites miches de pain rien que pour eux...

— Laisse tomber tes sarcasmes, je veux juste sauver ce pauvre petit.

— Désolé, chérie, dis-je en examinant la bestiole, ils sont carnivores. Il a besoin… de boîtes pour chiens ou chats, tu veux que j'en rapporte au retour de l'église ?

Le visage de Patricia se décomposa.

— Tu sous-entends que je n'y vais pas ?

— Tu as dit que tu n'avais rien d'une bigote.

— Je sais, mais…

— Bon, décide-toi alors, c'est presque l'heure de partir.

Elle tirait une gueule de trois pieds de long. Si ça continuait, son visage atteindrait le tapis de pâquerettes.

— C'est bon, je reste, dit-elle d'une voix triste.

Oh, la vieille ruse ! Le stratagème regardez-moi-c'est-moi-la-martyre. Le truc idéal pour l'endroit où je devais me rendre.

— Écoute, je reste, mais toi, il faut que tu te dépêches.

— Non, c'est plus urgent pour toi.

— J'attendrai.

— Non.

— J'attendrai !

— Ça m'est égal, aucun souci.

— Merde à la fin !

Je repartis vers la maison pour me doucher et me raser. L'eau était froide. Quand je sortis de la salle de bains, je découvris Patricia dans le couloir, sur son trente et un. Elle portait une jolie robe d'été à fleurs, mais sans trop de fleurs. Elle s'était fait une queue de cheval.

— Tu es charmante.

— J'ai changé d'avis.

— Parfait. Tu viens de battre un record de vitesse.

— Si on veut, on peut. Faut s'entraîner de temps à autre.

— Est-ce là le troisième secret de Fatima ?

— N'aimerais-tu pas le connaître ?

— Peut-être bien. J'en parlerai à Christine.

— Elle ne te dira rien ; Dan, elle n'est pas des nôtres.

Je restai interdit. Patricia avait raison. Christine était *une des leurs*.

Un léger frisson me parcourut le corps.

12

Je m'arrêtai au pied de la colline. Les vitres de la voiture étaient baissées, il soufflait une brise légère en provenance de la mer et j'avais mis mes lunettes de soleil parce que ça me donnait un air de mec super-cool.

— Mais qu'est-ce que tu fous, merde ! glapit Patricia, ce qui cassa un peu l'ambiance.

Elle pointait l'église du doigt.

— Je sais où elle se trouve, j'étais juste en train de…

— Il est hors de question que je porte Steven jusque là-haut. Je ne plaisante pas, je me sens encore fatiguée.

— J'avais envie de jeter un œil au Furley Cottage. L'étable, dis-je, alors que je me penchais par-dessus son épaule pour lui désigner l'endroit.

Elle me toisa avec ce genre de regard mis au point au cours d'une centaine d'années de mariage.

— Oui, et n'oublie pas la crèche, Sherlock, répliqua-t-elle avec un geste malveillant. Bon, on va d'abord monter à l'église, O.K. ? Tu feras ta petite enquête tout seul. Y a des gens qui ne pensent qu'à eux, c'est pas possible !

Je râlai à mon tour. Elle m'avait gueulé dessus parce que je conduisais trop vite. Ensuite, parce que je conduisais trop lente-

101

ment. Conduite indécise, elle appelait ça. Je m'attendais à des sautes d'humeur après son accouchement, je l'avais lu dans un livre. Mais avec elle, les sautes d'humeur n'avaient cessé de jalonner notre vie de couple, à croire qu'elle s'entraînait.

L'ancien Furley Cottage avait été bâti à l'extrémité d'une longue rangée de maisons blanchies à la chaux. Petit et assez quelconque, sa solide porte en bois portait le numéro 14. Une peluche de Mickey était adossée à la fenêtre principale. Je ne savais pas ce que j'espérais en venant ici, mais j'étais déçu d'y trouver Mickey Mouse. Ce personnage imaginaire introduisait un zeste de réel dans ce qui promettait d'être une incroyable histoire. Y avait-il des jouets à l'époque de Marie et Joseph ? Mickey d'Arimathie ? Ou des peluches d'Hérode et la Bande à Picsou ?

Je redémarrai la voiture et longeai la route à flanc de coteau. Toutes les boutiques étaient fermées. D'accord, c'était dimanche, mais il y a *toujours* une petite échoppe qui reste ouverte ce jour-là. Pour vendre du lait. Du bacon. Des journaux. Des cachets d'aspirine. Ici, rien. Je m'engageai dans le cimetière entourant l'église et y trouvai une place sans problème. Seuls trois ou quatre voitures et deux vélos non attachés y étaient déjà garés. Dans le village minuscule de Wrathlin, tout le monde circulait à pied.

Nous étions en retard. Je poussai la porte de l'église très doucement et nous nous glissâmes à l'intérieur. Le bruit fut couvert par les chants, et il ne restait plus le moindre espace de libre, ni d'endroit où s'asseoir. Les gens se tenaient debout au fond de l'église ou assis en tailleur le long de l'allée centrale. Quelques têtes se tournèrent à notre arrivée, parmi elles, celle de Duncan. Il me salua et adressa un sourire à Patricia en lui faisant signe qu'elle pouvait prendre sa place. Elle refusa. D'un geste, il l'invita à s'approcher avec Little Stevie. Elle me regarda et j'acquiesçai. Trois rangées plus loin, elle s'assit et lui s'installa à mes côtés. Je le saluai.

— L'église est bondée, murmurai-je. Désolé pour l'autre jour, j'avais la gueule de bois.

Il hocha la tête pour indiquer qu'il comprenait.

La voix du père Flynn s'élevait au-dessus de toutes les autres, tonitruante, mais mélodieuse. Le cantique s'acheva et il sourit à l'assemblée. Du coin de l'œil, je saisis un bref mouvement à sa gauche. Un autre homme, un prêtre également, montait prestement sur la chaire. C'était un grand type costaud, plus âgé, avec un début de calvitie.

— Qui est-ce ? murmurai-je.

— Le père White.

— En visite ?

— J'aimerais bien, répondit-il avec une étincelle de malice dans le regard qui prouvait que je l'avais sans doute jugé un peu vite.

Patricia se retourna et agita la main gauche de Little Stevie pour nous saluer. Je leur renvoyai un clin d'œil.

— Nous voici donc à nouveau tous réunis, lança le prêtre en parcourant des yeux les fidèles. (Il parlait d'une voix enrouée, comme si son nez était congestionné.) Cela fait combien de temps à présent que nous connaissons la nouvelle ?

Les fidèles restèrent silencieux, ni par prudence, non, ni même par méfiance. Il ne s'agissait pas de ça ; ils semblaient égarés. Au premier rang, un garçon aux cheveux ras se risqua :

— Six semaines, mon Père.

L'assemblée parut soudain soulagée, et quelques personnes gloussèrent.

— Six semaines, vraiment — et regardez : vous êtes encore venus. Le père Flynn et moi pensions que vous auriez pu perdre espoir.

Un petit rire fusa et je tâchai pour ma part de ne pas me choper une hernie. Je laissai ça à Trish. Duncan, lui, n'esquissa pas la moindre mimique.

— Nous sommes touchés par la grâce.

— Remercions le Seigneur, lança quelqu'un.

— Amen, répliqua un autre.

— AMEN, reprirent-ils tous à l'unisson.

Cela me semblait un poil trop spontané pour l'Église catholique, mais peut-être ne s'agissait-il déjà plus de l'Église catholique. La transsubstantiation ne paraîtrait plus si essentielle dès lors que vous aviez vraiment le Messie à vos côtés. Il suffirait de l'interroger, lui. Ou elle.

— Mais il ne s'agit pas de nous croire, nous les prêtres, n'est-ce pas ? (Silence.) Il s'agit de croire en l'Être qui vit désormais parmi nous.

Des murmures s'élevèrent. Des murmures d'approbation.

— Il s'agit de croire en l'Être qui vit désormais parmi nous !

— Oui ! cria une personne.

— Oui, répéta l'assemblée des fidèles.

Un couple au premier rang se leva et applaudit.

— Souvenons-nous, déclara le prêtre en calmant la foule d'un geste de la main. (Il se tourna vers l'enfant qui avait parlé le premier :) Sean, à toi. Dis-nous quel a été le premier miracle ?

Sean se leva.

— Oui, mon Père ?

— Oui, Seanie, quelle a été la première action de Christine… quelle chose incroyable a-t-elle réalisée au tout début ?

— Le taureau, mon Père.

— Oui, Seanie, le taureau. Que s'est-il passé avec le taureau ?

— Elle était toute seule dans le pré, mon Père, et le taureau l'a chargée.

— Et qu'aurait pu faire le taureau à la petite Christine, Seanie ?

— Il l'aurait piétinée, mon Père.

— Et qu'est-il arrivé quand il a foncé sur elle ?

— Elle a levé la main dans sa direction et il s'est couché.

— Et comment appelle-t-on cela, Sean ?

— Un *mirak*.

Quelques rires discrets, un ou deux amens s'élevèrent.

Je me penchai vers Duncan et lui murmurai :

— Est-ce vrai ?

Il acquiesça.

— Et quel petit garçon ou petite fille va maintenant raconter le second *mirak*?

D'autres rires, plus nombreux cette fois. Trois ou quatre bras tendus. Le prêtre pointa un garçon du doigt, lui aussi avait les cheveux coupés ras.

— À cause de ses pieds, mon Père. (D'autres rires fusèrent, quelques ah! ah!)

— Oui, Brian, qu'est-il arrivé à ses pieds?

— Ils étaient tout couverts de sang.

— Exact. Tu es un bon garçon. Quelle est la signification de cela?

Brian parut désorienté. Il baissa son bras et jeta un œil à sa mère qui lui répondit d'un sourire encourageant.

— Ses pieds en sang nous rappellent quoi? demanda le prêtre.

L'enfant interrogeait sa mère du regard. Elle porta la main à son nez comme pour se gratter et chuchota la réponse à son fils.

— Jésus sur sa croix! hurla Brian avec véhémence.

— Bravo mon garçon!

Les applaudissements de l'assistance crépitèrent. Brian se rassit en gloussant de bonheur. Sa mère le serra dans ses bras.

— Alors, les enfants, vous êtes tous à l'école avec Christine, pas vrai?

Çà et là, des « oui » fusèrent.

— Et n'avez-vous pas tous promis de vous souvenir que, bien qu'elle soit une petite fille à part, elle est ici pour la même raison que vous — apprendre. (Hochements approbateurs.) Elle n'est pas là pour réaliser de petits *miraks* pour vous. Elle n'est pas là pour vous aider dans vos devoirs. Elle n'est pas là pour remplir votre bouteille de soda une fois que vous l'avez vidée. Et elle n'est certainement pas là pour jeter un sort à ceux qui vous embêtent, n'est-ce pas Martin Maguire?

Quatre rangs plus loin, un gamin se dérobait à la vue de tous.

105

Le prêtre se penchait sur le rebord de sa chaire. Le sourire disparut de son visage. Il promenait ses yeux froids sur les fidèles.

— Et il ne s'agit pas seulement de Martin Maguire. Ce n'est qu'un enfant. Il y a des parents aujourd'hui présents qui devraient bien retenir la leçon. Christine est une enfant, et, tant qu'elle sera une enfant, il est de notre devoir de veiller sur elle, de la protéger, de lui donner une bonne éducation, et non de l'exploiter ou de gagner ses faveurs. Son jour viendra. (Il leva son index.) Vous devez considérer notre petite île comme le nouvel Éden sur terre. Oui, le nouveau Paradis. Mais souvenez-vous qu'aussi beau soit ce jardin, le serpent y est toujours tapi, prêt à bondir, prêt à pécher, prêt à détruire. Il est de notre devoir d'être bon envers Dieu, envers Christine, d'être sincère, gentil, attentif. Une seule personne a de l'importance : Christine ! Ayez confiance ! Soyez fiers ! Prouvez votre amour ! Mais soyez sur vos gardes !

Il descendit les marches de la chaire sous un tonnerre d'applaudissements.

Le père Flynn reprit la vedette.

— Merci, Mark, dit-il avec douceur. (Puis il se tourna vers ses ouailles et ajouta avec un lent mouvement de tête :) N'oubliez pas de remercier le Seigneur pour tout cela.

— Remercions le Seigneur, rugit la foule.

— Et à présent, je vous livre les informations de la paroisse. Il n'y aura pas de garderie lundi car Mme McCleavor souffre d'une méchante grippe. Le comité de parents se réunira...

Alors que les fidèles sortaient en file indienne de l'église, je restai un peu avec Patricia dans l'enceinte du cimetière. Duncan nous tenait compagnie. Je donnais des poignées de main à tout-va. Little Stevie gazouillait. Tous ces gens rayonnaient de bonheur.

— Que pensez-vous de ces trucs sur les miracles, Duncan ? demanda Patricia. Cette histoire de taureau ?

Il haussa les épaules.

— C'est ainsi que ça s'est déroulé — d'après ce qu'on m'a raconté — je ne l'ai pas vu de mes propres yeux.

— Alors qui ? demandai-je.

— Beaucoup de monde. Un pique-nique organisé par la paroisse de l'autre côté de l'île. Je n'y participais pas.

— Et cette affaire de pieds en sang, poursuivit Patricia. Qu'est-ce qu'ils essaient de prouver ? Que le sang provenait des… blessures ? (Elle se tourna vers moi.) Tu vois ce que je veux dire ?

— Pas le moins du monde.

— Aidez-moi, Duncan, quel est le mot pour désigner ça ?

— Des stigmates.

— Oui, c'est ça, Duncan. Comme si elle avait été crucifiée. Des stigmates. Est-ce que ça ressemblait à des stigmates, Duncan ?

— On me l'a raconté. Elle est entrée dans l'église comme ça. Je n'étais pas présent.

— Qui l'était ?

— À peu près tous les paroissiens.

— À peu près les mêmes que la fois précédente… ou d'autres personnes ? (J'insistai pour l'encourager à me répondre.) « Les mêmes qui m'aiment », c'est ça ?

Mes pauvres blagues n'arrivaient pas à le dérider, et il y avait peu de chances qu'elles y parviennent un jour.

J'ignorais à quoi ressemblait Christine, mais j'étais pratiquement certain que je l'aurais remarquée si elle avait été là. En quittant l'église, les conversations se seraient tues sur son passage et les gens l'auraient suivie des yeux. Or, tout le monde bavardait et tout paraissait normal. Tellement normal que ça en devenait suspect. Une fois l'église déserte, je m'adressai de nouveau à Duncan.

— Alors, où est le Messie ?

— Christine est probablement dans la salle paroissiale, derrière. D'habitude, elle y reste en compagnie de sa mère jusqu'à ce que chacun soit rentré chez soi. Elle n'apprécie guère toute l'attention dont elle fait l'objet. C'est perturbant pour elle.

— Imaginez que le Messie pique une colère, vous croyez que la Terre pourrait dévier de son axe? suggéra Patricia.

— En roue libre à travers l'univers…

— Je réfléchissais à voix haute, c'est tout, me coupa Patricia.

— Je ferais mieux d'y aller, souffla Duncan, soudain mal à l'aise.

Les fidèles se dispersaient à travers le cimetière et descendaient la colline. Des chapeaux de toutes les couleurs claquaient au vent qui nous renvoyait quelques bribes fredonnées du dernier cantique.

— Ils sont complètement à fond, tu ne trouves pas?

— Dan…, fit Patricia.

— Eh bien, je…

— Non, tu devrais respecter ce que…

— Je ferais mieux d'y aller, répéta Duncan.

— J'espérais que vous nous conduiriez dans les coulisses pour nous présenter, hasardai-je.

— Vous présenter à Christine?

— Oui.

— On dirait que tu parles de show-biz, intervint Patricia, comme après un concert! (Je haussai les épaules.) Vous croyez que ce serait possible? (Patricia interrogeait Duncan, Little Stevie hissé contre son épaule.) Après tout, le père Flynn nous a invités, n'est-ce pas, Dan?

— Non, ça m'ennuie.

— Allez…, insista Patricia.

— Non, vraiment je ne peux pas. Je suis en retard et je dois partir. Allez-y vous-mêmes. À bientôt.

Et il tourna les talons, enfonça ses poings au fond de ses poches et se dirigea vers le portail du cimetière.

— On peut vous déposer? lui cria Patricia.

— Non, non merci, cria-t-il en retour avec un petit signe de la main.

— Il est lunatique, ce type, non? remarqua Patricia dès qu'il fut assez éloigné.

Je l'observais dévaler la colline en bondissant, épaules rentrées. Patricia fronça les sourcils.

— J'ai bien peur de l'avoir chopée.

— Quoi, la fatigue chronique ? Comment on appelle ça déjà, la myalgie ?

— Non, dit-elle en lorgnant vers l'église, l'envie messianique.

13

Le cimetière se vida enfin, à l'exception d'une grosse bonne femme près du portail, assise à califourchon sur un vieux vélo déglingué. Elle prenait le soleil. Patricia jeta un œil à sa montre.

— Tu crois que ça va durer longtemps? demanda-t-elle en surveillant la porte à l'arrière de l'église. (Elle s'inquiétait pour Little Stevie.) C'est son heure, tu sais.

— Quelques minutes de plus ou de moins...

— Essaie de lui expliquer, toi, répliqua-t-elle en me tendant le bébé.

Little Stevie ne semblait pas trop contrarié. Néanmoins, je ne souhaitais pas me mêler de leurs affaires.

— Bon, reste ici, je pars vérifier si ça vaut le coup d'attendre. Toi aussi, t'aimerais bien la voir, non?

Elle acquiesça tout de même. Je m'approchai de la porte d'où émergeait un murmure de personnes parlant à voix basse. Je toquai légèrement contre le bois. Les murmures cessèrent. Une clé tourna dans la serrure et la tête bouclée d'un homme apparut.

— Oh, désolé! Je cherchais le père Flynn.

— Oui, il est là.

Je fis un pas en avant, sauf qu'il bloquait le passage. Je pus juste apercevoir par-dessus son épaule une douzaine de personnes attablées.

— Désolé, nous tenons une réunion, dit-il d'un ton enjoué mais ferme, ce sera fini d'ici une vingtaine de minutes, si vous voulez bien patienter.

Je haussai les épaules tandis qu'il refermait la porte.

Patricia ne voulait pas attendre, moi si. J'arguai curiosité journalistique et enquête d'importance à mener. Elle contre-attaqua avec lait chaud et couches à changer. Nous n'étions pas d'accord, c'était clair. On décida qu'elle repartirait avec la voiture et que je me débrouillerais pour rentrer par mes propres moyens en rapportant des nouvelles du Messie. J'embrassai Patricia et serrai la menotte de Little Stevie. Il gazouilla de bonheur quand il m'aperçut. Elle démarra dans un nuage de poussière pour lequel elle m'aurait réprimandé avec sévérité si j'avais été au volant. La femme au vélo, près du portail, sortit un livre de sa sacoche et commença consciencieusement à le compulser.

— Bonjour, dis-je alors que je m'approchais d'elle.

Surprise, je crus un instant qu'elle allait perdre l'équilibre et dégringoler de sa bicyclette. Sur son visage rond et sympathique, à la peau un peu flasque, deux grands yeux m'observaient derrière une solide paire de lunettes à montures noires, aux verres étonnamment épais.

— Je ne vous avais pas vu, bredouilla-t-elle.

— Pardonnez-moi, m'excusai-je avec cette aptitude naturelle du bon petit gars de l'Ulster prêt à encaisser le moindre reproche, je n'avais pas l'intention de…

— Belle journée, n'est-ce pas ?

— La messe vous a plu ?

— Oui, c'était merveilleux.

Comme nous ne trouvions plus rien à nous dire, elle détourna le regard avant de se replonger dans sa lecture. Un bref coup d'œil m'apprit qu'elle lisait le Nouveau Testament.

— À la fin, il meurt, mais après il revient.

Elle me foudroya direct.

— Je sais.

111

Quelques pas de deux dans la poussière me donnèrent une contenance. Dans mon dos, j'entendis les gens sortir de leur réunion.

Je pris congé rapidement.

Devant moi, des hommes à la mine austère s'avançaient lentement en file indienne. Certains me saluèrent d'un signe de tête. Un couple me dit bonjour. Puis surgit le père White. Il ne m'adressa pas la parole mais me scruta avec un regard à faire froid dans le dos. Le père Flynn m'apostropha en me tendant la main.

— Dan ! Je me doutais que c'était vous. Entrez.

Il m'invita à l'intérieur de la pièce, à l'autre bout une femme tenait une enfant sur ses genoux.

Flynn me prit le bras pour me conduire vers elles. J'ignore ce que ça raconte de mon attitude face à la vie, mais mon premier regard fut pour la femme, ensuite seulement pour le Messie potentiel. Elle, la mère de la gosse, devait avoir dans les trente-cinq ans, blonde aux yeux bleus, des cheveux courts et sales. Un petit nez en trompette, mais joliment dessiné. Elle fumait une cigarette. Franchement, j'étais outré. Incroyable que Dieu ait choisi pour recréer son image sur terre une personne qui claque du pognon dans un paquet de Benson & Hedges ! Déja, ça n'était pas drôle que l'alcool soit prohibé au nom de la religion — ce même alcool que Jésus soi-même avait pris la peine de créer grâce à un *mirak* pour étancher sa soif — Jésus, grand buveur de vin devant l'Éternel… Pas la peine d'en rajouter en autorisant la clope. Ce serait un grand jour pour la firme B & H si elle obtenait une photo de la mère de Dieu telle que je la découvrais là, à recracher la fumée de cigarette par le nez de cette manière. Ces volutes de fumée offraient un éclat quasi mystique grâce à la lumière du soleil. Une dose fatale de mysticisme qui, même inhalée passivement, pouvait tapisser vos poumons de poison et vous garantir plus tard une mort douloureuse et terrible, tout ça gratuitement.

Je serrai la main que me tendait cette femme et me répétai qu'elle n'était point la mère de Dieu, pas plus que la fillette sur ses genoux n'était la fille de l'Être suprême.

La gamine était blonde elle aussi, avec des yeux bleus. Le type parfaitement aryen. Elle avait le sourire de sa mère.

— Salut, dit-elle.

— Salut.

— Dan Starkey, dit Flynn. Moira McCooey, et Christine, bien entendu.

— Bonjour, dit-elle en caressant les cheveux de sa fille.

— Dan a accepté d'écrire un livre sur tout cela, Moira. C'est un écrivain de talent.

Je l'avais été, certes. J'étais surtout un écrivain confidentiel.

Pourtant, j'approuvai d'un hochement de tête.

— Je vais faire de mon mieux.

Moira me fixa intensément.

— J'espère que les critiques ne vous crucifieront pas, dit-elle d'une voix traînante, rendue rauque par l'abus de tabac. Détendez-vous, ajouta-t-elle dans un rire, nous ne mordons pas.

— J'aurais besoin de vous interviewer, si vous n'y voyez pas d'inconvénients, répliquai-je un peu nerveux.

Moira écrasa son mégot au milieu de cinq ou six autres, dans un petit cendrier en verre.

— Oui, quand vous voulez, pas de problème. Accompagnez-nous, vous m'expliquerez ça en descendant la colline.

— Super. Ça ne vous ennuie pas ?

— Pas du tout.

Je fis un clin d'œil à Christine.

Christine regarda sa mère et lui murmura :

— Il a un hérisson.

Moira alluma une autre cigarette pendant que nous descendions vers le port. Christine gambadait gaiement devant nous. Le père Flynn était resté à l'église.

— Vous avez l'air tout pâlichon.

Je me sentais effectivement un peu pâlot. Les allusions inopinées à ces petites bestioles couvertes de piques ont tendance à me faire cet effet. Je relevai la tête et contemplai le ciel.

— Nous autres, écrivains, ne voyons pas souvent le soleil, on reste dans la pénombre de nos cabinets d'écriture.

— Vous devez travailler très dur.

— Non, on se contente de passer beaucoup de temps dans des pièces obscures. (Moira m'offrit un sourire poli. Je désignai du doigt Christine.) C'est une petite fille très joyeuse.

— C'est vrai.

— Bien entendu, rien de plus normal, en tant que fille de Dieu.

Moira s'arrêta.

— Je me doutais que vous adopteriez ce ton.

— Quel ton?

— Cynique.

— Qui a parlé de cynisme?

— Pas la peine d'en parler. C'est votre façon d'être. Ça se voit tout de suite.

Je haussai les épaules avec autant de détachement que le permettait la situation. Je devais combattre cette propension au cynisme chez moi. Cela ne me rendait pas sympathique auprès de ces gens. D'autant qu'il était probable que j'aurais à les exploiter sans vergogne un de ces quatre pour toucher un bon paquet de fric.

— Je suis navré, le cynisme fait un peu partie de mon métier. Il faut que je me montre plus ouvert d'esprit et votre aide me sera précieuse. Car souvenez-vous que, lorsque tout cela paraîtra au grand jour, vous n'aurez pas seulement un cynique comme moi à gérer, mais des millions d'autres. Et ça, c'est juste pour Belfast.

Moira envoya son mégot valdinguer d'une pichenette.

— On verra bien. (On reprit notre marche.) Alors, que souhaitez-vous savoir?

— Tout, j'imagine. Tout ce que vous êtes disposée à me raconter. Si vous acceptez.

— Frank semble vous faire confiance, alors, pourquoi pas moi?

114

— Parfait. Je suis touché. Je ne suis pas un mauvais bougre, vous savez. Et votre mari, que…

— Quel mari ?

— Oh…

— Oh, quoi ?

— Oh, rien, je…

— Vous le supposiez.

— C'est juste que…

— On est au XXᵉ siècle, vous savez…

— Sur Wrathlin ? Vraiment ?

— Un point pour vous, dit-elle en souriant, mais…

— Vous insinuez qu'Il est le seul à…, enchaînai-je en pointant le ciel de l'index.

— Monsieur Starkey…

— Appelez-moi Dan…

— Dan… Christine fut conçue à une époque où j'entretenais une relation avec un homme sur cette île. Un célibataire. Cette histoire est aujourd'hui terminée. À un moment ou à un autre, Dieu s'en est mêlé et j'ai porté Son enfant. J'ignore les pourquoi du comment, j'ignore l'aspect biologique… Je n'ai pas senti la terre trembler sous mes pas… Les cieux ne se sont pas entrouverts pour m'inonder de lumière divine… mais aussi vrai que je suis là devant vous, je suis certaine que Christine est l'Enfant de Dieu et je ferai tout mon possible pour la protéger et l'élever correctement jusqu'à ce qu'elle ait l'âge d'hériter de…

Elle s'arrêta tout net et pouffa, l'air gêné.

— La Terre, dis-je sur un ton goguenard, en essayant de ne pas paraître trop cynique. Et quand croyez-vous que cela se produira ?

— Je ne saurais le dire. Actuellement Christine est une petite fille comme les autres…

— Bien qu'elle ait réalisé quelques *miraks*…

— … Oui, une petite fille comme les autres qui a réalisé

quelques *miraks*… une petite fille comme les autres qui n'a aucune idée de son destin, de son potentiel…

— Mais à quel moment… ?

— Dan, il n'existe aucun calendrier en la matière. Cela s'est déjà produit une fois, et les gens ont tout gâché à l'époque. Frank pense que Christine pourrait se révéler à la puberté. Les filles sont plus précoces que les garçons.

— Pubère et messie, bonjour la crise d'adolescence !

— Oui, on peut le résumer comme ça si vous y tenez.

Christine avait atteint la route la première et soulevait le gravier avec ses pieds.

— M'man, viens jouer.

— Sors-toi de la route, qu'est-ce que je t'ai déjà dit ?

Je tendis la main vers Christine, elle recula et me balança des gravillons.

— Voilà qui n'est pas très gentil.

— Nan, dit-elle, un sourire malicieux aux lèvres.

— Tu vas prendre une bonne gifle si ça continue, l'avertit Moira.

— Et vous avez le droit de la corriger ?

— Bien entendu, répondit-elle avec un clin d'œil. Le truc marrant, c'est qu'elle devrait tendre l'autre joue.

— Et c'est le cas ?

— Bien sûr que non, elle ne sait pas encore qui elle est.

Christine me prit la main.

— Tu viens jouer avec moi ?

— Bien sûr.

Je poussai du pied quelques gravillons sur son pied à elle. Elle riait de plaisir et se reculait à chaque fois pour m'éviter.

— Vous cherchez les ennuis, commenta Moira.

Je m'avançai vers Christine et elle fit un pas en arrière, pointant son pied, prête à shooter.

J'effectuai un pas en avant, prêt à l'attaque.

Nous échangions des sourires, les yeux dans les yeux, l'air faussement en colère. Moira marchait devant nous. Les seuls sons que j'entendais étaient ceux de la brise, le cri lointain d'une mouette et... et quelque chose... comme un chuintement... un chuintement... qui, pendant un instant, me laissa perplexe, un sifflement bizarre et cependant familier, comme si on soufflait à travers les dents d'un peigne... et ce bruit se rapprochait... se rapprochait... et soudain je pigeai... ce son, je m'en souvenais parfaitement, il me ramenait à des sons de l'enfance et, à l'instant même où je l'identifiai, il était sur moi.

La femme rencontrée à la grille de l'église dévalait la pente à vive allure, ses jambes pédalaient à toute blinde, son corps dodu relevé de la selle, tête et poitrine penchées sur le guidon, les cheveux au vent, la bouche ouverte, les yeux exorbités derrière ses lunettes. Et elle hurlait.

Elle n'avait pas perdu le contrôle de sa bicyclette.

Elle fonçait *sciemment* sur moi.

Elle ne dévia de direction qu'au tout dernier moment, mais avant que j'aie pu mentalement remercier le Seigneur, je sus que ce changement de direction était voulu.

Elle fonçait sur Christine. Droit sur elle.

La gamine la regardait fixement, clouée sur place.

Moira hurla de loin, mais c'était déjà trop tard.

14

Une odeur d'alcool, un parfum, pâle imitation de l'original, un soupçon de gnôle ingurgité et aussitôt pris d'assaut par les acides de mon estomac : j'eus un renvoi déplaisant sous la forme d'un rot éventé et pénible. Néanmoins, ça restait de l'alcool. Un arrière-goût de cervoise. Une possibilité de whisky écossais. Un relent de bar enfumé, avec blagues de comptoir et discussions à n'en plus finir. J'ouvris les yeux dans un battement de cils, aveuglé par la lumière trop vive. Une douleur au niveau du crâne. Bouche sèche. Léger mouvement sur ma gauche. Je décidai de me concentrer sur cette ombre.

— Bonjour, déclara un visage d'un ton enjoué. (Un visage bouffi, à la mâchoire proéminente, avec une lueur un peu bourrue dans le regard. Blouse blanche sous le visage.) Je me présente, docteur Finlay.

J'articulai un son d'une voix rauque.

J'étais allongé sur un divan en cuir noir. Plusieurs diplômes encadrés pendaient au mur. À côté, une bibliothèque. Les livres du docteur Finlay.

— Comment vous sentez-vous ?

— J'ai mal partout, murmurai-je.

— On peut le comprendre.

118

— Comment… ah… où je… oh… depuis combien de temps…?

Le docteur hocha la tête.

— Vous êtes resté inconscient environ six heures. On a prévenu votre épouse pour éviter qu'elle s'inquiète ; elle sait que c'est sans gravité — ça vous dirait, une larme de whisky ?

La pièce était trop éclairée pour ma pauvre tête.

— Vous lisez dans mes pensées, c'est pas possible, articulai-je.

— Je lis sur les lèvres.

Je fronçai les sourcils.

— Je n'ai rien demandé…

— Non, mais je vous ai observé. Vous vous humectiez les lèvres, c'est un signe qui ne trompe pas chez un alcoolique.

— Je suis pas alcoolique.

— Oh, ne le prenez pas mal !

Il était juché sur le rebord du canapé. Il se leva en direction d'un petit meuble aux portes ornées de miroirs. Ouvrant l'une d'elles, il entreprit d'examiner la rangée de fioles à l'intérieur. De petites fioles marron, comme des fioles de pharmacie. Rien de très encourageant.

— Un petit verre, ça ne vous dit rien alors ?

— J'adorerais ça, au contraire.

Un souvenir surgit tout à coup en moi. La femme obèse. Son visage déformé par les hurlements. Le souffle du vent projeté entre les rayons des roues. Le cri de douleur poussé par l'un de nous deux. Par nous deux.

— On dirait que j'ai été renversé.

— C'est exact. Une baleine sur un vélo vous a roulé dessus, commenta-t-il avec un rire appuyé.

Il revenait vers moi, une petite fiole à la main. Une fiole qui contenait des cachets.

— Et ce verre, alors… ?

— Quel verre ?

— Le whisky.

— Quel whisky ?

— Celui que vous m'avez proposé…

— Je vérifiais simplement que vous n'étiez pas commotionné. Vous me semblez tout à fait apte à soutenir une conversation. Vous vous en tirerez donc avec un bon mal au crâne. Prenez ces pilules, elles vous remettront sur pied. Après vous pourrez partir.

— Je ne bois pas un coup, c'est bien ça ?

— Oh non. Juste ces médicaments.

— Même pas pour raison thérapeutique ?

— Pour raison thérapeutique, je m'y oppose formellement. On n'arriverait jamais à rien si je filais une petite rasade au premier couillon qui viendrait me voir en n'étant pas dans son assiette. C'est totalement illégal, vous comprenez ?

— Oui.

— Désolé.

— Mais…, commençai-je. (Manifestement, il n'était pas conscient que son haleine de chacal trahissait des relents fétides de distillerie.) Vous pourriez m'établir une ordonnance pour que j'en obtienne ?

— Oui, je le pourrais, mais c'est impossible.

— Vous êtes en train de me dire que vous n'en avez pas ?

— Pas du tout. Je suis en train de vous dire que *vous*, vous n'en aurez pas. L'alcool n'est pas la réponse à tous nos maux, vous savez.

— Vous êtes bien sûr de ça ?

On se dévisagea un court instant. Si une chose entre toutes témoignait des ravages de l'alcool, c'était assurément son visage. Mais le moment ne me semblait pas approprié pour en débattre. S'il possédait une précieuse petite réserve de gnôle et qu'il était alcoolo, il ne pouvait se permettre d'en servir à tout le monde. Ça se comprenait. Mais il aurait pu s'abstenir de me faire la leçon sur les méfaits de l'alcool et de jouer les hypocrites au nom d'Hippocrate.

Je me touchai le sommet du crâne. J'avais reçu un sacré coup à la tête. Et douloureux avec ça.

— Vous avez examiné cette bosse pendant que j'étais dans les vapes ?

— Oui, vous allez bien.

— Moi, je ne me sens pas bien.

— C'est normal.

— J'ai l'impression que ma pauvre tête est en mille morceaux.

— C'est un peu le cas, mais ça va passer.

— Il faudrait me faire un scanner ou un truc comme ça, non ?

— Je l'ai fait. Avec ceci. (Il me montra ses mains.) On n'a rien trouvé de mieux pour un examen soigneux des contusions.

Je cherchai à lui répondre par un sourire reconnaissant, mais ma bouche me faisait souffrir. Ses mains étaient jaunies par la nicotine, toute la main, et pas seulement les doigts. À une époque, j'avais fréquenté une femme dont les cheveux étaient jaunes à force d'être imprégnés de tabac. Mais lui, ses mains étaient carrément dorées. Les cordonniers sont les plus mal chaussés, c'est bien connu. Je me sentis très soulagé que mon cas n'ait pas nécessité d'examen plus poussé.

J'eus un flash : une baleine sur un vélo.

— Et… Christine ? La gamine… ?

— Elle n'a rien. Elle a attendu dehors pendant des heures avec sa maman. Sur l'insistance du père White, elles sont rentrées chez elles, à contrecœur. Je leur ai assuré que vous alliez bien. Elles se sentaient très redevables envers vous. Pour avoir protégé Christine de cette manière. Pour lui avoir sauvé la vie.

Si tel était le cas, il s'agissait d'un pur hasard. J'avais dû trébucher, ou défaillir. Je n'ai rien d'un héros. Des dizaines de gens pourraient en témoigner. Certains, même, ne sont plus là pour le faire.

— Et cette femme sur la bicyclette, comment va-t-elle ?

— Oh, elle, rien de cassé. Elle a rebondi. Sur vous, en fait. Ils l'ont amenée ici. L'agent Murtagh l'a embarquée. Ou plutôt, il a dû l'évacuer fissa. La femme a reçu des jets de pierres. Mais elle va bien, à l'abri derrière les barreaux.

Je respirai un grand coup, m'étirai, bâillai. J'avais mal partout.

— Et que va-t-il lui arriver ? demandai-je d'une voix atone.

Le docteur Finlay renversa une poignée de petits cachets blancs dans ma main.

— Je n'en sais rien. Ça dépendra des charges qu'ils vont retenir contre elle. Comment définiriez-vous cet accident ? Conduite dangereuse ? Ou tentative de meurtre ? Ou dangereuse tentative de meurtre peut-être alors ? On m'a rapporté que des gens s'étaient massés autour du poste de police et qu'ils voulaient la pendre. Elle n'est pas en odeur de sainteté, si vous me permettez.

— Pourquoi aurait-elle voulu… A-t-elle fourni une explication ? Des excuses ?

— Elle bafouille à peine deux ou trois mots, mais ça lui ressemble à Mary Reilly. Vous l'aviez déjà rencontrée ?

Je fis oui de la tête, ce qui fut une très mauvaise initiative. Je lui expliquai que je l'avais croisée brièvement à la sortie de l'église et qu'elle m'avait paru tout à fait normale.

— À vrai dire, ce n'est pas étonnant. À certains moments, elle semble normale, à d'autres, elle est totalement barrée. Si nous avions un établissement pour accueillir les fous, elle y serait pensionnaire, mais nous n'avons pas ça ici. J'avais préconisé son internement sur le continent il y a des années, mais on ne m'a pas suivi. Jusqu'à présent, elle s'était montrée relativement inoffensive. (Il marqua une pause, comme s'il hésitait à développer.) Elle est médium.

— Elle m'a paru plutôt être XXL.

— Ne rigolez pas, c'est sérieux, elle dialogue avec les esprits et tout le toutim. D'un côté, elle est la risée des gens, de l'autre, ces mêmes gens l'évitent comme la peste. Tout ça, c'était avant le début des *événements*, bien entendu.

Il ponctua sa dernière remarque d'un clin d'œil complice suggérant qu'il n'était guère plus convaincu que moi par cette histoire.

Je me redressai tant bien que mal pour prendre appui sur mes jambes en les posant avec précaution sur la moquette. Je me sentais un peu flageolant.

— Seraient-ce les esprits qui lui ont ordonné de tuer Christine ?

— Ce n'est pas à moi de me prononcer.

Et il repartit vers l'armoire à pharmacie pour y ranger le flacon.

— Docteur, croyez-vous que Christine soit le Messie ?

— Bien sûr, fit-il sans se retourner, soudain occupé à remettre bon ordre dans l'agencement de ses fioles et à orienter les étiquettes vers lui.

Je me levai ; un étourdissement me submergea avant de disparaître d'un coup.

— Ah ! mais je suis en pleine forme, notai-je avec jovialité.

Le docteur Finlay se retourna. Il me scruta des pieds à la tête.

— Oui, vous vous portez comme un charme, ne vous l'avais-je pas dit ?

J'acquiesçai en le remerciant pour tout.

— Vous croyez que je peux appeler un taxi de chez vous ?

— Ah non.

— Ah bon.

— En ce sens qu'il n'y en a pas. Vous imaginez sur une île aussi petite ? Je suis certain qu'un solide gaillard comme vous peut rentrer à pied en un rien de temps. Y a même pas trois kilomètres.

— Je me relève tout juste d'un accident.

— Une petite promenade vous fera un bien fou. Et croyez-moi, je m'y connais, je suis médecin.

— Ah bon…, si vous le dites.

Il ouvrit la porte du cabinet de consultation. Dans la salle d'attente meublée du strict minimum patientaient une mère et son enfant. Je répondis à leurs sourires.

— Merci, Docteur.

— De rien. Je suis plus que certain de vous revoir bientôt. Vous avez un bébé avec vous dans le cottage, n'est-ce pas ? (Je fis oui de la tête.) Vous aurez besoin de faire appel à moi, sans aucun doute, pour des petits contrôles de routine, hein ?

— Bien entendu. *Et j'espère que tu vas te cogner cette putain de route à pied !* faillis-je ajouter.

123

Il m'accompagna jusqu'à la sortie. Alors que je franchissais le seuil, je l'entendis beugler à sa patiente : « Ah, bon sang de bonsoir ! Qu'est-ce qui vous amène ? » Mais alors qu'il prenait l'enfant dans ses bras, j'aperçus son visage dévasté empli d'une soudaine bienveillance.

15

Il me fallut une bonne heure de marche en compagnie d'un petit vent frisquet pour rentrer à la maison. Toute ma carcasse était endolorie. J'avais subi un choc très rude et on m'obligeait à revenir à pied. J'avais mal à la tête. Les cris des mouettes à cet endroit de l'île ressemblaient à des rires moqueurs, comme si elles avaient assisté à la scène. Était-ce de m'avoir vu aplati comme une crêpe sous la grosse bonne femme au vélo ? Était-ce de savoir que je me mêlais de choses bien étranges ? Peut-être bavardaient-elles tout bonnement du prix du poisson.

Je m'attardai un peu du côté du pub au rideau tiré. Je m'adossai au mur, dans une ultime tentative d'éprouver des vibrations laissées par l'alcool, sauf que je n'y gagnai que le contact des briques froides et la sensation de jambes lourdes. J'avais été capable de sauver la vie du Messie, mais je me trouvais dans l'impossibilité de me payer un verre. J'essayai de reprendre courage en adoptant un point de vue à long terme : un jour peut-être les gens prononceraient mon nom avec le même respect mêlé de crainte que lorsqu'ils évoquaient saint Jean-Baptiste ou Moïse recevant les Tables de la Loi — Dan Le Héros Accidentel — et prieraient avec ferveur pour mes souffrances endurées.

Pas un chat dans le coin. Je longeai le port, observant les bateaux de pêche dansant sur l'eau verte, dont le ferry de Charlie McManus. Aucun signe de son capitaine. Pas même un marchand de glaces. Ni de gamin en train de cavaler n'importe où, ni de parent en train de lui crier de ne pas trop s'approcher du bord. Calme plat partout. C'était étrange. Ou bien normal. Je ne savais plus.

Je marchais du pas traînant de celui qui avance péniblement, et continuais ainsi jusqu'à Snow Cottage. J'aurais pu me taper une quinzaine de kilomètres tant qu'on y était! Je me sentais assez mal en point.

Je m'arrêtai au bout de l'allée, notre fenêtre était éclairée — je l'interprétai comme un signe de bienvenue et, pourtant, quelque chose me parut bizarre, différent. Au lieu de frapper à la porte, je passai un œil par la fenêtre. Assise dans un rocking-chair, Patricia se balançait doucement devant la cheminée, à la faible lueur d'une lampe à pétrole posée sur la table. Le couvert était mis. Le bébé dormait sur un coussin au sol. Devant ce spectacle sacrément émouvant, les larmes me montèrent aux yeux. J'avais la gorge serrée et le sentiment d'avoir fait tout à coup un bond en arrière dans le temps, comme sur ces petites scènes de la vie irlandaise figurant sur les vieilles boîtes de biscuits en fer-blanc. Touchant spectacle.

Je frappai doucement à la porte et Patricia vint rapidement m'ouvrir. Elle portait une jupe longue, marron, ornée de petites fanfreluches. Elle n'était pour ainsi dire pas du tout maquillée mais le sourire qu'elle m'adressa compensait largement.

— On se croirait dans *Sarah et le lieutenant français*, fis-je en la serrant dans mes bras. Ou bien tu te prends pour Lorna Doone[1] ?

Visiblement ravie, elle se hissa sur la pointe des pieds pour m'embrasser.

1. Du livre éponyme écrit par R. D. Blackmore, roman d'amour historique se déroulant en Grande-Bretagne au XVIIe siècle.

— Tu te sens comment ? demanda-t-elle en me touchant le front.

— Parfaitement bien.

— Ils m'ont prévenue que tu allais bien.

— Qui ça « ils » ?

— Les deux prêtres sont venus m'expliquer ton… acte de courage. (Je haussai les épaules.) Dès que je les ai aperçus, j'ai su qu'il était arrivé quelque chose. À leur mine sombre et à la manière austère qu'ils ont eue de commencer à me parler, j'ai cru que tu avais été tué dans un accident. Que je t'avais laissé rentrer seul et qu'une voiture t'avait écrasé, qu'une vache t'avait chargé, que tu avais été foudroyé par l'orage ou bien que, tombé dans un trou, tu t'étais noyé. Et à ce moment-là, j'ai compris combien je t'aimais, combien tu allais me manquer et combien je m'étais comportée de manière odieuse avec toi. Et quand ils m'ont dit que tu allais bien, j'ai fondu en larmes. Et je sens que je vais repleurer, là, tout de suite…

Et elle pleura, blottie contre moi. Nous restâmes enlacés un bon bout de temps. Elle se dégagea de mes bras pour annoncer fièrement :

— J'ai cuisiné, le plat est au four.

— Pas de micro-ondes ?

— Pas de micro-ondes.

— J'ai oublié la nourriture pour chats pour notre hérisson.

— Ça ne fait rien, je lui ai construit une petite maison dans la cour à l'aide d'une boîte en carton. Et il a eu le droit de tester notre dîner en avant-première. À la façon dont il l'a englouti, j'ai l'impression que ça devrait être potable. Assieds-toi.

Elle tira une chaise à mon attention, ouvrit la porte du four et en sortit une cocotte fumante qu'elle déposa sur la table.

— Ça a l'air délicieux et ça sent divinement bon.

— Goûte d'abord.

— Je suis impatient.

127

Elle commença à servir, puis reposa brusquement la louche. Elle s'avança vers le placard et attrapa quelque chose en disant :

— J'ai oublié de prendre ça ! lança-t-elle triomphalement.

Je n'en croyais pas mes yeux.

— Oh, mon Dieu ! (Une bouteille de vin.) Mais où diable as-tu découvert ça ?

— Je l'avais emportée dans mes bagages.

— Mais...

— Mais il était hors de question de la boire avant que nous ayons un événement à fêter. Et aujourd'hui, il n'y a rien de mieux à fêter que notre couple. (Little Stevie gigota sur son coussin.) Notre couple et le bébé, ajouta-t-elle.

Patricia me tendit sa main que je serrai fort et nous contemplâmes ensemble Little Stevie en train de s'étirer.

— Tu penses que tu pourras l'aimer comme ton fils ?

— Oui.

— Tu en es sûr ? (J'acquiesçai.) Moi aussi je le pense. Laisse-lui une chance. (J'acquiesçai à nouveau. Patricia me prit l'autre main.) Dan ?

— Oui ?

— J'ai commencé ma remise en forme, mes exercices pour assouplir le plancher pelvien.

— Nous n'avons pas ce type de plancher, dis-moi.

— Dan...

— C'est nul, je sais...

— Dan... enfin tu comprends... l'heure est arrivée...

— De faire quoi ?

— De nous remettre à faire l'amour.

— Je lève mon verre à cette bonne nouvelle.

— Buvons un coup aussi.

— Tu es bien certaine de te sentir en forme ? demandai-je légèrement paniqué malgré mon enthousiasme.

— Oui, vraiment.

— Tu te sens parfaitement rétablie ?

— Mais oui.

— Tu en es sûre ?

— Oui, Dan.

— Je ne veux pas que tu aies mal.

— Je me sens bien.

— Ça avait l'air d'être très douloureux... l'accouchement... Little Stevie.

— Steven. Oui, c'est douloureux, mais je vais mieux à présent.

— C'est un peu tôt, non ?

— Dan...

— C'était un peu comme une attaque au mortier, non ?

Elle pressa ses mains autour des miennes et écrasa ses lèvres sur ma bouche.

— J'ai envie de toi, mon cœur. Finissons ce dîner, buvons un verre, et ensuite tu me feras l'amour.

— D'accord.

Dans la quiétude de la nuit, on fit l'amour avec une infinie tendresse, en prenant notre temps, nos couvertures rejetées en arrière et le bébé relégué au royaume des songes. C'était aussi beau et charmant que la première fois, mais avec cette intimité supplémentaire que nous partagions depuis.

Nous étions lovés dans les bras l'un de l'autre à nous susurrer des douceurs. On n'avait pas vidé totalement la bouteille, on voulait en garder un peu pour après.

Patricia se révélait passionnée dans ses paroles que je buvais non moins passionnément.

— Je t'aime plus que tous les grains de sable de toutes les plages de toutes les planètes de tout l'univers, murmura-t-elle.

— Mmmm...

— Je t'aime plus que toutes les vagues de toutes les mers de la terre entière.

— Mmmm...

— Je t'aime chaque jour davantage, pour l'éternité, pour les siècles des siècles.

— Amen.

Elle se cala sous mon bras et caressa mon ventre en chuchotant d'une voix douce :

— Et toi, tu m'aimes beaucoup beaucoup ?

— À la folie.

16

Le lendemain matin, armé d'un magnétophone, bombant le torse avec l'air important d'un mec aimé par une femme bien, je me mis en route pour le cottage de Moira. Je me refusai à prendre la voiture. Certes, un vent froid soufflait mais j'étais un homme, que diable, qui plus est emmitouflé dans un manteau molletonné. Et j'avais enfilé des gants. Tout au long du chemin, plusieurs personnes me saluèrent et l'une d'elles me remercia ; une femme qui nettoyait son pas de porte m'offrit un œuf dur. J'avais fait mes preuves, j'étais un héros, et les lacérations des rayons des roues de vélo le prouvaient. Je frappai à la porte de la maison de Moira avec l'assurance du mec qui s'attend à ce qu'on lui ouvre.

— Est-ce que ça sent le vomi ? demanda-t-elle tout à trac.

Je fis non de la tête. Ce n'était certainement pas ce genre de réplique qu'on aimerait voir figurer dans la Bible II. Elle était vêtue d'une robe de chambre rose, et tenait à la main un aérosol de désodorisant Haze, parfum pomme de pin. Je posai une question idiote :

— Quelqu'un est malade ?

— Christine, dit Moira en tournant les talons. (Je la suivis dans la cuisine.) C'est pas bien méchant, mais c'est la plaie pour se débarrasser de l'odeur, pas vrai ?

— Je ne sens rien du tout.

— Vous êtes gentil, mais je sais bien que ça pue le dégueulis.

— Non, honnêtement, je ne...

— Ne me contredisez pas, Dan, je suis la mère de Dieu.

— Excusez-moi.

— Je vous taquine, répliqua-t-elle en roulant des yeux.

— Vous voulez dire que vous n'êtes pas la...

— Non..., je veux dire que vous avez le droit de me contredire. C'est un vrai problème, vous savez. Les gens ne savent pas comment me prendre. *Je suis* parfaitement normale. (Elle montra le plafond du pouce.) C'est *elle*, là-haut, qui est bizarre.

Je lui demandai pourquoi elle indiquait du doigt un étage alors que nous étions dans un cottage. Elle m'expliqua qu'elle avait aménagé les combles ; est-ce que je voulais visiter ? Je lui répondis, pourquoi pas ? Et je la suivis en haut. L'aménagement était d'une banalité ordinaire. J'ignorais à quoi je m'attendais. Des chœurs merveilleux, des puits de lumière divine, pas des posters de Cliff Richard et une odeur de vomi.

Christine était allongée sur son lit. Elle feuilletait un livre de comptines. À côté d'elle, une bassine bleue en plastique. Vide.

— Comment tu te sens ?

— Barbouillée, me répondit-elle.

Elle avait les traits tirés, mais ne me parut pas à l'article de la mort.

— Il y a une saloperie qui traîne en ce moment, commenta Moira en tâtant le front de sa fille. Pas de fièvre. Christine, tu te souviens de Dan ? Le monsieur qui a sauté au-devant de la bicyclette. Tu te souviens de cette femme qui fonçait sur toi à vélo ?

Christine hocha la tête.

— Qu'est-ce qu'on dit ? reprit Moira. (Sa fille haussa les épaules.) Et les remerciements ?

— Merci.

— De rien, dis-je.

Quand je redescendis l'escalier, je glissai à Moira :

— Je suis préoccupé.

— Elle va bien.

— Non, je ne parlais pas de ça, c'est à propos des posters de Cliff Richard.

Moira gloussa de rire. Un rire charmant.

— Vous n'aimez pas Cliff Richard ?

— Sue Barker a produit de meilleurs disques. Quoique.

Elle s'arrêta sur une marche.

— Désolée, je n'ai pas saisi.

— C'est une vieille blague perdue dans la nuit des temps.

— Expliquez-la-moi, s'il vous plaît. Qui est Sue Barker ?

— Aucune importance. C'est terrible d'avoir à expliquer une blague, surtout une blague à deux balles comme celle-là.

On se rendit dans la cuisine. Il était un peu plus de dix heures du matin, dix heures zéro sept, pour être précis. Je me souviens de l'heure car elle revêt une importance historique. C'est à cet instant que Moira ouvrit le réfrigérateur et déclara :

— Une bière, ça *te* dirait ?

Je fixai la porte entrouverte. Un pack de Tennent s'offrait à ma vue hallucinée : seules trois ou quatre canettes manquaient à l'appel dans l'emballage plastique déchiré. J'étais hypnotisé, non pas que je sois alcoolo, entendons-nous bien, c'était l'effet de surprise.

— Je pensais que…

— Tu crois vraiment qu'un seul d'entre *eux* aurait les couilles de m'en empêcher ?

Je répondis par la négative en agitant la tête.

— Pour autant que je sache, tu as devant toi les dernières canettes de toute l'île.

Elle en attrapa deux.

— J'ai donc droit à un traitement de faveur.

Elle allait me tendre une canette quand elle s'arrêta, un sourire malicieux aux lèvres.

— Alors, dis-moi qui est Sue Barker ? dit-elle en agitant la canette sous mon nez d'avant en arrière pour me faire comprendre que ce serait donnant donnant.

— Ce n'est pas un secret d'État.

— Alors raconte.

— Voilà. *Aujourd'hui*, elle est la présentatrice d'une émission sportive à la télé, commençai-je maladroitement. Mais par le passé, elle a été joueuse de tennis professionnelle et a connu son heure de gloire en Grande-Bretagne, même si elle était nulle au niveau international[1]. Cliff Richard et elle étaient amis, assez proches même. Les tabloïds ont colporté qu'ils avaient une liaison, mais tous deux l'ont niée. Voilà pourquoi, aux yeux du grand public, cette histoire demeure ce qu'il a vécu de plus intense comme vie sexuelle.

Moira me tendit ma canette, s'assit à la table de la cuisine et décapsula la sienne. Je fis de même, assis en face d'elle.

— À la tienne !

— À la tienne ! répondit-elle avec une petite expression facétieuse sur le visage. Est-ce que tu es au courant que Cliff Richard est le père de Christine ?

Je postillonnai ma bière un peu partout.

Elle se mit à rire avant d'en reprendre une lampée.

— J'étais sûre que ça t'en boucherait un coin.

— Cliff...

— Ça ne s'est pas passé *physiquement*...

— Oh..., fis-je en cherchant des yeux la sortie de secours.

— Je veux dire... la nuit où elle est née, j'étais à son concert, à Belfast. Il m'a touché la main. Un courant est passé entre nous... *une chaleur... un drôle de sentiment... quelque chose...* et plus tard j'ai accouché ; cette nuit-là. J'ai toujours ressenti... en quelque sorte...

---

1. Colin Bateman est un peu sévère avec Sue Barker qui fut un temps numéro un en Grande-Bretagne, et même numéro trois mondiale, avant, effectivement, de travailler pour la BBC où elle couvre les grands événements sportifs.

sa présence en moi. (Sa voix était presque inaudible à présent.) Tu vois ce que je veux dire. (Je ne voyais pas du tout, mais j'inclinai la tête pour l'assurer du contraire.) Il a une telle *dimension spirituelle*... tu vois, il est un peu comme le chaînon manquant entre Jésus et Christine.

— Et il a été crucifié lui aussi, enfin, surtout par les critiques, et en plus il persiste à vouloir revenir...

— Arrête de me charrier.

— Ce n'est pas méchant.

Je jetai un coup d'œil circulaire à la cuisine flambant neuve. Il y avait tout l'équipement moderne : une cuisinière Aga, un lave-vaisselle, une machine à laver, un micro-ondes avec option grill. Ils prenaient soin d'elle. Moira ne me quittait pas des yeux. Je reposai la canette pour sortir le magnéto de ma poche.

— Est-ce que tu accepterais de répondre à quelques questions ?

Elle était d'accord.

*

Je ne sais pas pourquoi je m'en étonnais, mais Moira avait la tête sur les épaules. Bon, faut reconnaître qu'elle était visiblement un peu à l'ouest, de croire *ça* à propos de sa fille. Mais si on mettait *ce sujet-là* de côté, je lui trouvais plutôt les pieds sur terre. Elle savait ce qu'elle voulait, quelle orientation donner à sa vie, tout en se proté-geant au mieux.

— Comme je vois les choses, il suffit de garder les coudées franches. C'est mille fois le phénomène Spice Girls ! Pourquoi ont-elles si bien réussi ? Parce qu'elles ont choisi un bon imprésario et qu'elles ont gardé le contrôle de la situation.

— Tu es en train de parler du *girl power* ?

— Non, je parle de tendances. Dan, la vie n'a rien d'une entre-prise caritative — ou du moins pas encore.

— Ah ! Nous y voilà ! Cette angoisse que le monde soit dirigé par des émules du docteur Barnardo [1], ou par les ligues anticancer ou par ces gens qui arborent leur foutu petit ruban rose pendant la Journée mondiale de lutte contre le sida ! Pourtant si ça ne collait plus avec leur putain de plan marketing, ils s'abstiendraient même de mentionner le nom du docteur Barnardo...

— Dan... Dis, c'est *moi* que tu interviewes...

— Oui, bien sûr. Où en étions-nous... ?

— Je ne sais plus. (Elle éclata de rire et partit chercher deux autres canettes.) Si on repense à l'époque de Jésus-Christ, cela leur prenait littéralement des décennies, parfois même des siècles, pour que Son message soit connu... Aujourd'hui, on a la télé, mais aussi les satellites et Internet, c'est-à-dire qu'une fois *cette information* connue, ça prendra — allez, quoi ? — quelques *minutes* à peine pour se propager. Ce sera un véritable cataclysme.

— Votre vœu n'était-il pas que tout cela reste un secret ?

— Oui, jusqu'à ce qu'elle grandisse. Cela ne signifie pas qu'on ne puisse pas organiser les choses à l'avance, tous les deals, etc.

— Des *deals*... ?

— Je ne peux pas la faire monter à une tribune improvisée et déclarer : « Voici le Messie ! » Elle va se ramasser ; pire, ça pourrait la détruire. Elle aura besoin d'être protégée, de quelqu'un pour la représenter. Il nous faut une personne qui connaisse la législation des droits d'auteur audiovisuels, quelqu'un qui ait produit des concerts de rock — type Woodstock ou le festival de Glastonbury — bref, une personne qui fasse les choses *en grand* et qui les fassent *bien*.

Je décapsulai ma canette numéro cinq.

— Désolé de te demander ça, mais... par hasard... tu ne fais pas tout ça pour... enfin, tu vois... pour l'argent ?

— *Bien sûr* que non. Comment ai-je pu te le laisser croire ? Tu imagines vraiment que j'accepterais de vivre *ici* si ma fille n'était pas

1. À la fin du XIXᵉ siècle, le docteur Thomas Barnardo (d'origine irlandaise) ouvrit plusieurs centres à Londres pour soigner et héberger les enfants pauvres de la capitale.

le Messie, si je n'étais intéressée que par le fric ? Au lieu d'un bon petit boulot à Belfast ou ailleurs… (Elle soupira et ferma les yeux un instant, comme si la possibilité de travailler à Belfast n'existait désormais plus que dans ses rêves. Puis elle ouvrit les paupières et sirota sa bière, avant d'émettre un rot sonore.) Pardon. Je déteste avoir à ramener tout ça à la pop music, mais les jeunes peuvent souffrir en étant trop exposés ; et dans le cas de Christine, ce serait pire encore.

— Mais puisqu'elle est le Messie… elle peut certainement…

— Aucun d'entre nous ne sait ce qu'elle peut faire ! coupa Moira. Comment pourrait-on le savoir ? Tout ce que *moi* je sais, c'est qu'elle est ma petite fille, ou du moins, elle a neuf dixièmes de moi et un dixième de Lui… J'ignore si elle va nous faire des farces ou détruire le monde, mais mon rôle est de lui offrir le meilleur environnement pour qu'elle se construise. Pour le moment, nous avons Wrathlin. Quand elle aura grandi et qu'elle souhaitera délivrer son message, elle aura besoin de deals solides comme garantie. Est-ce que tu me comprends ?

Je fis oui de la tête. Je sais que ça paraît fou, mais j'étais sans doute la seule personne sur cette île qui pouvait comprendre. Outre Patricia, bien entendu.

— Je suppose que tu n'as pas discuté de ça avec le père Flynn, ni avec son lugubre collègue.

— Le père White ? Lui, c'est pas la peine. Le père Flynn, par contre… je pourrais peut-être le rallier à ma cause. Il est gentil…

— Son cœur est bien où il est.

— Arrête ça. Je crois pourtant que l'idée d'une plate-forme mondiale risque de le dépasser un peu. Je ne le vois pas organiser autre chose qu'une réunion pour le renouveau de la foi sur Ormeau Road. Quant à White… il me colle la chair de poule.

— Il me rappelle Telly Savalas[1].

---

1. Telly Savalas est cet acteur américain connu pour avoir joué le rôle de Kojak dans la série policière éponyme.

— Qui ça ?

— Aucune importance.

— *Dan…* ?

— D'accord. Il a joué avec Sue Barker lors d'un tournoi en double mixte. Mais bon, je crois que tu as raison. Aucun des deux prêtres n'a l'envergure nécessaire. Tu as besoin de gens influents, un Richard Branson ou un Bill Gates. (On se mit tous deux à gamberger en silence durant quelques minutes.) Et en parlant de ça, tu n'as pas besoin d'un type comme moi pour écrire ce livre, un Shakespeare serait préférable.

— Non, j'ai besoin d'être entendue par l'homme de la rue.

— Shakespeare donc…

— Pfft ! Je n'ai pas la moindre idée de ce qu'il radotait, et je ne suis pas idiote.

J'aurais aimé relancer le débat, pourtant, là, elle marquait un point.

— Bon, résumons-nous, tu pencherais donc plutôt pour Tom Clancy que pour Salman Rushdie.

— Non, je pencherais plutôt pour toi.

— Tu m'en vois flatté ; pourquoi moi ?

— Parce que Flynn ne tarit pas d'éloges sur toi et que tu me sembles un mec bien. Et que tu restes là assis tranquillement à boire une bière avec moi au lieu de me tourner autour ou de me faire de la lèche comme tous les autres. Quelle que soit la manière dont les événements vont évoluer, je pense qu'on est sur la même longueur d'onde tous les deux.

Ça ressemblait à un compliment.

Je décapsulai une autre canette.

— J'aimerais te poser pas mal de questions sur toute cette histoire.

— Tu peux me poser toutes les questions que tu veux, Dan, mais avant, puis-je te demander une chose ?

— Bien sûr.

— Est-ce que t'as envie de baiser ?

17

Il existe certaines questions qu'une femme respectable ne devrait pas formuler à un homme, si toutefois ce dernier tient à se comporter en gentleman. Il m'apparut soudain évident que Moira n'avait rien d'une femme respectable et qu'on ne m'avait jamais accusé de me conduire en parfait gentleman. Face à une Moira qui me souriait de toutes ses dents, je bafouillai en rougissant :

— Voilà qui est complètement inattendu.

— Je n'ai pas couché avec un homme depuis si longtemps, dit-elle, un brin de mélancolie dans la voix.

Elle me tendit une autre canette. Pas moins d'un mètre soixante-dix, elle avait une silhouette svelte et agréable. Son côté sarcastique ajoutait à son charme et la rendait séduisante. Elle avait retiré son espèce de robe de chambre rose. Elle portait un pantalon fuseau noir tout simple, et un vieux tee-shirt bleu avec *Bahamas Yacht Club* écrit en gros sur les seins, lesquels n'étaient ni des œufs au plat ni des gros nichons, ils avaient la rondeur adéquate des congères. Elle s'était peu maquillée, ce qui laissait entrevoir la pâleur naturelle de sa peau. Avec son sourire craquant et ses dents blanches, son joli petit nez bien droit, son visage était parfait.

— Tu es en train de me passer en revue ?

— Oui, je l'avoue.

— Je te fous la trouille ?

— Non.

— Tu crois que je suis bourrée ?

— Non.

— Alors donne-moi une bonne raison pour laquelle on n'irait pas au lit.

— Je suis marié. J'aime **ma** femme. Ta fille est au-dessus et malade. Tu es la mère de Dieu.

— Quatre bonnes raisons.

— Mais il ne faut pas en tirer de conclusions hâtives. Des occasions comme celle-ci ne se produisent pas tous les jours.

— Tu as déjà été infidèle à ta femme.

— Tu le sais par Christine ?

— Non, par le père Flynn. Et elle aussi l'a été.

— Ça remonte à longtemps. Nous formons un couple heureux à présent.

— Il n'est pas ton fils, n'est-ce pas ? (Je secouai la tête.) Je ne vois rien de toi en lui.

Je remuai sur ma chaise et émis des bruits bizarres avec ma gorge. Il *est possible* d'avoir des rapports sexuels avec quelqu'un sans trahir forcément votre compagne. Il s'agit dans ce cas d'un acte purement physique qui n'aura aucune conséquence pour ceux impliqués ou pour les proches de ceux impliqués. À peine un moment ou deux volés à une vie si difficile. Parfois, il s'agit même d'une expérience empreinte de générosité : venir en aide à une personne seule et triste ou la soutenir si elle traverse une période de crise. Pas besoin d'y prendre nécessairement du plaisir. Et putain, ça change de la masturbation !

— Si tu continues à rester assis sur cette chaise, tu vas t'esquinter à force d'auto-analyse. Pourquoi ne pas monter tout simplement avec moi et s'envoyer en l'air ?

— Parce que je ne veux pas me bercer d'illusions sur mon pouvoir de séduction, il doit y…

— ... avoir une arrière-pensée ? Dan, crois-moi, l'arrière-pensée, c'est de coucher avec une personne sympa, sans se créer de contraintes. Tu repartiras auprès de ta femme, et bientôt tu déménageras pour rentrer chez toi, et, avec un peu de chance, ce sera un chouette petit souvenir pour nous deux. Je ne vois pas où est le problème. (Nous nous dévisageâmes, et elle ajouta :) Pourquoi ton genou joue des castagnettes contre la table ?

— C'est les nerfs.

Elle repoussa sa chaise, se leva et me prit la main.

— Je sais comment soigner les nerfs.

Elle me conduisit jusqu'à l'escalier.

— Que vas-tu dire à Christine ? demandai-je à la moitié de la montée des marches.

— Je n'ai rien à lui dire.

— Et la contraception ? m'informai-je aux trois quarts de notre ascension.

— Qu'est-ce qui t'inquiète ?

— On peut comprendre que tu mettes au monde un Messie, mais deux, ça ferait désordre.

— Cesse de te biler, toutes les précautions ont été prises, dit-elle en étreignant ma main.

— Ça me fait penser à un contrat d'assurances.

— Eh bien, c'est pas le cas ?

— Contrat multirisques : responsabilité civile, incendie, conception.

Arrivée au sommet de l'escalier, elle me regarda dans les yeux.

— Tu es bien certain de le vouloir ?

Je fis oui de la tête.

Quelqu'un frappa à la porte d'entrée.

Moira souffla un « bordel ! » qui sentait la frustration et mit un doigt sur ses lèvres. Nous nous trouvions en haut des marches et on cognait à la porte pour la seconde fois.

— Ils vont partir, murmura Moira.

Mais la porte de la chambre s'ouvrit et on entendit crier Christine :

— Maman ! Il y a quelqu'un à la porte.

— Bordel de merde ! (À sa fille :) Chuuut… ma chérie.

Alors le fou rire nous prit tous les deux. Moira glissa un œil par-dessus la rambarde de l'escalier, juste assez pour découvrir le clapet de la boîte aux lettres entrouvert. Elle fit reculer Christine de la marche du haut en la tirant en arrière, mais il était trop tard. Une voix légèrement enrouée, cependant familière, monta vers nous :

— Christine, où est ta maman ?

Moira jura et donna un coup de pied dans le mur avec son talon, puis elle s'avança sur le palier en criant :

— Une seconde ! Je descends ! (Elle me jeta un bref regard.) C'est le père White. Planque-toi derrière moi pendant qu'on descend. Il ne faut pas qu'il t'aperçoive. Glisse-toi ensuite dans la cuisine et dégage toutes les canettes, et vire celles qui sont vides dehors, par la porte du fond. Vaporise un peu de Haze. Je vais tâcher de le retenir.

Nous commençâmes notre descente, d'abord la petite, puis Moira et enfin moi.

— Il me semblait t'avoir entendu dire qu'ils ne t'empêchaient pas de boire…

— C'est vrai, mais je ne veux pas en faire étalage.

— Poule mouillée !

Un autre coup retentit.

— J'arrive ! hurla-t-elle. (Puis entre ses dents :) Il est impatient, mon salaud…

En bas de l'escalier, je m'esquivai, direction la cuisine, pour verser en quatrième vitesse nos immondes boissons dans l'évier. Je rinçai tout ça, entassai les *nombreuses* canettes vides dans un sac-poubelle que j'évacuai à l'extérieur. Je vaporisai une pichenette de Haze et revins m'asseoir à la table juste avant que la porte de la cuisine ne s'ouvre. Moira entra, suivie par le père White qui portait Christine dans ses bras.

— Je suis désolée, déclara Moira, j'étais partie chier.

Le père White toussota un peu, puis fronça les sourcils en me découvrant assis là, tout sourire, à l'aise comme chez moi.

Il resta suffisamment longtemps pour boire trois tasses de thé et bouffer les deux cinquièmes d'un Battenburg[1]. Lorsque Moira se déplaçait dans la cuisine, il ne la quittait pas des yeux, sauf quand Christine se déplaçait aussi. White était soucieux de son état de santé, et se montrait encore plus contrarié de n'avoir pas été prévenu que la gosse était malade. Le Messie resta avec nous le temps de nous dire bonsoir, et ensuite sa mère alla la coucher.

Tandis que Moira montait à l'étage, le père White me serra la main et me remercia avec effusion d'avoir sauvé la vie de Christine, quoiqu'un tel débordement d'enthousiasme ne me semblât pas si chaleureux. Chaleureux devenait un mot nouveau pour moi et j'étais décidé à lui extirper toute sa substance. Je m'enquis de ce qu'il allait advenir de Mary Reilly et il remua sa cuillère dans son thé un bon moment avant de lever les yeux. Il m'annonça que l'affaire était portée devant le Conseil.

— Ah bon ? Pas la police ?

— Si, bien sûr, marmonna-t-il d'un ton peu convaincant.

Moira revint à la hâte, me décochant un sourire mi-figue mi-raisin. Elle s'assit et se découpa une tranche de gâteau.

— Alors, qu'est-ce qui nous vaut le plaisir de votre visite ? dit-elle en postillonnant des miettes à la face du vieux prêtre.

Il ne paraissait pas très à l'aise que je sois là et j'étais moi-même perturbé par sa présence. J'avais du mal à suivre la conversation, d'autant que j'avais l'impression qu'ils se comprenaient de manière tacite ; je me sentais sur la touche. L'idée me traversa même l'esprit — furtivement — que je ne devais pas être le seul à qui Moira —

1. Gâteau à la pâte d'amandes.

143

bandante comme elle était — ait pu proposer la botte. Et si le père White était passé voir au cas où…

Et merde, je la connaissais depuis à peine cinq minutes que déjà je me mettais à ruminer de jalouses pensées.

Je me servis une part de gâteau. Ils échangeaient des regards parce qu'ils savaient des choses sur le mouvement McCooey, sur Christine, sur l'île, que j'ignorais. Il n'était pas dans leur intention de me les faire partager tout de suite. On pouvait les comprendre. Je n'étais qu'un journaliste, pas une personnalité influente. Pas plus que ne le serait jamais White. Moira avait été ferme sur ce point. Elle jouait parfaitement la comédie.

Au bout d'un moment, j'eus le sentiment qu'il attendait que je m'en aille, aussi je m'incrustai, certain que Moira me ferait comprendre ce qu'elle voulait. Elle ne me disait rien et m'adressait de charmants sourires de temps en temps. Finalement le prêtre se leva en soupirant quand il entendit Moira déclarer :

— On doit terminer notre interview.

Il se dirigea vers la porte. Sa grosse main posée sur la poignée, il s'adressa à moi :

— Vous savez, c'est le père Flynn qui souhaite cet enregistrement, pas moi.

Et il partit. Moira revint et ouvrit le réfrigérateur, en sortit deux canettes. Il n'en restait guère. Elle m'en tendit une et décapsula la sienne.

— Bon, on en était où ? dit-elle.

Je quittai le cottage de Moira à la nuit tombée. Je me haïssais copieusement. Je remontai Main Street, qui possédait le double inconvénient d'être faiblement éclairée et traversée d'un vent glacial en provenance de la mer. J'arrivais presque au bout de l'artère principale et m'engageais déjà dans la campagne lorsque je me rendis compte que j'avais oublié mes gants. Je râlai un peu tout en poursuivant mon chemin. Après avoir quitté la chambre, il y avait eu un moment de gêne et nous n'avions pas échangé plus d'une demi-douzaine de mots.

À la porte, Moira m'avait demandé :

— C'était si nul que ça ?

— Mais non, Moira, c'était super-*génial*.

Et je l'avais prise dans mes bras.

— Alors…

— Ne me pose pas de questions.

Je l'avais embrassée avant de lancer un « au revoir » à Christine, mais elle n'y avait pas répondu. Nous avions essayé de ne pas faire trop de bruit, bien que je n'aie jamais été du genre à gueuler mais plutôt à privilégier les petits mots d'amour susurrés.

Patricia, j'étais…

Soûl.

Excité.

Je ne saurai jamais.

J'avais une ancre au fond de l'estomac et des semelles de plomb aux pieds. Je ressentais à intervalles réguliers un battement à l'arrière de ma tête qui était le signe infaillible d'une méchante gueule de bois à venir. À une époque, cela ne me posait aucun problème de picoler toute la journée, mais l'âge et le manque d'entraînement avaient gâché mon talent. J'avais fourré une canette de Tennent au fond de chacune de mes poches, sans doute les deux dernières bières de l'île. Je les avais piquées dans le frigo à un moment où Moira avait le dos tourné. Je me trouvais un peu dégueulasse d'avoir fait ça, mais pas aussi dégueulasse que je l'avais été vis-à-vis de Patricia.

J'ouvris une canette en continuant ma route. J'avais oublié combien l'obscurité est totale à la campagne, la nuit. J'étais un petit gars de la ville, habitué aux néons et aux vitrines éclairées, pas un mec fait pour les chemins creux et boueux où on s'éclabousse les godasses en permanence. Tandis que je marchais, le métal de la canette devenait si froid qu'il me fallait la coincer entre mes deux manches et laper la bière à petites gorgées. Je me faisais l'effet d'un lépreux, bien que mon expérience des lépreux fût limitée. Pourtant je risquais d'en découvrir les charmes si d'aventure Patricia apprenait que j'avais couché avec Moira McCooey.

Je marchais déjà depuis vingt minutes quand j'entendis un splash derrière moi. Ce n'était évidemment pas le premier puisque des lapins et des lièvres folâtraient, que des gouttes de rosée se détachaient des rosiers et que les moustaches de chats bruissaient. Non, ce splash était différent, plus *massif*. Je me retournai et scrutai l'obscurité mais en vain. Je ne distinguais rien au-delà du vague contour du chemin par lequel j'avais quitté le village. Je poursuivis ma route et écartai toute inquiétude de mon esprit. Quelques minutes plus tard, un autre splash. Je m'abîmais les yeux à scruter l'obscurité derrière moi, mais toujours rien. Un rien qui ne me plaisait pas du tout. Je commençais à penser aux fantômes, à des cavaliers sans tête, à des fées aux lamentations macabres. Mon rythme cardiaque s'accéléra. Je terminai ma bière. Je m'agenouillai pour déposer la canette de biais sur le sentier, entre deux énormes flaques d'eau. Si quelqu'un me suivait, il aurait un choix à faire, soit sauter le petit muret de pierres qui longeait chacun des côtés du chemin, c'est-à-dire s'aventurer sur un sol nettement plus accidenté ou patauger dans les flaques et se trahir. Il lui paraîtrait donc plus sensé d'emprunter la mince bande de terre sèche qui filait entre les petites mares. Je rentrai la tête dans les épaules et accélérai le pas. J'avais à peine parcouru une cinquantaine de mètres que j'entendis le cliquetis de la canette dans laquelle quelqu'un avait malencontreusement buté.

Il se pouvait que ce quelqu'un rentre tout bonnement chez lui.

Mais j'avais déjà vécu cette sorte d'emmerdes plusieurs fois, en d'autres lieux, et je savais qu'il y avait mieux dans ces cas-là que la pensée positive.

Je me mis à courir comme un dingue.

Quelle que fût la personne sur mes traces, elle avait pigé. Il y eut un éclair et une déflagration et la route en fut simultanément éclairée une micro-seconde. Je sais à quoi ressemble la détonation d'un fusil. Je sentis l'onde brûlante d'un truc dangereux siffler non loin de mon crâne, mais impossible d'évaluer à quelle distance. Ça se passait sur cette île, c'était déjà bien suffisant. J'avais laissé échapper un cri de stupeur et je bondis par-dessus le petit muret sur ma droite.

Je retombai sur le sol, un mètre en contrebas, mais sans me faire mal à l'atterrissage. Je repris ma course en accélérant tête baissée. L'herbe était épaisse mais le terrain accidenté à cause des terriers. Je trébuchai trois ou quatre fois avant d'oser regarder en arrière. Quand je le fis, mon sang se glaça dans mes veines. Le ciel s'illuminait du halo de plusieurs torches électriques puissantes. Et tout ce petit monde fonçait dans ma direction.

18

Ils ignoraient visiblement à qui ils avaient affaire. J'avais été chef scout chez les Boys Brigade avant d'en être viré pour ivrognerie. J'avais lu *Bravo Two Zero*[1]. S'ils voulaient jouer avec le feu, valait mieux qu'ils aient des allumettes.

Je me tordis d'un petit rire nerveux et repris ma course, tombai, me relevai, ricanai, courai, retombai, me relevai, ricanai... ça créait une sorte de rythme jamais monotone. Cette course poursuite présentait ses avantages et ses inconvénients. J'avais pour moi l'obscurité, ils avaient pour eux le fait de posséder des torches qui les empêchaient de se casser la figure à chaque anfractuosité du sol. J'avais l'avantage d'être bien imbibé et de m'en remettre à mon expérience passée pour savoir qu'un type avec de l'alcool dans les veines peut parcourir des kilomètres sans même s'en rendre compte. Un soûlard peut quitter le pub et, une minute plus tard, se réveiller dans son lit, bien que son pantalon ait subi entre-temps quelques dégâts. Eux possédaient l'avantage de bien connaître le coin, à savoir *leur* île, et si je ne parvenais pas au final à les semer, ils me balance-raient à la flotte.

1. Roman d'action autobiographique (devenu best-seller en 1993) d'Andy McNab se déroulant pendant la première guerre du Golfe.

Je m'accroupis plusieurs minutes dans les herbes hautes pour reprendre mon souffle et faire le point. *Ils* étaient au nombre de six et s'étaient largement déployés en ligne. Les deux à l'extérieur avançaient plus vite ou alors le terrain était moins accidenté, en tout cas ils marchaient légèrement plus en avant par rapport à ceux du milieu, formant ainsi un arc de cercle mouvant. La traque se déroulait à un rythme très rapide impliquant qu'ils ne pourraient couvrir de leurs torches chaque mètre carré. Par conséquent, il n'était pas inconcevable qu'en m'allongeant dans les herbes folles, ils puissent passer à côté de moi sans me repérer. Mais ça signifiait pour moi de m'en remettre à la chance, et "avoir de la chance" avait rarement fait partie de mon vocabulaire.

Je recommençai à courir. Un cri fusa quand l'un d'eux me pista, et les faisceaux des lampes convergèrent dans ma direction. Grâce à un brillant zigzag, je parvins à leur échapper une fois de plus. Je gloussais nerveusement et me dis que tout ceci était *d'une connerie sans nom*. Je voulais m'arrêter pour leur hurler : *C'est une partie de cache-cache ou quoi ?* Je voulais leur brandir mon majeur en leur intimant d'aller jouer dans la cour des grands, plutôt que de s'acharner sur un pauvre petit mec comme moi. Je ne savais même pas s'il s'agissait d'hommes. Après tout, il aurait tout aussi bien pu s'agir de femmes de Wrathlin, Dieu sait combien elles sont massives et vous flanquent la pétoche. Mes pensées s'additionnaient les unes aux autres au fur et à mesure de ma cavalcade haletante à travers champs : me poursuivaient-ils depuis le début ou bien avaient-ils su pour Moira et moi ? Le père White les avait-il lancés à mes trousses ? Ou était-ce Christine ?

Une légère montée du terrain sur plusieurs centaines de mètres me permit ensuite de courir deux fois plus vite dans la descente, même avec le vent qui soufflait en sens inverse. Je gagnai ainsi un peu de distance entre mes poursuivants et moi. À l'école, j'étais un surdoué de la course à pied, et je continue à jouer deux fois par semaine à ce sport de dingue, le football à cinq, aussi j'ai de bonnes cuisses musclées alors que le reste de mon corps n'est qu'un sac d'os. À la faible lueur des étoiles, je notai que j'avais atteint le col situé au centre de Wrathlin, à savoir le point le plus élevé de l'île. À deux kilomètres devant moi s'étalaient le clapotis des vagues et plus loin encore, sur le continent, les lumières de la civilisation. Snow Cottage se trouvait à environ deux kilomètres dans la direction opposée. Par erreur et non à dessein, j'avais éloigné la meute de la maison, ce qui était salutaire pour Patricia et Little Stevie, mais rendait ma situation encore plus précaire.

Un vrombissement au-dessus de ma tête me fit ralentir, avec angoisse. Tandis que je m'approchais, je distinguai non sans mal les contours d'une chose des plus étranges : imaginez trois hélicoptères qui se seraient crashés dans le sol en laissant seulement dépasser leurs pales de rotor toujours en mode giratoire. Toutefois, cela me parut nettement moins menaçant que les gars que j'avais aux trousses. Une fois tout près, je constatai qu'il s'agissait d'éoliennes ; je me souvins soudain que le père Flynn les avait évoquées avec émotion. Il avait œuvré pour obtenir une subvention de l'Union européenne pour l'installation de ces éoliennes qui fournissait les deux tiers de l'électricité de l'île. Il m'avait même indiqué leurs noms : Conn, Aedh et Fiachra. J'avais réécouté la veille l'enregistrement de notre conversation pour tenter de découvrir quelque explication aux visions du père Flynn. Si je m'étais senti dans de bonnes dispositions, j'aurais pu attendre là mes poursuivants et leur expliquer que ces trois éoliennes tiraient leurs noms des trois fils du chef de clan Lir, d'après la mythologie celte. Les pauvres garçons avaient été transformés en cygnes par leur méchante marâtre et condamnés à barboter durant des centaines d'années sur les flots de la mer de Moyle, tout autour de Wrathlin. Comme la plupart des autochtones, il y avait fort à parier qu'ils ne touchaient pas leur bille sur leur propre histoire, ou qu'ils s'en foutaient. La pêche ou la chasse au lapin, ou tout bonnement survivre, devaient occuper la majeure partie de leur temps. Les mythes et les légendes, ils n'en avaient rien à branler. Et si l'envie de tailler une petite bavette avec eux m'avait encore traversé l'esprit, la déflagration soudaine d'un coup de fusil me remit illico les idées en place. Le souffle passa tout près de mes oreilles et l'impact dégomma la pale d'une éolienne. Je sais que nous vivons à l'âge de l'information, mais de la cervelle explosée contre un écran d'ordinateur n'est plus d'aucune utilité. Je me baissai brusquement et me remis à courir de plus belle.

Alors que je commençais à ressentir la fatigue, un vent glacial me saisit. J'éprouvais la morsure du froid jusque dans ma poitrine. À force de cavaler, j'étais totalement dégrisé. Dans un environnement autre, j'aurais sans doute pu conserver mon avance indéfiniment, aussi longtemps qu'il ne m'arrivait rien de stupide comme me tordre la cheville, simplement parce que j'étais certain qu'ils n'étaient pas des athlètes super-entraînés eux non plus. Mais il fallait me rendre à l'évidence : tôt ou tard, j'allais manquer d'espaces où m'enfuir.

Pendant que je courais, je cherchais désespérément à me souvenir de la carte de l'île que j'avais étudiée de près avant de quitter Belfast ou encore du chemin emprunté avec le père Flynn lors de notre promenade. J'essayais de faire apparaître mentalement une boussole en songeant à ce bon vieux truc de scout qui aide à mémoriser l'ordre des quatre points cardinaux : *Never Eat Shredded Wheat*, Nord, Est, Sud, Ouest[1]. Au départ du village, j'avais marché vers l'ouest en direction de chez moi, puis après le premier coup de feu j'avais filé vers le nord. Cela m'avait conduit au sommet de l'île, près des éoliennes, et je redescendais à présent vers... — comment ça s'appelait ? — la baie d'Artichoke ou d'Altachuile et le glacial... détroit de Moyle. Ça me revenait. Je me mis à ricaner nerveusement. Comme lors du dernier moment de lucidité juste avant de mourir. Je lâchai un juron. Je claquai des dents. Il fallait que je trouve une direction à

1. *Never Eat Shredded Wheat* (littéralement « Ne mange jamais de blé concassé ») sert à mémoriser l'ordre des quatre points cardinaux : North, East, South, West.

prendre, et vite. La mer ne me serait d'aucune utilité. Vers l'est, j'allais tomber sur le East Light, un des trois phares inoccupés de l'île. À côté se cachait la caverne de Robert Bruce. Ce serait là qu'ils me chercheraient en premier puisqu'ils me percevaient comme un touriste du continent. Même si j'en avais eu l'intention, je savais qu'on y accédait uniquement par bateau et la dernière chose au monde envisageable serait de m'aventurer près d'un bateau.

Je marquai une pause et essayai de reprendre mon souffle. Un coup d'œil en arrière et il me sembla que les faisceaux des torches diminuaient d'intensité. Derrière eux se situait le village, impossible à rallier pour l'instant, et au loin la pointe sud de l'île avec, à l'extrémité de Rue Point, le deuxième phare. Je bifurquai sur ma gauche. Le troisième phare, le West Light, clignotait dans la nuit. C'était la seule direction à suivre car l'ouest de Wrathlin offrait de vastes étendues de lande où il me serait alors possible de les distancer. Bien sûr, je finirais toujours par revenir vers la mer, mais j'aurais peut-être aussi la chance de trouver du secours en chemin ou de doubler mes poursuivants en me réfugiant en ville.

Je respirai à fond et recommençai ma course effrénée, tête baissée.

Au bout de cinq minutes, je me hasardai à regarder derrière moi.

Les lueurs avaient disparu.

Mon cœur se serait bien mis à battre la chamade s'il n'était déjà occupé à s'entraîner pour la crise cardiaque.

Je restai là à engloutir des lampées d'air froid et cherchai à deviner ce qui se tramait. Je m'autorisai un sursaut d'espoir avant de me replonger dans mon pessimisme légendaire. J'évaluai en un éclair toutes les possibilités : 1) Ils avaient abandonné. 2) Ils avaient compris que leurs torches me laissaient l'avantage et ils les avaient éteintes. 3) Les piles étaient nazes.

J'en vins à la conclusion que l'hypothèse numéro 2 devait être la plus vraisemblable. Mais la seule façon de la vérifier était de les attendre, quoique ce ne fût guère raisonnable.

Je décidai donc de repartir sans plus tarder.

Quinze minutes s'étaient écoulées et toujours personne sur mes talons. J'avais ralenti, pas uniquement à cause d'un épuisement certain, mais aussi parce que la disparition des lueurs de torches avait contribué à calmer ce sentiment d'horreur à l'idée d'être pourchassé par des hommes armés. « Ce qui est hors de ta vue ne peut t'atteindre » : est-ce là l'expression consacrée ? En tout cas, elle avait gagné une place de choix dans le *Livre des expressions les plus débiles*. J'avais adapté mon pas à une marche rapide et je concentrais toute mon attention sur le phare de West Light quand j'entendis sur ma droite une soudaine quinte de toux à moins d'une dizaine de mètres. Je tournai la tête, horrifié, et, perdant le rythme, je trébuchai sur un petit monticule. En quelques secondes, j'étais passé du statut de virtuose de l'évasion au pied léger à celui du pauvre alcoolo qui se ramasse dans les ajoncs.

C'est alors que le faisceau d'une torche m'aveugla.

La voix — accent anglais — me demanda :

— Bon sang ! Qu'est-ce que vous foutez là ?

— La cueillette des mûres, fut la réponse qui sortit de ma bouche, d'instinct.

Un silence, puis :

— Y a pas de mûres par ici, mon gars, pas en cette période de l'année.

— Je sais, je plaisantais. En fait, j'suis perdu.

Une main velue, massive et chaleureuse, m'extirpa du massif d'ajoncs dont les épines m'arrachèrent quelques cris. Mon sauveur, à moins que ce ne fût une ruse de mon bourreau, braqua la torche sur mon visage, puis sur le sien. Vêtu d'une grande parka verte avec une capuche bordée de fourrure, il avait un visage rond et souriant, une barbe et des lunettes à double foyer. Une paire de jumelles pendait à son coup, mais aucun fusil visible.

— Mais, regardez-vous, vous êtes frigorifié. Venez avec moi dans la caravane prendre une tasse de thé.

Et je lui emboîtai le pas en le remerciant. Je regardai autour de moi avec méfiance, me préparant à l'attaque-surprise qui ne le serait par conséquent plus — surprenante. Ça s'appelle un guet-apens. Mais il n'y eut rien d'autre que le vent et le froissement soyeux de l'herbe et ce personnage replet à la tête toute emmaillotée de fourrure qui, avec un sourire engageant, m'invitait chez lui avec bienveillance.

— Je vous connais mais je n'arrive pas à me souvenir d'où ?

— La caravane est par là, déclara-t-il pour seule réponse. Je suis le gardien, alors vous m'avez peut-être vu lors de la visite de l'observatoire ?

— L'observatoire ?

Il s'arrêta de marcher et je lus l'étonnement dans son regard.

— Les oiseaux.

— Quels oiseaux ?

— Oh, mon Dieu, soupira-t-il, vous êtes bourré.

— Pardon ?

— On arrive, c'est juste là, dit-il en pointant une minuscule caravane — pour deux personnes tout au plus.

Installée sur un petit talus à une vingtaine de mètres d'un observatoire de béton, elle faisait pâle figure avec son aspect rouillé et mal entretenu, sans compter l'étendoir métallique en forme de Y qui tournoyait sur lui-même dans les rafales à cent kilomètres-heure. Trois paires de volumineuses jumelles étaient fixées sur le rebord de l'observatoire, et les boîtes en métal où l'on devait glisser les pièces pour admirer la vue sur les falaises et sur la mer déchaînée au loin leur conféraient un petit côté Belle Époque. Alors que nous nous rapprochions, les cris de milliers d'oiseaux marins prirent le pas sur le rugissement du vent.

— C'est l'observatoire des oiseaux ? lui hurlai-je.

Il acquiesça. Les roues de la caravane étaient ancrées dans le sol et bloquées par plusieurs parpaings. Il ouvrit la porte d'un coup sec et me fit pénétrer à l'intérieur. Ça sentait le toast brûlé. Des vêtements empilés traînaient çà et là. Une bouteille thermos remplie de thé nous attendait. Il m'en versa une tasse et, même si je ne bois jamais de ce truc, j'étais tellement gelé que j'avalai le breuvage à petites gorgées juste pour avoir chaud.

Il avait rejeté sa capuche en arrière, ce qui me permit d'examiner son visage. Il devait avoir une cinquantaine d'années, mais ses joues rouges et ses sourcils blonds lui donnaient une allure de jeune homme.

— Vous avez de la veine que je sois tombé sur vous. J'effectue une petite ronde chaque nuit à cette heure-ci autour de l'observatoire, au cas où. D'habitude, je ne m'aventure pas jusque-là, mais j'avais besoin de pisser. Les seaux sont pleins à l'intérieur et ça pue. Peu importe, je vous souhaite la bienvenue dans mon humble demeure.

— Vous êtes le gardien ?

— Oui, je m'appelle Bill, dit-il en me tendant la main. L'été, deux assistants viennent en renfort, mais l'hiver je travaille seul. On n'est pas officiellement ouvert, mais je ne refuse jamais un visiteur s'il fait l'effort de s'intéresser. Vous n'êtes pas un ornitho amateur, n'est-ce pas ?

— Pardon ?

— Un ornithologue. Un observateur des oiseaux.

J'avais quantité de réponses à lui fournir, mais cela m'aurait entraîné sur le terrain glissant de ma série télé préférée, *Carry On*, et je n'étais pas d'humeur. Je lui fis non de la tête.

— Vous ne savez pas ce que vous perdez. (Si, en fait, je m'en doutais un peu : beaucoup d'oiseaux.) Ici, on observe les plus belles zones de reproduction de toute l'Irlande. Vous vous y connaissez en oiseaux ? (Je haussai les épaules.) Quel serait votre préféré ?

— Le moineau. Le merle. Ma femme a une prédilection pour la grive.

Même s'il avait pigé que je me foutais de sa gueule, il n'en laissa rien paraître.

— Des mouettes tridactyles, des guillemots, des petits pingouins torda, des fulmars, des macareux… Oh, il faut les voir ! Ça vaut

155

vraiment le coup. Des dizaines de milliers d'oiseaux, tous superbes...
Il ne reste plus beaucoup d'endroits comme celui-ci... (Bill laissait
errer son regard par la fenêtre d'un air absent. Puis il sortit brutalement de sa rêverie.) Ah... ça n'est pas ça qui vous intéresse, hein ?
Alors quoi donc ? Vous paumer en sortant du pub ?

— *Quel* pub ?

— Celui de Jack..., dit-il en plissant le front, le pub de Jack
McGettigan...

— Le pub est fermé depuis des mois, répliquai-je distinctement.
L'alcool a été banni.

— Banni... ? (Bill me fixa un bon moment comme si j'étais
devenu fou.) Oh là là ! Ils ont gagné, ils l'ont vraiment fait ! Oh,
mon Dieu !

À présent que je me sentais un peu plus à l'aise en sa compagnie, je
pris conscience que chaque espace de la caravane avait été comblé par
des boîtes de conserve et des bouteilles d'eau minérale.

— Vous ne devez pas souvent vous rendre en ville, remarquai-je.

— C'est exact, il n'y a plus rien qui m'attire là-bas. J'avais l'habitude d'aller y boire une petite mousse, de temps en temps, parfois d'y
pousser la chansonnette, mais tout ça a été balayé à cause d'eux. Plus
personne ne semble boire de coups. Vous savez, je m'y rendais plus
pour la compagnie qu'autre chose. Aujourd'hui, à quoi bon ? Non, je
préfère rester ici à attendre l'été, je n'ai pas de contraintes familiales,
vous comprenez ? Enfin, plus maintenant, de toute façon. C'est vrai
que je me suis coupé un peu de tout quand je suis venu vivre ici.

— Mais vous êtes au courant pour Christine, le Messie ?

Bill éclata de rire.

— Ah ça ! Un beau tissu de conneries. Je n'ai pas de temps à
perdre avec ces histoires, pas vrai ? Je pensais que ça s'était calmé,
mais s'ils ont fermé le pub, c'est signe que non. (Il soupira.) Je
ne vois presque plus personne, et ce sera ainsi jusqu'à l'été. Dans
la réserve, on a du matériel de radioamateur, alors parfois je tape la

discute avec mes collègues au siège, ou je demande les scores du foot le samedi, mais c'est à peu près tout.

Il était plus de vingt et une heures à ma montre. J'avais dû courir presque une heure, même si j'avais la sensation que la traque avait duré dix fois plus. Je n'avais pas précisé à Patricia quand je comptais rentrer, mais en l'absence de pub sur le chemin du retour, elle devait sans doute se faire du souci. Cependant, ce n'était pas ce qui m'inquiétait le plus. Qu'elle se rende chez Moira pour me chercher et que Moira — ou Christine — puisse gaffer m'inquiétait davantage. Un frisson me parcourut.

— Vous auriez besoin d'un bon petit whisky.

— C'est bien dommage que... (À cet instant, la caravane se mit à tanguer légèrement.)... nous n'en ayons pas...

Bill me fixait et, à son expression, je compris qu'il y avait quelque chose d'inhabituel.

— Le vent doit chahuter pas mal dans le coin, dis-je. (À nouveau, la caravane bougea.) Avec un vent pareil, vous avez certainement dû l'amarrer solidement...

Il acquiesça, mais son hochement de tête n'était pas très convaincant.

— Le petit problème, c'est que le vent souffle dans l'autre sens.

Nous entendîmes des voix à l'extérieur. Puis la caravane opéra un bond en avant qui nous propulsa hors de nos chaises.

Soudain, elle glissait de plus en plus vite à flanc de coteau, et des cris d'excitation nous parvenaient en fond sonore. Et tout autour, se rapprochant à grande vitesse, une falaise immense, une mer déchaînée et des rochers anguleux en contrebas.

19

Alors que la caravane était brutalement poussée vers le bord de la falaise, c'est-à-dire vers une chute mortelle assurée d'une centaine de mètres, je fus moi-même emporté par un de ces moments de lucidité mêlée de terreur déjà vécus auparavant. Je braquai mon regard vers un Bill impuissant, assis à mes côtés au milieu du sol sali par les fientes d'oiseaux.

— Z'auriez pas joué dans les *Goodies*? Bill Oddie[1], c'est ça?

— Si tu crois que c'est le moment!

— Si si, j'ai vu les rediffs à la télé!

Pour la seconde fois en une minute, il m'examina comme si j'étais un fou furieux. J'aurais pu lui expliquer le genre de mécanismes de défense que j'avais appris par la force des choses, mais il avait raison sur un point : ce n'était pas le moment! Si, dans une vie antérieure, Bill avait été une star du petit écran, en cet instant précis il n'était qu'un gardien de poste d'observation des oiseaux, se traînant avec difficulté vers la porte d'une caravane dans une ultime tentative de l'atteindre avant l'échéance fatale. Je ne m'en tirais pas mieux que

---

1. Bill Oddie est l'acteur qui anime (avec deux autres comiques) une série culte humoristique de la BBC : *The Goodies*.

lui. À chaque fois qu'on heurtait un rocher, le bout de la caravane piquait vers les airs, et lui roulait sur moi.

Et puis ce fut trop tard.

Nous heurtâmes du solide, nous fûmes catapultés en avant et la caravane valdingua jusqu'au bord du précipice. Plaqués contre le miroir de l'entrée, nous étions à présent enfouis sous des centaines de boîtes de conserve de bouffe.

Si incroyable que cela puisse paraître, le miroir ne se brisa pas.

La belle affaire…

Un cahot brutal nous figea sur place, nous étions morts de trouille.

Enfin, pas morts…

Plutôt *vacillants*.

Nous étions agités sur un rythme régulier, comme le balancier d'une horloge d'autrefois.

Bill se frottait l'arrière du crâne, là où le choc avait été le plus rude contre le miroir. Il marmonnait des « qu'est-ce… ».

Quant à moi, j'étais comme hypnotisé par les eaux rugissantes en contrebas. J'articulai une réplique stupide inspirée d'une chanson de Dylan, un truc avec une réponse portée par le vent…

Bill réussit à reprendre une position assise. Les conserves continuaient à se déverser sur lui et sur le miroir qui tenait toujours le coup. On peut dire ce qu'on veut, je me pris d'amitié pour cette glace. Elle nous sauvait la vie. Enfin, pour le moment.

Bill semblait avoir pris conscience de quelque chose.

— Les bonbonnes de gaz…, chuchota-t-il.

— Tu veux dire qu'on va exploser en plus du reste !

Moi aussi j'étais passé au tutoiement.

— Non ! La caravane est reliée à une demi-douzaine de bouteilles de gaz… Elles sont cachées dans les buissons pour pas que les touristes les voient…. et elles sont dans une cage en métal pour que personne les vole… et elles nous retiennent !

Ouais, mais pour combien de temps ?

Que se passerait-il si les gens qui s'acharnaient sur nous le savaient ?

Combien de temps avant qu'ils ne coupent le filin ?

— Il faut qu'on sorte de là, dis-je.

C'était tellement évident que Bill ne chercha même pas à me répondre.

On essaya de se redresser prudemment, sauf que les centaines de conserves ne nous y aidaient pas. Être balancés d'un côté, puis de l'autre, non plus. Mais la pensée de ne jamais revoir femme et enfant me stimula. Je les aimais de tout mon cœur et jamais plus je ne serais infidèle. J'irais à la messe plus régulièrement, quoique pas forcément sur Wrathlin. Je m'arrêterais de boire. Je m'acquitterais de plein de B.A.

— T'as vu *Le Monde perdu* ? demandai-je alors que nous progressions centimètre par centimètre. (Bill secoua la tête.) C'est la suite de *Jurassic Park*.

— Est-ce que tu pourrais pas *la fermer* ?

— Désolé. Une scène dedans y ressemble. La caravane est suspendue au-dessus du vide et ne tient plus qu'à un fil.

Bill jura : une boîte de spaghetti-saucisses Heinz avait giclé d'une étagère pour venir cogner brutalement l'arrière de son crâne.

— D'accord… *d'accord*… ! Alors il se passe quoi ?

— J'arrive pas à m'en souvenir.

— Bondieu !

— Excuse-moi…

Je me déplaçais derrière lui alors qu'il avait atteint la porte et qu'il l'ouvrait avec mille précautions… La violence du vent la plaqua contre le flanc de la caravane, laquelle se mit à trembler et à tanguer avant de glisser de quelques dizaines de centimètres. On poussa ensemble un cri de terreur en priant pour notre vie.

La caravane se stabilisa à nouveau.

— Tu sais quoi, soufflai-je, si on s'en sort, on louera la cassette pour voir comment eux ils s'en sortent.

160

Bill se recula lentement dans l'embrasure de la porte et resta accroupi un moment à scruter au-dehors.

— Je n'ai pas de foutu magnétoscope.

— Pas de souci, je te prêterai le mien.

Il se mit sur la pointe des pieds pour tendre la main vers la porte. Il tâtonnait à la recherche d'un appui extérieur. Il n'avait pas besoin de m'expliquer ce qu'il essayait de faire. Il fallait qu'il parvienne à grimper sur ce qui avait été le côté de la caravane, et qui désormais en était le toit. Une fois dessus, il pourrait grimper comme à une corde sur le tuyau de gaz jusqu'en haut de la falaise. Fastoche. Alors que Bill s'évertuait à s'assurer une prise, un oiseau — un guillemot, un petit pingouin, que sais-je ? — piailla après moi avant de s'envoler.

Bill trouva enfin ce qu'il cherchait. Il prit une profonde inspiration avant de se hisser sur le toit. Je vis ses jambes disparaître alors que moi-même je tendais la main vers la porte en scrutant l'obscurité ; je me hissai à mon tour. Le vent soufflait avec une telle violence qu'il contribuait à rendre les cris affolés des oiseaux qui tournoyaient autour de nous encore plus terrifiants.

Et merde !

L'escalade est la chose que je hais le plus. On a chacun des aptitudes particulières, et l'escalade ne fait pas partie des miennes. Gosse, je détestais grimper aux arbres. Les débiter en rondins, oui, les escalader, non. Et, en plus, ce n'était même pas un arbre. C'était une caravane qui se balançait au cœur d'une bourrasque, suspendue au-dessus de rochers escarpés à soixante mètres en contrebas.

Bordel de merde !

Si encore j'avais été dans un épisode d'*X-Files*, j'aurais pu ouvrir d'un coup sec mon portable et demander de l'aide. Ça n'était pas le cas. Je jurai entre mes dents et me propulsai vers le haut, cherchant à saisir désespérément l'appui trouvé par Bill.

Il caillait. J'avais les jambes en coton et du sang de navet dans les bras. *Oh, mon Dieu... faites que je me réveille... putain, il faut que je*

161

me réveille ! Mais il n'y avait aucun secours à attendre, juste le vent et cette terreur.

— Là, *là…* !

Je redressai la tête et aperçus Bill qui avait réussi à se caler sur notre « toit » et qui me montrait à présent…

Je tendis la main avec appréhension et mes doigts se refermèrent autour de quelque chose de rond et de métallique.

— C'est bon ! Attrape !

Putain de merde !

Retourne t'asseoir dans la caravane. Il y fait chaud et tu pourras te préparer un bon petit souper ; pense à toutes ces boîtes de conserve…

Putain de merde !

Je me redressai. Autour de l'encadrement de la porte courait un rebord étroit sur lequel je pouvais à peine prendre appui de la pointe des pieds.

À peine…

Non !

Un pied glissa… puis l'autre…

Putain de merde !

Je me retenais par les bras, car les jambes, elles, pendaient, dans le vide. Le vent se chargeait de me faire flotter dans les airs, tel un drapeau. Le drapeau blanc de la reddition.

Mes doigts étaient transis de froid.

Just let go… just let go… float… float on… float on…

Putain, qui chantait cette chanson ? *Float on, float on…* Ce serait pas ces corniauds de Floaters par hasard ?

Faudrait vérifier. À la maison, j'avais un gros bouquin sur les groupes de soul music des années 70.

— Attrape ma main ! *Attrape ma main !*

Bill se baissait pour venir à ma hauteur.

— J'peux pas !

— Si tu peux ! Il le faut !

— Bordel !

Je levai les yeux vers lui ; des oiseaux descendaient en piqué sur sa tête. Il fallait que je me décide.

Je dépliai mon bras, tendis la main au loin, le plus possible... Je parvins à toucher ses doigts, lui m'agrippa par le poignet et commença à me tracter.

— Lâche l'autre main !

— Mais...

— Lâche !

Je lâchai prise et Bill me souleva et me hissa sur le « toit » de la caravane.

Le vent me cueillit avec force et manqua de me faire basculer. Mais Bill me tenait bien, et pendant quelques secondes on s'étreignit mutuellement. La caravane recommença à tanguer et on s'accrocha avec l'énergie du désespoir à ce mince tuyau qui nous retenait.

On releva la tête de concert pour examiner la situation. Une petite dizaine de mètres nous séparait du sommet. Je me tournai vers Bill et d'un ton sceptique :

— On tire à la courte paille pour savoir qui passe en premier ?

— C'est moi. Tout ceci est propriété de la Royal Society et je dois leur faire mon rapport.

— D'accord !

Un oiseau noir et blanc fondit sur nous. Je sentis ses griffes se prendre dans mes cheveux. J'en perdis presque l'équilibre quand je le chassai d'une tape.

— Des petits pingouins ! cria Bill, ils viennent protéger leurs nids.

— Génial, hurlai-je, c'est tout ce qui nous manquait !

— Pas de panique. À cette période de l'année, il n'y a pas de couvées. On aura la paix.

Je ne paniquais plus. Nous devions nous concentrer sur le moyen de grimper là-haut pour échapper à l'enfer.

Mon regard ne quittait plus le tuyau de gaz tendu à l'extrême. Il se déployait à la verticale sur plusieurs mètres mais était coincé plus haut autour d'un affleurement de la roche. Au-delà, on ne distinguait plus rien. On pouvait simplement espérer que le câble se retende à nouveau pour nous permettre d'escalader le reste de la falaise.

Bill agrippa le tuyau de ses mains et me regarda :

— Pour quelle raison auraient-ils balancé ma caravane par-dessus bord ? (Je haussai les épaules, genre, je sais pas.) Quels vandales ! conclut-il d'un air abattu.

— Bonne chance !

Bill se redressa et prit appui de son pied dans une anfractuosité de la roche, délogeant une cargaison de brindilles et de mousse, immédiatement balayée par les rafales de vent. Il m'adressa un dernier sourire.

Il semblait s'en tirer pas trop mal.

Sans doute avait-il toujours travaillé dehors. Le temps devait lui convenir, à croire qu'il ne sentait pas le froid. Peut-être même avait-il *chaud*. Habitué à vivre à l'extérieur, Bill, était un mec bourru et coriace dont la vie était consacrée aux oiseaux. Il était entraîné à escalader les parois pour sauver des volatiles blessés et à lutter contre les trafics internationaux d'œufs d'espèces protégées. Pendant ce temps, j'étais seulement capable de taper *super-vite* sur ma machine à écrire !

Putain, quelle histoire !

Je me baissai brutalement en voyant piquer sur moi un de ces petits pingouins, puis reportai mon regard sur Bill.

Il était parvenu près de l'affleurement, la partie la plus risquée de l'escalade, mais les nombreux pingouins qui fonçaient également sur lui le perturbaient dans sa progression. J'imagine qu'il était à hauteur de leurs nids. Bill leva son bras pour se protéger les yeux, les chassant de la main. Malgré le vent qui mugissait, je l'entendais leur hurler de dégager. Et voilà ! Tu passes la moitié de ta vie à aider les piafs, et au moment où t'as besoin d'eux…

Et, dans pas longtemps, mon tour viendrait de grimper là-haut. Je me penchai au bord de la caravane pour lorgner avec inquiétude sur la mer bouillonnante entre des rochers disposés en arc de cercle. Ça me faisait penser à un vilain sourire, toutes dents dehors et l'écume aux lèvres.

The Only Way Is Up. Qui chantait ça déjà ?

Soudain un cri déchira l'air.

Une nuée de pingouins encerclait Bill qui tentait maladroitement de disperser les volatiles tout en se protégeant les yeux. À la maladresse de ses gestes, je compris qu'un pingouin avait dû le blesser à l'œil. Il ne se retenait plus au câble que par une seule main ; son corps était ballotté par le vent. Je n'arrivais pas à distinguer son visage, mais je pouvais ressentir tout son désarroi. Il les frappait pour les repousser, mais à l'aveugle. J'assistais à une autre attaque d'ailes bruissantes quand un hurlement s'éleva dans le vent effroyable. Et soudain, il lâcha le tuyau.

Et tomba à pic.

Assister à sa chute si près de moi fut un pur moment d'horreur. Il dégringola sans un bruit. Juste ce gros manteau glissant dans l'obscurité. Pas un cri. Pas d'appel à l'aide. La chute d'une masse indistincte. Je hurlai son nom. Je n'entendis rien, pas même un plouf ou un son mat. Le vent rugissait trop fort et la mort de Bill n'en fut que plus silencieuse.

Oh, mon Dieu !

Ou devais-je implorer Christine désormais ?

J'étais seul sur le toit de cette caravane qui tanguait avec ces pingouins de malheur et cette escalade impossible, et une mort certaine sous mes pieds.

Pleurer ne me pose pas problème. Me traîner à terre et supplier qu'on me vienne en aide non plus. Je n'aurais pas la force de résister à la torture pour la simple raison que mes jambes ne me soutiendraient jamais.

Bordel !

Je me mis à maudire tout ce qui pouvait l'être. J'observai le tuyau, les oiseaux, l'affleurement puis je décidai de grimper, mains crispées autour du tuyau pour assurer ma prise. Je n'avais aucune autre alternative, alors autant tenter le coup. Ah si, l'autre choix, c'était le suicide.

Une main, puis l'autre, tire sur tes bras.

Pied sur la falaise, pousse.

Tout doux, on se calme.

Mes doigts s'engourdissaient déjà.

Les oiseaux fondirent sur moi sans attendre.

Merde ! Quelque chose venait de me percuter.

Je maintenais mes yeux fermés et ma tête baissée.

Tire.

Pousse.

Tire.

Pousse.

Putain de merde ! Quelque chose m'avait déchiré la joue.

Puis le cou, mes doigts. Ils m'arrachaient les cheveux.

Garde tes mains sur ce tuyau !

Tiens les yeux fermés !

Pousse ! Tire ! Pousse ! Tire !

Je parvins enfin au monticule.

Le vent soufflait fort mais pas assez pour couvrir les cris des pingouins. Je me hissai sur le monticule, m'assommant presque sur la roche, je faillis tout lâcher. Un instant, je restai ballotté par les vents, fouetté par les coups d'ailes et d'ailleurs un filet de sang coulait de mon front. Je repris mon ascension. *Doucement, tout doucement, pousse, tire, pousse, tire...*

J'avais réussi à monter *sur* le monticule.

Vlan ! Quelque chose me heurta à la nuque.

Mais merde, ils me jetaient des pierres ou quoi !

Je me redressai et tirai sur mes bras. *Allez, Dan ! Pense à l'alcool ! Au sexe !*

Allez !

Les attaques diminuèrent d'intensité. J'entrouvris les paupières, enfin, à moitié parce qu'elles étaient poisseuses de sang, mais pas question de m'essuyer les yeux. J'avais besoin de mes deux mains. Pas de nids dans ce coin, pas d'oiseaux, je devais être… Un coup d'œil vers le haut. *Mon Dieu! Plus que quelques mètres!*

Je vais y arriver!

Et s'ils m'attendent en haut?

Ces types avec leurs fusils et leur sens aigu de la plaisanterie.

Et s'ils me précipitaient direct du haut de la falaise?

Pas d'alternative… pas d'alternative!

Je tirai, je poussai, deux fois encore, et soudain j'y étais, au sommet, allongé sur le sol sablonneux. Je m'obligeai à me mettre à genoux pour ramper encore deux trois mètres et m'assurer que le bord de la falaise ne se détacherait pas sous mon poids ou qu'une rafale de vent ne me projetterait pas tout en bas.

Je roulai sur mon dos et contemplai les étoiles en haletant.

— Tu peux me renvoyer d'où je viens si ça Te fait plaisir. Vas-y. J'en ai rien à foutre.

Je fermai alors les yeux et attendis. Pour seule réponse, je n'eus dans les oreilles que les mugissements du vent et les cris faiblissants d'oiseaux en colère.

20

Quand tu te retrouves, comme je l'étais, allongé au sommet d'une falaise, à moitié mort, il peut se passer un certain temps avant de te sentir réellement con. Avant de te rendre compte que tu ne vas pas te réveiller d'un cauchemar au creux de ton lit. Que personne ne viendra te sauver. Tu n'as pas de blessures mortelles, non, tu es juste épuisé, et dans un état de délabrement avancé. Tu sais qu'il te reste un bon bout de chemin avant de rentrer chez toi. Une fois à la maison, tu lanceras une vanne bien vaseuse du style "tu devineras jamais ce qui m'est arrivé !". Et même si t'es très bon à ce jeu-là, tu sais que personne ne voudra admettre une histoire pareille. *Ah bon, t'étais sur le toit de la caravane ? À flanc de falaise ? Et avec un vent à décorner les bœufs ? Et ton pote s'est tué en glissant ? Oh, mais c'est-tôrible mon pauvre chou ! Tiens, tu veux me passer le sel, s'il te plaît ?*

Le ciel s'était couvert de nuages et il crachotait quelques gouttes. Bill était mort. Sans que je sache s'il était vraiment Bill Oddie. Au fond, je m'en foutais. Il aurait bien pu s'appeler Gunga Din[1] ou Adolf Eichmann, personne ne mérite une mort comme celle-là, à

---

1. Gunga Din est un porteur d'eau indien qui se sacrifie pour sauver des soldats de l'armée britannique dans un film d'aventures de 1939 : *Gunga Din*.

part peut-être Adolf Eichmann. J'étais couvert de fientes et de taches de sang, j'étais transi de froid et j'avais mal à peu près partout.

Pour rentrer sain et sauf, je songeai un instant à prendre des détours sur le chemin du retour. Mais c'était au-delà de mes forces ; j'étais en bien trop piteux état pour avoir envie de continuer à jouer aux commandos. Une route reliait directement l'observatoire des oiseaux au village, et je décidai de l'emprunter. Je marchais tant bien que mal, tête baissée, trop crevé pour réfléchir, quoique mon cerveau continuât à fonctionner. Je devais contacter la police pour leur expliquer la situation. Le continent me semblait la meilleure pioche, mais il fallait que j'aie en premier une conversation avec le flic de l'île. Pas tout de suite évidemment. Il était tard et j'avais besoin d'une seule chose, toutes affaires cessantes : que Patricia me prenne dans ses bras, qu'elle me cajole en me murmurant « tout va bien ». Patricia. Sans doute ne pourrait-elle pas croire à mon histoire, mais au moins se montrerait-elle compatissante. Et ensuite, un bon gros dodo. Après seulement, je serais opérationnel. En deux heures, nos bagages seraient bouclés et on pourrait se tirer de cette île. Et puis non, bordel ! Pas besoin de s'encombrer des valises, on sauterait dans le premier ferry et on ferait rapatrier nos affaires par la suite. Le cardinal m'avait mandaté pour enquêter sur une gamine censée être le Messie, pas pour être impliqué dans un meurtre.

Oui, un meurtre. Une petite communauté bien soudée.

Et qui oserait prétendre que *je* n'avais pas précipité Bill du haut de la falaise ?

Cela m'était déjà arrivé d'être soupçonné de meurtre[1].

Mes empreintes digitales étaient collées partout dans la caravane et mes empreintes de pas visibles au sommet de la falaise. Mon état d'ébriété en quittant Moira ne jouerait pas en ma faveur, et, même si elle ne me dénonçait pas, le père White s'en chargerait.

Et merde !

---

1. Lire *Divorce, Jack!*, Série Noire (n° 2433), du même auteur.

Trois quarts d'heure me furent nécessaires pour revenir jusqu'à chez moi. Ma montre indiquait vingt-deux heures quarante-cinq au moment où je m'engageais dans l'allée, mort de fatigue. Mon sang se glaça davantage quand j'aperçus la Land-Rover toute cabossée du père Flynn devant notre cottage.

Est-ce qu'*ils* m'attendaient ? Étaient-ils tapis dans les buissons ?

Non. Ils devaient me croire mort. *Non, ils étaient là pour Patricia; même à présent, ils...* Non. Quel serait leur intérêt ? Que savait-elle ? Et moi, en y repensant, qu'est-ce que je savais au fond ?

Les rideaux du salon étaient tous tirés, à l'exception d'une petite fenêtre sur le côté. Alors que je m'en approchais avec prudence, j'entendis un raclement juste derrière moi. Je fis volte-face, prêt à en découdre ou à implorer pour qu'on me laisse la vie sauve, mais c'était mon pote le hérisson en virée nocturne. Je recommençai à examiner l'intérieur de la maison en prenant appui sur le rebord. Et je les vis : Patricia, tasse de thé à la main, bébé endormi à ses côtés sur le canapé; le père Flynn, tasse de thé et petits gâteaux. Tous deux en grande conversation, souriants et aimables, ne semblaient pas soucieux le moins du monde.

Je frappai à la porte. Les premiers mots de Patricia fusèrent : «Mais t'étais où, putain... ?» Elle s'interrompit en me découvrant à la lumière.

— Dan... pour l'amour du Ciel, qu'est-ce qui t'est arrivé ?

Elle se précipita vers moi et m'étreignit. Je tressaillis de douleur. Elle fit courir son index sur mon visage en suivant les traces de sang séché. Elle se recula.

— Dan... ?

Je pénétrai dans la pièce en traînant les pieds. Le père Flynn se tenait à présent debout, tasse et soucoupe à la main; un mélange étrange d'inquiétude et d'embarras se lisait sur son visage.

— Dan..., commença-t-il sans vraiment terminer sa phrase.

Trish murmura :

— Dan...

Cool, ils se souvenaient de mon nom. Je regardai Patricia.

— Je suis désolé, chérie.

— Dan...

— Un accident est si vite arrivé, dis-je à l'adresse du père Flynn.

— Oh, mon pauvre..., bredouilla-t-il, vous avez eu un...

— Infligé par moi-même.

— Par vous-même... ?

— Je revenais de chez Moira McCooey. Il commençait à pleuvoir. Et alors j'ai aperçu un endroit déla... délab... une ferme abandonnée près de la route. Je m'y suis réfugié et j'ai commencé à fureter en attendant que ça se calme. Et voilà que je tombe sur deux bouteilles de sherry cachées derrière une vieille bibliothèque. (Je pris une profonde inspiration.) Je les ai descendues, bien qu'avec le recul j'aie des doutes sur la date de péremption. Je me souviens d'avoir vomi. J'ai voulu rentrer à la maison ; après, c'est le noir complet. J'ai dû trébucher sur un muret ou je ne sais quoi. Je me suis réveillé dans des ajoncs il y a une demi-heure. J'ai un peu honte.

— Oh, mon amour... tu es sûr que ça va ?

Patricia adoptait une pose compassionnelle, mais je reconnaissais chez elle ce timbre particulier de voix et ce regard de tueuse à peine dissimulé dans ses yeux. Si le père Flynn n'avait pas été là, elle m'aurait réduit en bouillie.

— Je me sens mieux, oui. (Au père Flynn :) Je parie que je me suis conduit comme un fieffé idiot.

— C'est une des raisons pour lesquelles nous avons banni l'alcool, Dan.

— Jamais plus je ne boirai.

— J'étais venu vous remercier personnellement d'avoir sauvé la vie de Christine. Vous avez accompli un acte courageux et désintéressé. (Je haussai les épaules.) Je ne vous embêterai donc plus avec mes commentaires sur l'alcool.

— Merci.

— Bon, je ferais mieux de rentrer. (Il sourit à Patricia et me tendit tasse et soucoupe.) Nous avons bien discuté tous les deux. Elle pensait que vous ne reviendriez jamais.

— Je reviens toujours à la maison.

Patricia me fusilla du regard, puis raccompagna le père Flynn jusqu'à la porte en lui souhaitant bonne nuit. Elle resta sur le seuil jusqu'à ce qu'il démarre. À la seconde où elle referma la porte...

— Putain, t'es un vrai connard... !

— Chuuut..., dis-je en posant mon index sur mes lèvres. Je courus jusqu'aux rideaux et suivis des yeux la voiture du père Flynn.

— Rien à foutre de tes « chuuut »..., tu...

— Trish ! (Je levai mon doigt vers elle, elle déteste ça.) Arrête, arrête tout de suite ! Je suis sérieux !

— Moi, je suis foutrement sérieuse. Pour qui tu te prends ?

Je vérifiai le chemin une dernière fois par l'entrebâillement du rideau avant de le tirer au maximum.

— Fais tes bagages, prends le minimum, on part.

— Pardon... ?

— On s'en va. À la première heure demain matin. Prends juste l'essentiel. On ne pourra jamais charger tout ce bordel dans la voiture, alors on se la joue léger. Faut pas louper le ferry du matin.

— Dan... ?

— Trish, il n'y a jamais eu de sherry. Aucune ferme *délabrée*. J'ai été agressé en rentrant de chez Moira et...

— Pardon ?

— Agressé, oui. Ils m'ont attaqué. Trish, tu me connais, je peux supporter du sherry, même périmé. Regarde dans quel état je suis, bordel de Dieu !

— Tu as été braqué sur Wrathlin ?

— Non, pas braqué. Attaqué. Ils m'ont tiré dessus dans le noir. Des types avec des lampes torches. Ils m'ont traqué pendant ces deux dernières heures sur cette putain d'île. Ils voulaient me tuer !

— *Dan... ?*

— *Nom de Dieu !* Je suis sérieux. Je savais que ça arriverait !

172

— Ce n'est pas de ça que…

— Si, Trish. Écoute-moi : je suis *sérieux*.

— D'accord. Est-ce que tu les connaissais ?

— Il faisait nuit noire.

— Tu es en train de me dire que tu es resté tout ce temps chez Moira ?

— Oui.

— Tu l'as interviewée depuis le début de la matinée ?

— Oui.

— Jamais tu n'as réalisé une interview aussi longue de toute ta vie.

— Elle est la mère du Messie, il fallait que j'aille en profondeur.

— Alors d'où vient l'alcool ?

— Quel alcool ?

— Dan, ne me prends pas pour une idiote. Ton haleine refoule comme une brasserie ambulante.

— Moira avait quelques canettes dans son frigo.

— Oh ! Sans blague ?

— Une ou deux.

— Assez pour que t'y restes toute la journée.

— Trish, merde, on change de sujet, là.

— Ah oui ? Tu te soûles chez Moira, tu te conduis comme un imbécile et des types arrivent pour te foutre dehors. Est-ce qu'on serait pas plutôt proches de cette version par hasard ?

— Non !

— Dan, dis-moi la vérité.

— Mais je t'ai dit la vérité !

— Le père Flynn prétend que tu t'es soûlé chez Moira. Et elle aussi alors ?

— Quoi ?

— Le père White lui a tout raconté. C'est vrai, n'est-ce pas ?

— Non ! Oui ! Putain, pour l'amour du Ciel, arrête, Trish !

— C'est une jolie fille.

— Trish !

— Et je sais aussi qu'on n'a pas une vie sexuelle encore tout à fait normale, mais ça revient, j'ai besoin de…

— Trish, veux-tu cesser de raconter n'importe quoi ! Écoute-moi, putain, oui, j'ai sifflé quelques canettes de bière pendant l'interview. Elle était fascinante… enfin, son histoire est *fascinante* mais rien à voir avec notre vie sexuelle et que sais-je… Trish, il faut me croire. Je rentrais à pied à la maison. J'ai entendu un bruit derrière moi, ensuite un coup de fusil. Puis il y a eu les torches, une demi-douzaine au moins. Ils me pourchassaient. On aurait dit la chasse au lapin, sauf que le lapin, c'était moi.

— Tu penses pas que c'était *vraiment* une chasse au lapin ?

— Est-ce que je ressemble à un lapin ?

— Des fois, oui. En plus, tu l'as dit toi-même, il faisait noir…

— Trish, ils ont essayé de m'assassiner. Il n'y a aucun doute là-dessus. Bon, maintenant. Tu es là avec moi. *Ton* bébé est là…

— *Mon* bébé… ?

— *Notre* bébé… Il est hors de question que je vous expose à ce type de danger. Et plus important encore, je n'ai aucune envie de m'exposer à ce type de danger. Il faut qu'on se tire d'ici.

Elle soupira.

— Dan, ce n'est pas que je ne te crois pas…

— C'est juste que tu ne me crois pas ! Bordel de merde, Trish ! Tu ne me croirais même pas si je rentrais avec un bras arraché et un œil en moins.

— Oh si, je te croirais. Si tu as des témoins. (Elle me sourit alors que je tirais la tronche. Puis je souris à mon tour.) Dan, prends-toi un bon bain, je vais m'occuper de tes coupures, là, et après tu iras dormir. On ne peut partir nulle part dans la nuit. Si tu es toujours dans le même état d'esprit demain matin, alors on s'en ira.

— Je ne suis pas bourré.

— D'accord. Je te fais couler un bain.

— Je ne suis pas bourré, répétai-je.

— Je sais.

Elle fila à la salle de bains tandis que je contemplais Little Stevie toujours assoupi sur le canapé.

— Je ne suis pas bourré.

Peut-être l'étais-je un peu après tout. Je m'endormis dans mon bain et m'y noyai.

Ou plutôt je me serais noyé si Patricia ne m'avait pas gentiment réveillé d'une tape et nettoyé mes plaies ensuite. Je ne lui racontai rien à propos des oiseaux, bien qu'elle posât des questions sur les taches de fientes. J'aurais dû tout lui raconter, mais ça n'était pas dans mes habitudes. Une fois que tu t'embarques là-dedans, difficile de t'en sortir. En outre, elle finirait bien par découvrir la vérité. Comme toujours.

J'allai me coucher. Patricia partit border Little Stevie. Je tombai comme une masse et ne me réveillai qu'à onze heures le lendemain. Le premier ferry était parti depuis belle lurette. La porte de la chambre s'ouvrit et j'avais presque lancé un « Pourquoi ne m'as-tu pas… » quand j'aperçus Patricia portant un plateau avec saucisses-œuf-bacon, une canette de Pepsi light et un Twix. On ne peut décemment pas gueuler sur quelqu'un qui a une si douce attention.

— Et qu'est-ce qui me vaut l'honneur ?

— Je t'aime.

— Je sais. Pourquoi ce petit déjeuner au lit ?

— Je t'aime.

Elle déposa le plateau sur mes genoux et un baiser sur mon front et me laissa à mes pensées.

Je l'aimais tellement et pourtant je l'avais trahie déjà tant de fois. Trop. Il fallait que ça cesse. Pareil pour la picole. Oui, je m'étais bourré la gueule. On m'avait pourchassé, et Bill Oddie — ou quelqu'un qui lui ressemblait comme deux gouttes d'eau — était mort. Quitter l'île s'imposait.

Malgré tout, la journée s'annonçait belle, une matinée d'automne où le soleil brillerait et où l'herbe ne serait pas humide. Le hérisson dormait sereinement dans sa boîte. Le cauchemar de la nuit dernière aurait pu passer pour ce qu'il était : un cauchemar.

Je sortis dehors pour méditer sur la vie. Patricia s'approcha et m'enlaça la taille en se collant contre mon dos.

— On va réellement devoir quitter cet endroit ? (Je répondis par l'affirmative avec un hochement de tête.) Pas si sûr, ajouta-t-elle. (J'acquiesçai une nouvelle fois.) Ce pourrait être une erreur. Même si c'était un acte délibéré, Dan, il y a des voyous partout, à Belfast, à New York, partout. Ça ne te ressemble pas de fuir à cause des méchants.

— Avant, je n'avais pas de bébé.

— T'es mignon, mais ce n'est pas une raison pour fuir. (Je l'aimais tant. En la regardant, j'eus envie de tout lui lâcher sur Bill.) Écoute, descendons en ville et allons voir ce flic ; pourquoi ne pas tout lui raconter ? Tu portes plainte officiellement. C'est une petite communauté, il pourrait avoir une idée des auteurs de… Il saura qui détient des armes, n'est-ce pas ? S'ils t'ont tiré dessus, on retrouvera bien des cartouches vides ou quelque chose, pas vrai ?

— Après une nuit de sommeil, toute cette histoire me paraît vaseuse, soupirai-je, du style, les-méchants-qui-voulaient-me-tuer.

— C'est à toi de voir.

Elle avait raison. Bill était mort et il fallait que j'en parle à quelqu'un. Mais pas à la police. En tout cas, pas sur Wrathlin. J'en discuterais avec le cardinal ; lui seul saurait m'apporter du réconfort. Je devais lui faire mon rapport et m'assurer qu'il me couvrirait dans l'hypothèse où les choses tourneraient mal. Qu'il m'envoie un commando d'élite pour me secourir en cas de besoin. Ou qu'il fasse au moins une prière pour moi. Il pourrait alors me remercier pour avoir accompli du bon boulot et me demander d'arrêter là, ou au contraire m'offrir encore plus de pognon pour poursuivre mes investigations. Ou bien ce serait moi qui exigerait plus d'argent. La prime de risque.

176

Nous nous préparâmes à descendre en ville. Dans la voiture, rouler vitres baissées s'avéra très agréable. Le soleil dardait ses rayons à la surface de l'océan. Patricia semblait ravie, nous allions embarquer sur le ferry de treize heures, et elle aurait le temps de faire des courses à Ballycastle pour le bébé, d'acheter autre chose que des plats prêts à l'emploi pour micro-ondes. Pendant ce temps, je téléphonerais au cardinal. S'il acceptait mes conditions, je retournerais sur l'île mais en emportant une bonne réserve de bouteilles planquée dans le coffre sous un amas de vieilles frusques. Certes, je ne picolerais plus jamais, mais de les savoir là en cas de besoin me soutiendrait le moral.

Une demi-heure avant le départ du ferry, assis sur un petit muret, nous profitions du soleil. Je me sentais revivre. Les coups de bec des pingouins n'étaient plus qu'un mauvais souvenir. Le sommeil avait dû effacer ma gueule de bois, à moins que ce ne fût la décharge d'adrénaline de la nuit précédente. Alors que le ferry arrivait à quai, nous entendîmes un brouhaha provenant de Main Street.

Un tracteur avec une remorque descendait la rue et le fermier au volant actionnait son klaxon tout le long du chemin. Les gens sortaient sur le seuil des échoppes pour voir ce qui se passait. Patricia rigolait :

— Il a dû déterrer la carotte de l'année ou un truc comme ça.

Je lui rendis son sourire, mais déjà un mauvais pressentiment s'installait au creux de mon estomac. Le tracteur s'arrêta devant le poste de police, enfin si on peut l'appeler ainsi. C'était simplement une petite maison comme les autres, avec un bureau attenant, sans même une pancarte indiquant POLICE.

Le fermier sauta à terre et se précipita à l'intérieur. Une foule se formait autour de la remorque. Patricia fronça les sourcils, prit ma main et on arriva juste à temps pour apercevoir l'agent Murtagh sortir de sa maison en courant. Il finissait à la hâte de boutonner sa veste d'uniforme.

Nous rejoignîmes l'attroupement à l'arrière de la remorque. Les gens s'écartèrent au passage du fermier et de Murtagh. Une bâche goudronnée recouvrait une masse informe ; Murtagh fit signe de la tête. Patricia étreignit ma main plus fort et la foule retint son souffle au moment où le fermier, ayant obtenu l'assentiment du policier, souleva un coin de la bâche avant de la retirer totalement.

Un « Oh ! » d'effroi parcourut l'assemblée, et Patricia en eut le souffle coupé, tout comme moi, bien que ce ne fût pas entièrement une surprise.

Bill était étendu, le corps boursouflé, brisé, bleu.

Patricia me fixait, le visage livide. Elle m'avait senti en proie à une crise de tremblements.

— Dan…, chuchota-t-elle, tu es sûr que ça va ? (Je fis une moue d'approbation bien peu convaincante.) Tu le connaissais ? C'est un des méchants ?

— Non, lui c'était un gentil.

21

L'agent Murtagh annula immédiatement le départ du prochain ferry, le temps d'une enquête plus approfondie sur la mort du gardien de l'observatoire des oiseaux. Patricia se répandait en râleries, et j'évitais de trop me plaindre pour ne pas attirer l'attention. Nous restâmes avec le reste de la population à commenter le triste événement. Les gens racontaient que Bill vivait sur l'île depuis quatre ou cinq ans et qu'il picolait. Sans doute avait-il débloqué le frein de sa caravane sous l'emprise de l'alcool et celle-ci avait roulé vers le précipice. J'appris qu'il s'appelait Bill Oddesky et qu'il prétendait avoir des origines russes. Les gens racontaient quantité de choses, parfois totalement fausses, je le savais, d'autres que j'étais prêt à croire. J'observais les visages dans la foule, imaginant qu'eux-mêmes me surveillaient, ou me suspectaient, ou encore que certains d'entre eux avaient voulu me tuer. Impossible de me forger une opinion. Patricia avait marmonné « Qu'est-ce qu'on va faire ? » et j'avais répondu « On va rentrer à la maison ». « À la nage ? », « Non, on repart à Snow Cottage ». À son sourire, je vis qu'elle n'en prenait pas trop ombrage. Dieu merci, une personne prit l'initiative d'interroger Murtagh sur la durée de l'arrêt du trafic avec le continent, mais ce dernier s'en retourna à son bureau sans répondre. Le docteur Finlay arriva sur les lieux et demanda au fermier de conduire son tracteur jusqu'à son cabinet. Il proposa que deux hommes costauds se portent volontaires pour déposer le corps à l'intérieur. Comme je ne voulais pas avoir l'air de m'insinuer dans les bonnes grâces de la population, je restai en retrait. Duncan Cairns s'avança — sous l'œil admiratif de Patricia — et un autre gars que je ne connaissais pas.

Sur le chemin du retour, dans la voiture, j'y allai de mon petit commentaire.

— Je serais pas étonné que Duncan fasse partie de la bande qui m'a pourchassé.

— Dan, arrête.

— *Dan arrête*, pourquoi ?

— Ne dis pas de conneries.

— C'est une éventualité.

Patricia n'était pas convaincue. Little Stevie dormait dans son siège bébé.

— Au fait, tu le connaissais d'où le mec qui est mort ?

— On l'a croisé le jour de la promenade avec le père Flynn. On s'était arrêté près de sa caravane, un type sympa. Il pensait que toute cette histoire avec Christine était ridicule. C'est vrai que sa caravane stationnait bien près du bord. Il ne t'a pas fait penser à quelqu'un d'autre ?

— À qui par exemple ?

— À un gars de la télé ?

Elle tapota un moment le tableau de bord de ses ongles avant de répondre :

— La seule chose qui me vienne à l'esprit, c'est un présentateur de « *Blue Peter* », mais c'est sans doute par association d'idées, à cause de la noyade[1]. Et toi ?

— Bof, il me faisait penser à quelqu'un, je ne sais plus qui...

— Dan, tu m'as bien tout raconté ?

1. *Blue Peter* : célèbre émission de la BBC pour les enfants. Les présentateurs portent tous un badge représentant un galion.

— Comme toujours.

— Dan, je suis une grande fille, si tu dois m'avouer quelque chose…

— Tu n'es pas si grande.

— Dan…

— Honnêtement, j'ai passé l'âge des cachotteries, il n'y a rien entre toi et moi.

— Tu veux dire qu'il n'y a pas de secrets entre nous ?

— Oui, si tu veux.

Nous venions de nous engager dans Snow Cottage, plus précisément dans l'allée qui y mène.

Peu après minuit, Little Stevie se mit à pleurer. Au début, d'un commun accord, on décida de le laisser sangloter pour qu'il parvienne à se rendormir. On tenta ensuite de le calmer en lui murmurant des paroles apaisantes dans le noir, mais il était visiblement au plus mal car ses cris redoublèrent d'intensité.

— Je m'en occupe, proposai-je.

— Qu'est-ce qui te prend ?

— Rien, c'est mon tour.

— Ça ne te ressemble pas.

— Si tu as l'intention d'en faire un sujet de dispute, je retourne au pieu.

Elle fit glisser deux doigts le long de sa bouche pour me signifier qu'elle se la bouclait. J'enfilai un caleçon et me dirigeai vers sa chambre dans laquelle on laissait toujours une veilleuse allumée. On avait un bidule pour réchauffer les biberons. Je le mis en route au passage. Little Stevie persévérait toujours dans ses lamentations au moment où je le pris dans mes bras. Je le berçai gentiment et lui chuchotai des mots en langage bébé, mais rien n'y fit. J'entrai dans notre chambre en interpellant Patricia :

— Il a de la fièvre.

— Beaucoup ?

— Je ne sais pas.

Patricia sauta du lit, me prit Little Stevie et le berça sur un seul bras en lui tâtant le front de sa main libre.

— Tu as raison. Veux-tu s'il te plaît aller chercher le thermomètre ?

Elle m'indiqua l'endroit, mais il me fallut cinq bonnes minutes pour le localiser au milieu de provisions dignes des réserves de Mafeking. Elle me l'arracha des doigts, le nettoya, le secoua et le glissa entre les fesses du cher petit.

— C'est la dernière fois que je me colle ça dans la bouche, dis-je en ricanant.

Elle ne goûta pas ma plaisanterie et son regard me le confirma largement.

— Navré. (J'ajoutai stupidement :) C'est juste un peu de température.

— T'es spécialiste ?

— Je veux dire, c'est sans doute...

— Tu te prends pour qui ? coupa-t-elle, Monsieur Spock ?

— D'abord il s'appelle Docteur Sp...

— Peux-tu juste fermer ta putain de gueule et aller me chercher de l'eau fraîche et un gant de toilette ?

Ma propre température commençait à grimper mais je ravalais mes paroles. Elle avait raison d'être soucieuse et j'avais tort de me montrer désinvolte. C'est dans ma nature, mais le moment semblait mal choisi, je vous l'accorde. La santé d'un bébé est régie par un équilibre délicat les premiers mois, et ça je le savais pertinemment.

— Peut-être il dort trop près du radiateur et ça lui aura fait monter sa t...

— Dan. Va les chercher. Vite.

J'allai à la cuisine à pas de loup. J'avais lu des livres de puériculture, ceux de Patricia quand elle ne me voyait pas. J'en connaissais un rayon tout de même.

Je m'emparai d'une canette de Coca light et en sifflai quelques gorgées. Deux précautions valent mieux qu'une, il paraît. On n'est jamais trop prudent. Je dénichai une cuvette, puis le gant du bébé que je trempai dans l'eau froide. Quand je portai le tout à Patricia, elle me confia :

— Je suis inquiète.

Little Stevie pleurait. Patricia le câlina.

Je lui tendis la cuvette et, pendant une seconde, elle sembla hésiter à l'y asseoir.

— Tout va bien, chérie.

Je déposai la cuvette sur notre lit et lui pris le gosse des bras.

— Je suis vraiment angoissée, dit-elle en s'agenouillant sur le sol. (Elle avait ôté le thermomètre et le détaillait.) Ça n'est pas bon signe, vraiment pas. (Elle essora le gant et le passa sur le visage du bébé. Qui hurla de plus belle.) Il va falloir appeler le docteur. Il y a quelque chose qui ne tourne pas rond.

— Mon amour, donne-lui une chance. Pour l'instant, tu essaies de lui faire baisser la fièvre, c'est bien. Attendons de voir. Christine — celle de Moira, la fille de Dieu, etc. — ne se sentait pas bien hier. Elle avait peut-être chopé un microbe que j'aurais ramené à la maison.

Patricia se retourna brusquement.

— Est-ce qu'elle avait des rougeurs, une éruption de boutons ?

— Pas que je sache.

— Dan, téléphone au médecin. Y a un truc qui cloche.

— Peut-être est-ce un érythème fessier ?

— Sur sa poitrine ? Tu te fous de moi ? Appelle le toubib.

— On n'a pas le téléphone.

— Alors vas-y et ramène-le.

— On est en plein milieu de la nuit.

— Mais je m'en fous ! On pourrait bien être la veille de Noël, je m'en tape. Va me chercher ce satané toubib !

J'eus la mauvaise idée de râler. Elle se leva d'un bond et me gifla. Violemment.

183

Je reculai, surpris autant que sonné. Alors que je levais ma main pour prévenir un autre coup, du sang coula de mon nez. Je lus la colère dans ses yeux. La colère, mais aussi la peur, qui n'avait d'égale que son sentiment de toute-puissance.

— Désolé, je file. Pas de problème. (J'enfilai mon jean, mon haut de survêtement, et je saisis les clés au vol.) Je me dépêche.

D'abord, il y avait peu de chances que je sois coincé dans les embouteillages sur Wrathlin. La seule entité vivante que je rencontrai entre ici et le cabinet du médecin était un colley qui traînait dehors en suivant la trace de l'étrange odeur de sang qui coulait de mon nez. Je démarrai sur les chapeaux de roues. Enfin, avec autant de gomme qu'en autorise une Ford Fiesta.

La maison du docteur était plongée dans l'obscurité totale. Je donnai de grands coups dans la porte pendant plusieurs minutes. Finalement, une lumière s'alluma, on tira un verrou, un seul, et la grande porte s'entrouvrit. Une femme âgée, en robe de chambre bleue et avec un filet à cheveux, me regardait d'un air inquisiteur.

— Votre mari est-il là ?

Elle secoua un peu la tête en bâillant, son poing devant la bouche.

— J'étais en train de dormir.

— Où est-il ?

— Il est... en haut... sur la colline... mais... ?

— Quelle colline ?

— La colline, au cimetière.

— Qu'est-ce qu'il fout là-bas ? demandai-je dans un profond soupir.

— Je ne comprends pas...

— Je cherche le docteur, insistai-je en appuyant sur la porte.

Elle se frotta les yeux.

— Oh... oui... je suis navrée... vous cherchiez... Je suis à moitié endormie... Bien sûr, le docteur. Je croyais que vous vouliez voir mon mari... c'est idiot... il est là-haut depuis vingt... je suis désolée... ah, le docteur...

— Oui, le docteur. Où se trouve-t-il ?

— Il est parti plus tôt. (Elle se retourna pour consulter une vieille horloge derrière elle.) Beaucoup plus tôt, désolée, je…

— Vous pouvez pas le biper ?

— Suis désolée…

— Le faire appeler ?

— Pardon ?

— Bon Dieu !

— Je suis désolée… je…

— Vous savez au moins où il est ? (Elle fit non de la tête.) Est-ce qu'il est en visite chez un patient ?

— Je suis désolée…

— Y a-t-il quelqu'un d'autre ? Un autre docteur ? Une infirmière ? (Elle semblait désorientée.) Un sorcier, alors merde ?

Je filai en voiture jusqu'à l'église. Je cognai à la porte du père Flynn avec non moins de violence. Il répondit presque immédiatement. Je le trouvai en pyjama et je lui brossai un rapide tableau de la situation.

— Oh là là, mon Dieu ! (Il me fit signe d'entrer dans le couloir pendant qu'il attrapait ses chaussures. Il les enfila sans même chercher à en défaire les lacets.) Il a l'habitude de disparaître. Et la vieille Mme McTeague n'est guère plus fiable… Elle n'est plus… comment dire, saine d'esprit, ces derniers temps.

— Il doit bien y avoir quelqu'un d'autre, non ?

Il réussit à enfoncer son second pied dans la chaussure avec une grimace, puis il me sourit, une main rassurante posée sur mon épaule.

— Il y a toujours quelqu'un, Dan, nous allons nous rendre chez les McCooey.

— Mon Père, ne pensez pas que je sois un ingrat, mais…

— Dan, calmez-vous, nous allons voir Moira.

D'un bond, je m'écartai de lui.

— Mon Père, je n'ai pas de temps à perdre avec toutes ces conneries. Le bébé est malade, j'ai besoin d'un toubib tout de suite. Et pas d'un putain de Messie. Navré.

185

— Dan… (Sa voix était pleine de compassion.) Calmez-vous un peu. Moira McCooey est une infirmière confirmée. Elle a arrêté d'exercer à la naissance de Christine, c'est tout.

— Oh !

— Eh oui ! (Il m'étreignit l'épaule un peu plus et ajouta :) Faites-moi confiance Dan. Allons-y.

22

Patricia nous ouvrit la porte, complètement livide.

— Nom de Dieu !

— Dan, il est inconscient… je crois qu'il est dans…

Flynn entra, suivi de Moira. Derrière elle trottinait Christine en pyjama.

Moira portait la trousse du docteur Finlay. Je lui avais décrit les symptômes dans les grandes lignes et elle avait insisté pour qu'on passe chez lui la prendre. La vieille femme avait bien opposé une brève résistance qu'elle avait vite balayée devant l'attaque conjuguée du père Flynn et de Moira McCooey. Nous avions fini par dénicher la trousse après une petite inspection des lieux, puisque le bon docteur n'était pas parti visiter ses patients.

Patricia nous mena à la chambre où Little Stevie reposait nu, allongé de tout son long sur le lit, inerte.

Moira s'agenouilla pour l'examiner. Elle posa sa main sur le front du bébé et souleva une paupière.

— Vous lui avez pris sa température ?

— Il a quarante de fièvre.

— A-t-il vomi ?

— Un petit peu, il n'y a pas longtemps.

Moira fit courir ses doigts sur toute la largeur de l'éruption cutanée. Elle ouvrit la trousse et en sortit le stéthoscope, jeta un coup d'œil en arrière vers Patricia, puis vers moi, l'air de dire *je ne suis qu'une infirmière.*

Elle écouta.

Nous retenions notre souffle.

On perçut le tic-tac de la trotteuse d'une montre.

Christine s'approcha de sa mère en traînant les pieds et lorgna par-dessus son épaule.

— Il est malade ?

— Chuuut, répondit Moira en enlevant son stéthoscope.

— C'est sérieux ? s'inquiéta le père Flynn.

— Je n'ai plus trop l'habitude... Il semble que ce soit... ça pourrait être... enfin...

— Et zut ! l'interrompit Patricia, où est le docteur ?

— Manque à l'appel, sans doute en train de cuver son vin.

Flynn me regarda de travers.

— Le problème..., reprit Moira, on a tous les symptômes de la rougeole... la fièvre, les boutons... bien qu'il n'ait rien à l'intérieur de la bouche... je pense que c'est la rougeole... mais... ce que je veux dire... ça fait un bail que je n'ai pas... il ne devrait pas être inconscient... il y a une possibilité pour que ce soit une méningite... ce qui serait beaucoup plus grave...

— Oh, mon Dieu ! s'exclama Patricia.

— Je ne suis pas en train de dire que c'est la méningite.

— Ah oui ? hurla Patricia, vous dites quoi alors ?

— Je dis que c'est grave ! hurla Moira à son tour, je ne suis pas toubib !

— Ah, elle nous aide vachement celle-là ! cria Patricia en nous passant tous les trois en revue. Pourquoi ne faites-vous rien ? Donnez-lui quelque chose ! Mon bébé est en train de mourir !

Les larmes commençaient à inonder son visage déformé par le désespoir. Je l'entourai de mes bras.

— Il ne va rien lui arr...

Elle me repoussa avec force en criant.

— C'est toi qui l'a amené ici… dans ce foutu trou à rats !

— Trish, s'il te plaît…

— Agis, merde !

Je haussai les épaules en signe d'impuissance.

— Nous pourrions peut-être prier, suggéra Flynn.

— Vous ! Sortez ! hurla-t-elle en le poussant.

Flynn partit à la renverse, stupéfait.

— Je suis navré…, balbutia-t-il, mais elle le bouscula à nouveau et Flynn, le teint blême, battit en retraite dans le couloir.

Le visage de Patricia n'était plus qu'un masque de larmes.

— Qu'est-ce que je vais faire ? sanglota-t-elle en martelant le lit de ses poings.

Moira la stoppa en lui prenant les poignets de force. Elle fixa Patricia droit dans les yeux.

— On commence par se calmer, dit-elle avec fermeté. (Patricia se raidit, puis la colère sembla l'abandonner d'un coup. Elle s'effondra en larmes.) Je vais lui administrer des médicaments, je ferai au mieux. Il s'en sortira si on est soudés. Je veux que votre mari, le père Flynn, et toute personne disponible dans le coin, aillent mettre la main sur le docteur où qu'il se trouve. Il ne peut pas être bien loin. Pendant ce temps, nous, on va s'assurer qu'un bateau est prêt à partir pour le continent au cas où. Et on va avertir l'agent Murtagh, il doit être en mesure d'exiger qu'on nous envoie un hélicoptère. (Elle secoua Patricia par les poignets.) Vous me suivez ? (Patricia acquiesça.) Bien. Maintenant allez nous préparer une tasse de thé et, tant que vous y êtes, récitez une petite prière.

Patricia reporta toute son attention sur Little Stevie, puis observa Christine, tétanisée par l'engueulade.

— Une prière à qui ?

— À qui vous vient à l'esprit, répondit Moira.

L'action parfaite. Gerry, connu pour être tout sauf un athlète, avait soudain chaussé les bottes de Billy et passé deux adversaires sur l'aile, avant de se rabattre droit vers la surface de réparation et de centrer par-dessus l'arrière accouru à sa rencontre, expédiant le ballon vers moi qui arrivais comme un mort de faim à hauteur du point de penalty. J'amortis la balle de la poitrine, la relevai une fois du genou. Ma reprise de volée du gauche laissa le gardien sans réaction. Un obus dans les filets. Je me tournai, fis un signe à Gerry et saluai la foule.

Durant quelques secondes, tout ce qui m'entourait n'existait plus.

Ce rêve me perturbait depuis quelques mois déjà. D'habitude, je rêve de femmes sublimes, de prouesses sexuelles, et je m'éveille avec une érection. Mais ces derniers temps, je n'arrêtais pas de rêver que je marquais des buts au foot dans un match important et je me réveillais les jambes endolories. Peut-être que je vieillissais, voilà une explication. Mon subconscient me disait que, bien qu'ayant toutes les chances de poursuivre sans encombre une vie sexuelle pétulante dans les années à venir la probabilité de marquer un but dans un match important s'amenuisait de jour en jour.

La cuisine : j'étais assis sur une chaise. Le dos en bouillie, les mollets douloureux, un bras ankylosé à force d'avoir dormi dessus. Je grelottais dans la fraîcheur grise de l'aube. Une canette de Coca light à moitié vide traînait sur la table. Je me levai et m'étirai. À ma montre, huit heures du matin.

La nuit avait été longue et notre sommeil écourté. Flynn et moi avions cherché le docteur partout dans l'île. En vain ! Nous étions passés chez Duncan Cairns, son meilleur ami, pour l'interroger. Mais l'instituteur n'en savait guère plus que nous. On tambourina en pleine nuit à la porte d'un pêcheur pour lui demander d'appareiller son chalutier rapidement. Il s'ensuivit des discussions à n'en plus finir sur la pertinence ou non de cette initiative, si bien qu'au moment où nous étions enfin tous d'accord, un épais brouillard

190

était tombé et avait foutu notre plan en l'air. Ce brouillard allait compromettre également le sauvetage par hélicoptère, mais cette option ne s'avérait même plus d'actualité. L'agent Murtagh nous annonça que quelqu'un était entré dans son bureau par effraction et avait détruit tout le matériel radio. Il n'avait désormais plus aucun moyen de contacter le continent.

Patricia m'injuria à voix basse, puis tout haut. Idem à l'encontre de Moira et de Flynn. Elle allait s'en prendre à Christine, mais je l'en dissuadai à temps. On ne sait jamais…

Little Stevie était dans un état stationnaire : fiévreux, des plaques sur l'ensemble du corps, il dormait avec un souffle irrégulier, mais respirait, c'était l'essentiel. Moira le surveillait. Flynn parvint à réciter sa prière sous l'œil vigilant de Patricia qui craignait qu'il ne lui administre les derniers sacrements. À un moment, elle craqua et fut tentée de le faire baptiser, mais elle renonça. À quoi bon, fit-elle, puisque Dieu n'existe pas.

Vers quatre heures de l'après-midi, je sortis de la chambre. Patricia somnolait sur le lit. Moira luttait contre le sommeil pour continuer à surveiller le bébé. Flynn transporta Christine dans le salon car elle s'était endormie à même le sol, et il la borda avec un plaid. Il s'installa à côté d'elle, dans un fauteuil et se plongea dans la lecture de la Bible.

Je restai un moment à prendre l'air dans le jardin. Je me sentais tout chose. Little Stevie me paraissait si fragile, si vulnérable comparé à moi, si balèze, si empoté.

Un bras m'encercla la taille avec douceur et fermeté. Je me retournai en espérant que Patricia allait enfin m'annoncer de bonnes nouvelles. C'était Moira. Elle ôta son bras quand elle me vit me crisper.

— Désolé, je suis… il me semble juste que…

— Pas de problème, Dan, on avait dit juste une fois. Est-ce que j'ai réclamé quelque chose ? Non ? On s'est bien éclaté, pas vrai ? (Je hochai la tête en signe d'assentiment.) Si tu te pointes pas chez moi demain midi pour qu'on recouche ensemble, je déballe tout à ta femme.

— Moira, pour l'amour du Ciel…

— Je blaguais. On se calme !

— Ne crois pas que…

— Tout va bien, souffla-t-elle en déposant un baiser sur ma joue. Enfin, si tu passes par là…, ajouta-t-elle avec un clin d'œil avant de rentrer à l'intérieur.

*

Je me réveillai au sortir d'un rêve de football. Je bus le reste de Coca light ; il n'y avait plus de bulles mais au moins ça conservait un goût de Coca. Les mains jointes, je me récitai mentalement une prière pour que Little Stevie s'en sorte. Je partis ensuite jusqu'à sa chambre dont j'ouvris la porte tout doucement. Patricia était toujours étendue sur notre lit et Moira s'était assoupie en boule sur le sol. Une couverture avait été posée sur elle.

Little Stevie avait disparu.

Je fis taire une panique naissante en vérifiant rapidement les deux côtés du lit des fois qu'il aurait roulé par terre dans son sommeil. Pas de Little Stevie. Rien sous le lit non plus. Je me redressai et le cherchai des yeux. Même si Moira et Patricia semblaient ne pas avoir changé de position depuis mon départ, il n'était pas impossible qu'elles l'aient déplacé pendant que je dormais. J'inspectai en silence chacune des pièces de la maison. Il était hors de question que je réveille Patricia, elle en deviendrait hystérique. Si une explication simple existait, inutile qu'elle sache que j'étais sur le point de péter les plombs.

La porte du salon était entrebâillée. Flynn gisait effondré sur sa chaise, le nez dans la Bible. Pas de Christine à l'horizon.

Je secouai Flynn.

192

— Quoi ? Qu'est-ce qui…, marmonna-t-il en rattrapant sa Bible qui glissait de ses genoux.

— Où est-elle ? articulai-je sèchement.

— Quoua…

Et zut ! Je continuai sur le même ton furieux.

— Christine… Où est-elle ?

Il se frotta les yeux, se réveilla dans un sursaut, se leva et marcha jusqu'au canapé. Il retira le plaid bien qu'il fût évident qu'elle n'y était plus.

— Pourquoi… (Il se tourna brusquement vers moi.) Quelque chose ne va pas ?

— Vous n'avez pas déplacé Little Stevie pendant que je dormais, n'est-ce pas ? (Il fit non.) Quelqu'un d'autre, si.

— Que voulez-vous d… ?

— Il a disparu. Et pas besoin de vous transformer en Sherlock Holmes pour deviner qui !

— Jamais elle ne ferait une…

— Mon père, les enfants ne voient pas les choses comme nous. (Je me dirigeai vers l'entrée.) Une fois, gamin, j'ai enterré mes gerbilles vivantes et je les ai déterrées six semaines plus tard pour voir comment elles allaient. On ferait mieux de la retrouver, et vite.

— Vous avez vérifié le reste de la maison ?

— Évidemment.

Dehors, c'était rien de dire que le brouillard s'était épaissi. En temps ordinaire, j'aurais pu m'énerver après quiconque évoquant une sacrée purée de pois, là, je n'en voulais même pas au prêtre. Je me contentai de jurer comme un charretier. Ils pouvaient être à trois mètres comme à trois cents.

Mon bébé.

Mon bébé.

Oui, je l'aimais de plus en plus.

Flynn me tira par le bras et m'indiqua la baignoire retournée. Il

193

s'y précipita, moi sur ses talons. Peu à peu, à travers le brouillard, émergeait une petite silhouette pâle, couverte de rosée.

Christine berçait quelque chose contre elle, quelque chose caché sous un amas de couvertures.

Alors que nous nous approchions d'elle, elle leva les yeux en souriant. Mais son sourire se transforma en grimace de contrariété dès qu'elle remarqua notre comportement. Elle écrasait les couvertures contre sa poitrine.

— Oh… Christine! souffla Flynn.

Elle plaquait les couvertures sur le côté dans un geste protecteur.

— À moi.

— Christine, dit-il plus doucement, tout en gagnant du terrain.

— Je me suis occupée du petit bébé.

Flynn s'arrêta.

— Christine, le bébé est malade, tu dois faire très attention.

— J'ai fait très attention, répéta-t-elle en serrant son paquet contre elle alors que Flynn tentait de le lui prendre.

— Le bébé était malade…

— Mais Christine, laisse-moi juste…

Je contournai Flynn.

— Mon Père, excusez-moi, arrêtons ces foutaises!

J'arrachai de force les couvertures à Christine.

Elle se mit à pleurer.

Je défis à la hâte les couvertures.

Little Stevie, calme, serein, détendu, me souriait. Je laissai échapper un soupir de soulagement et lui souris à mon tour. Son front n'était plus brûlant. Sa peau était rose, encore un peu irritée, mais les boutons s'étaient estompés. Non, plutôt volatilisés, comme s'il n'en avait jamais eu auparavant.

Flynn cessa de consoler Christine pour lorgner par-dessus mon épaule.

— Il est mort? demanda-t-il d'une voix atone.

— Mortellement en forme!

194

Le visage du prêtre s'anima lorsqu'il constata l'ampleur de la transformation.

— Incroyable !

— Je vous l'accorde !

— Mais il est...

— Oui.

— C'est un miracle.

— Oui, un *mirak* !

— Je suis sérieux, c'est vraiment un miracle.

— Mon Père, je...

— Un miracle ! Christine a encore accompli un miracle !

— Mon Père, le bébé va tout simplement mieux, il ne s'agit pas d'un mi...

— Dan, vous ne comprenez donc pas ! cria-t-il au comble de l'excitation, c'est un miracle ! (Il me prit par les épaules.) Hier soir, Moira m'a avoué qu'elle ne s'attendait pas à ce qu'il tienne le coup. Elle était convaincue pour la méningite... Elle pensait qu'il était condamné. Mais il est... c'est merveilleux !

Little Stevie gazouillait.

— Bon, si tu insistes, toi, je dirai que c'est un miracle.

La joie irradiait le visage du prêtre. Il leva ses deux mains réunies vers le ciel.

— Un miracle ! s'écria-t-il, louanges à toi, ô Seigneur !

Il s'approcha de Christine et ébouriffa ses cheveux. Elle glissa hors de la baignoire, tira sur sa chemise de nuit trempée par la rosée. Flynn s'agenouilla auprès d'elle.

— Comment as-tu fait pour soigner le bébé, Christine ?

Elle essuya ses larmes d'un revers de la main, et renifla un peu.

— Je l'ai sorti de la pièce, mon Père.

— Et pourquoi as-tu sorti le bébé ?

— Parce que, dit-elle en mordillant un doigt.

Elle hochait la tête de gauche à droite.

— Tu savais que le bébé était malade, n'est-ce pas ? Très malade. (Elle acquiesça.) Alors tu l'as amené ici ? Qu'est-ce que tu as fait ?

— Rien. Je me suis assise dans la baignoire.

— Tu as dit quelque chose au bébé ? Rien ?

— J'ai chanté une chanson, mon Père.

— Quelle chanson, Christine ? Une jolie chanson ?

— Oui : *Jésus vous aime.*

Flynn déglutit bruyamment. Si bruyamment qu'on aurait pu l'entendre jusqu'à Glouglouville, dans l'Indiana. Il fit volte-face ; ses yeux étaient remplis de larmes.

— C'est un miracle !

Le cœur plein d'allégresse, je m'en retournai à la maison annoncer l'heureuse nouvelle à ma femme.

23

Le docteur Finlay arriva à Snow Cottage peu après midi. Vu la météo, on aurait aussi bien pu l'appeler Fog Cottage. Ou le Centre de Convention de l'île de Wrathlin. Les trois heures précédentes avaient été consacrées à occuper des membres de la communauté de Flynn qui avaient hâte d'écouter le récit du bébé ramené de l'anti-chambre de la mort par l'enfant Messie.

Mouais.

Patricia semblait apprécier toute cette agitation.

— J'étais à la chasse, expliqua le docteur pour justifier son indis-ponibilité.

— On vous a cherché partout.

— Pas partout.

— Quand même…

— Je tirais sur des lapins. Nous tombons malades à cause de ces petits salopards, Dan. Je participe à leur éradication et je suis étonné que personne ne s'en rende compte.

Je n'étais pas totalement convaincu par son histoire. Ses yeux étaient rougis par le manque de sommeil. Certes, un fusil déplié reposait sur la banquette arrière de sa voiture. Les quatre carcasses sanguinolentes sur une bâche en plastique dans le coffre ne m'empê-chaient pourtant pas d'avoir quelques doutes. Je m'imaginais que ces grands chasseurs de lapins blancs (les lapins, pas les chasseurs) *pouvaient* bien chasser la nuit et utiliser les phares de leurs véhicules pour aveugler lesdits lapins ou éclairer les endroits où tirer, mais je restais sceptique quant au succès d'une telle expédition par une nuit de brouillard intense. Peut-être les avait-il tués avant.

J'ignorais s'il s'agissait même de lapins.

Trop absorbé par la joie de voir Little Stevie en bonne santé, après tout, lièvres ou lapins, je m'en foutais.

— Putain, ils sont si difficiles, dit-il en saisissant ses clés dans la voiture.

— Ah ces lapins !

— Non, les gens. Ils trouvent rarement grâce à mes yeux. Je suppose que j'aurais dû laisser la vieille Mme McTeague savoir où je me rendais. Malheureusement, elle est tellement empotée, la pauvre vieille, que je ne vois pas l'intérêt. Peu importe, comment ça va, mon gars ? Et votre tête ?

— Bien.

— J'vous l'avais bien dit. Bon maintenant, on va jeter un œil à ce petit. On m'a raconté qu'il y avait eu un miracle, qu'en pensez-vous ?

— Je ne sais quoi en penser. C'est pas tous les jours que je suis témoin d'un miracle !

— Bien entendu, dit-il, un sourire aux lèvres. (Il entra le premier dans le cottage.) Moira a pris ma trousse, n'est-ce pas ? Bonne idée.

Le père Flynn s'était endormi dans l'un des fauteuils. Sur le canapé étroit, Moira et Patricia étaient engagées dans une conversation animée, une théière en équilibre instable sur un petit tabouret leur tenait compagnie. Elles se retournèrent en même temps vers moi et, durant une fraction de seconde, je crus qu'elles étaient peut-être en train de débattre de mon infidélité chronique, sauf que Moira avait encore la tête attachée au corps et non collée au mur. J'en conclus aussitôt qu'elle avait su rester discrète.

Christine chatouillait Little Stevie allongé sur le sol.

198

— Eh bien! annonça le docteur d'une voix tonitruante, en se penchant pour prendre l'enfant, voyons ce qu'il a ce petit!

Flynn bondit de son siège et hurla :

— Whaaaou! (Nous restâmes interdits un instant tandis que le prêtre rougissait.) Je suis désolé. J'étais assoupi.

On indiqua à Flynn qu'on comprenait et il s'assit dans son fauteuil. Le docteur Finlay emporta Little Stevie dans la chambre pour un examen plus approfondi. Flynn proposa de le suivre, mais le médecin déclina l'offre. Patricia et Moira reprirent leur conversation. Je sortis sans me presser.

Je contournai notre cottage et tombai sur la boîte dans laquelle Patricia avait installé le hérisson. Elle était vide, à l'exception de quelques feuilles et d'une petite assiette.

Le père Flynn surgit à mes côtés et réprima une envie de bâiller.

— Ah, désolé, je ne suis plus aussi en forme que je l'ai été.

— Vous n'avez jamais été très en forme ; avec votre transplantation cardiaque, et tout.

— Vous me comprenez.

Nous contemplâmes le jardin — ou plutôt la jungle. Jungle il resterait. Une fois, j'avais essayé de désherber une jardinière en l'aspergeant d'essence avec un siphon. Je n'avais réussi qu'à y foutre le feu. Un voisin avait appelé les pompiers. Ça n'était même pas chez moi, c'était juste pour aider.

— Vous savez, Dan, pour quelqu'un qui n'est là que depuis quelques jours, vous avez déjà une sacrée influence.

— Ah bon?

— D'abord vous avez sauvé la vie de Christine. Ensuite, elle a sauvé la vie de votre fils. J'espère que vous consignez tout cela par écrit.

Il faudrait bien que je m'y colle tôt ou tard. Une fois, pour m'encourager à écrire, je me suis offert une plume d'oie.

— Nous espérons — enfin… le Conseil paroissial espère — que vous viendrez à notre réunion de demain soir.

— Ah oui ? Et de quoi allez-vous débattre ?

— Il s'agit de notre réunion hebdomadaire. Cependant, il s'est déroulé plusieurs événements dont nous aimerions discuter. Beaucoup de gens souhaiteraient mieux vous connaître et vous remercier pour ce que vous avez fait. Peut-on compter sur votre présence ?

— Avec plaisir.

Dans l'entrée, je croisai Patricia en train de bercer Little Stevie. Pour la première fois depuis sa maladie, nous pouvions nous parler seul à seul.

— Tu es heureuse ?

— Soulagée.

— Tu crois qu'il s'agit d'un miracle ?

— Je m'en fiche, Dan, tant qu'il est vivant.

— La fièvre a disparu.

— Je sais.

— L'éruption cutanée s'est envolée.

— Je sais.

— Ça arrive parfois.

— Je sais.

— Mais…

— Je le sais.

24

Comme d'hab', j'étais en retard. Patricia et moi, on s'était cha-maillés pendant tout le trajet. Je conduisais trop vite dans le brouillard — je refusais obstinément de lever le pied, j'étais habillé n'importe comment, je ne m'occupais pas assez du gosse. Je m'en occupais, mais pas comme il fallait. Lequel gosse nous prouva qu'il était en pleine forme en pleurant tout du long.

J'étais vêtu d'un jean noir, d'une chemise noire et de mon blouson d'aviateur noir. Ma femme portait une jupe-culotte. Pendant quinze ans, je m'étais demandé ce que jupe-culotte voulait dire, comme quoi on en apprend tous les jours. Elle était ravissante. Ma femme.

Je déposai Patricia et le bébé au bout d'un chemin étroit qui conduisait à l'école, à mi-hauteur de la colline. Elle avait cédé à cette invitation de mères de famille de la paroisse. J'étais étonné qu'elle ait dit oui aussi facilement. Avant, elle aurait ri de bon cœur à une telle proposition. Elle ne se serait jamais imaginée fréquentant une réunion de femmes qui passaient leur temps à débattre de l'histoire sociale du linge de maison ou à réfléchir à une concep-tion florale décrivant la chute de cinq points dans l'indice Dow Jones. Il semble que la maternité engendre bien des bouleverse-ments. Peut-être qu'un petit rouquin de trois kilos qui lutte pen-dant huit heures pour sortir de vos entrailles bousille au passage vos facultés mentales. J'en sais rien. Peut-être les hommes et les femmes sont-ils après tout réellement différents.

Elle claqua la portière et me gratifia d'un sourire sarcastique auquel je répondis par un baiser non moins sarcastique. Puis je démarrai en trombe, dans un nuage de poussière. *Ouah!*

L'église surgissait du brouillard exactement comme le ferait un grand truc surmonté d'une croix. L'ambiance filait un peu la chair de poule. Deux autres voitures étaient garées derrière la bâtisse, et trois vélos appuyés contre le mur. Je verrouillai les portières, marchai jusqu'à la porte de la salle paroissiale et frappai deux à trois coups. Dans un bruit de verrou qu'on tire, le même homme aux cheveux bouclés qui m'avait ouvert la première fois apparut.

— Oui?

— Dan Starkey. On m'a invité...

— Ah oui, bien sûr. Entrez, voulez-vous?

Il recula pour me laisser passer. Une douzaine d'hommes étaient attablés et tous les regards convergèrent sur moi. Celui de Flynn. Celui du père White. Ceux des dix autres, onze en fait, car au bout de la table siégeait l'agent Murtagh. Comme nous n'avions pas été présentés, je préférais l'ignorer.

— Désolé, je suis un peu en retard, je...

Le père Flynn présidait l'assemblée; il se leva.

— Mes amis, voici Dan Starkey, le sauveur de notre Sauveur.

Les membres du Conseil se levèrent immédiatement pour m'applaudir chaleureusement.

— Je vous en prie, dis-je en levant la main avec modestie.

Les applaudissements redoublèrent.

— Bien joué, bravo! cria quelqu'un.

Je réagis comme j'ai l'habitude de le faire quand je suis gêné: par un haussement d'épaules.

Les applaudissements cessèrent au bout de ce qui me parut un siècle et ils finirent par s'asseoir. À l'exception du policier, pour la simple et bonne raison qu'il avait été le seul à ne pas se lever.

— Je vous en prie, Dan, asseyez-vous, proposa le père Flynn en m'indiquant une chaise à côté de lui. Nous vous devons tous beaucoup.

Flynn me présenta rapidement chacune des personnes : le boucher, le boulanger, le fabricant de bougies. Je ne me concentrais pas vraiment. Je n'avais guère l'habitude de monopoliser l'attention, aussi je me contentais de sourire et de hocher la tête.

L'un des hommes, Carl Christie, un type au visage austère, barbu, me tendit la main par-dessus la table.

— Est-ce que le bébé va mieux ? demanda-t-il d'un ton morne.

Il dirigeait la banque, la Credit Union.

— Oui, il semble en bonne santé.

— Et le docteur l'a examiné ?

— Oui, tout va bien.

— Et serait-il d'accord pour convenir qu'il s'agit d'un miracle ?

— Je ne saurais le dire.

— Qu'a-t-il dit *exactement* ?

— Qu'il ne voyait plus aucun motif d'inquiétude.

— Mais il ne croit pas à un miracle ?

— Il n'a pas dit ça.

L'homme se retourna vers les autres et hocha la tête avec gravité. Michael Savage, celui qui m'avait ouvert, inscrivit quelque chose sur un carnet à spirale.

— Avant de démarrer la séance, intervint le père Flynn, prions ensemble.

Toutes les têtes se baissèrent. Flynn commença à réciter une prière et je l'observais. Le père White m'observait, moi. Il était le seul à avoir gardé les yeux ouverts. Je soutins son regard qui n'était ni malveillant, ni rien, juste sévère. À la fin de la prière, il ferma enfin les yeux et prononça « *amen* » avec les autres.

Ils se lancèrent alors dans une discussion d'une demi-heure autour d'un ordre du jour étonnamment terre à terre. Une fête de la paroisse. Le rapport du secrétaire. Le rapport du trésorier honoraire. Le rapport paroissial. Naissances : aucune ; mariages : aucun ; décès : un.

— Agent Murtagh, déclara Flynn, auriez-vous la bonté de nous éclairer sur ce sujet ? Je suis certain que nous serons tous d'accord pour dire qu'il s'agit d'une tragédie.

Des signes d'approbation parcoururent l'assistance. Si certains parmi eux éprouvaient de la culpabilité, cela ne se vit pas. Murtagh se leva lentement.

— Je poursuis mes investigations, dit-il d'un air lugubre. En l'état actuel, tout porte à croire qu'il s'agit d'une mort accidentelle.

— Était-il ivre ? demanda le père White.

— D'après le docteur Finlay, non. Il semblerait que sa caravane se soit détachée de ses…, disons, ses amarres et qu'elle ait basculé de la falaise. Ceci posé, je ferai un rapport complet à mes supérieurs et ils décideront s'il est nécessaire d'enquêter plus avant. Il est également prévu une autopsie qui sera pratiquée sur le continent. Nous allons transférer le corps dès que possible.

Des murmures s'élevèrent mais personne n'osa intervenir. Murtagh se rassit. Flynn prit la parole.

— Sinon, d'autres sujets ?

Plusieurs mains se levèrent. Flynn désigna en premier Michael Fogerty ; replet, le boucher avait un cou de taureau.

— Nous sommes très redevables envers M. Starkey ici présent, mais je me posais une question à propos de cette parabole.

Je me mis à froncer les sourcils, tout comme Flynn.

— Pardon… ?

— De cette antenne parabolique.

— Ah oui, Dan, votre antenne. Je l'ai remarquée moi aussi.

— Quoi mon antenne ?

— J'ai bien peur qu'il ne faille la retirer.

Tout autour de moi, des visages approuvaient le père Flynn.

— Et pourquoi donc ?

— C'est contre la loi, déclara Carl Christie.

— Quelle loi ?

— La loi paroissiale, répondit Flynn.

— Oh, dis-je dans un raclement de gorge, j'ignorais. (Je jetai un œil circulaire autour de la table, d'un air penaud.) Et, ça se défendrait, euh… vous savez bien… devant *un tribunal* ?

Je fis en sorte que ma remarque ne sonne pas trop belliqueuse.

— Parfaitement, déclara Flynn en riant. En fait, devant notre tribunal, oui. Et notre loi est la seule qui compte sur cette île. Avec tout le respect que nous portons bien sûr à l'agent Murtagh. (Lequel restait impassible.) La chose est simple, Dan. Nous essayons de créer pour Christine, pour son éducation, l'environnement le plus proche de la perfection que nous puissions lui offrir. Et votre antenne parabolique risque de menacer cet environnement.

— Puis-je savoir comment ?

— La pollution, Dan, la pollution. Elle est déjà tout autour de nous, mais nous n'en voulons plus chez nous. Nous connaissons les chaînes de télévision par satellite, Dan, et le type de programmes qu'elles proposent.

— Je ne voudrais pas polémiquer, mais ces chaînes ne sont guère différentes de celles de la télévision ordinaire.

— Nous avons également banni la télé.

— Ah oui !

— Dan…, commença Flynn.

— Alors que reste-t-il comme loisir ici ?

Je m'agitais en brassant de l'air, sans grand bénéfice.

— Oh, Dan, vous vivez une vie tellement superficielle. Nul besoin de la télévision pour se distraire. Nul besoin d'alcool pour passer un bon moment.

— Qui a parlé d'alcool ?

— Vous nous posez des questions, Dan. Nous n'avons *nul besoin* de toutes ces choses. Nous avons tout ce qu'il nous faut. (Il plaqua ses mains contre sa poitrine.) C'est là, juste dans nos cœurs. Ouvrez votre cœur et toutes les réponses à vos questions s'imposeront à vous. (Son visage resplendissait d'un sourire chaleureux.) Vous savez, Dan, des événements de grande importance se préparent, nous devons tous nous tenir prêts.

Le prochain événement de grande importance qui figurait sur mon agenda était le match de boxe poids lourd entre Tyson et Lewis. Ils ignoraient que mon antenne parabolique était actuellement inutilisable, mais en plus ils voulaient m'ôter la possibilité de suivre les instants les plus marquants du match sur les chaînes nationales.

Je tentai de faire bonne figure par l'esquisse d'un sourire, mais il ne vint pas. Je voulus argumenter mais ma voix rageuse n'émit au final qu'une plainte misérable :

— Mais la télé, quand même, c'est pas…

— C'est dangereux, Dan, c'est un poison. Nous n'en voulons pas.

— D'accord, mon Père. Vous savez que je respecte les croyances de chacun ici, j'en comprends les raisons… loin de moi l'idée de perturber qui que ce soit… mais on pourrait… eh bien, discuter du problème, non ? Élargir un peu le débat ? Je veux dire… si on y réfléchit bien, mon Père… même *les chaussures* peuvent se révéler dangereuses — mises entre de mauvaises mains. Ou plutôt de mauvais pieds dans le cas présent. Voyez-vous, un méchant coup de pied avec une paire de Doc Martens peut tuer, mais bannit-on les chaussures pour autant ? Vous suivez mon raisonnement ?

— Oui, Dan, je le suis, mais vous n'avez pas compris une chose : nous ne sommes pas en situation de *débat*. La loi *a été* votée et c'est *la loi*. Nous vous aimons, Dan, votre acte de courage a été essentiel, mais la loi restant la loi, elle s'applique à tout le monde. Cela peut vous paraître dictatorial, mais elle a été votée par chacun sur cette île, elle s'appuie donc, en quelque sorte, sur un principe démocratique.

Non, sans blague. Par conséquent, chacun se fait baiser de manière égalitaire. Mon haussement d'épaules ne fut pas des plus convaincants, mais il eut au moins le mérite d'exister.

— Bien, si vous le prenez comme ça, qui suis-je pour vous en dissuader ? Après tout, Dieu est avec vous.

— Oui, Dieu est de notre côté, renchérit Flynn.

Soudain, le père White frappa du poing sur la table.

— Puis-je suggérer que M. Starkey ramène en ville son antenne parabolique et son poste de télévision dès que possible ? Cela éloignera de lui toute tentation. L'agent Murtagh veillera sur ce matériel jusqu'à votre départ de Wrathlin. Pas d'objection ?

J'ouvris la bouche avec l'intention de rappeler que la bonne foi constituait un des principes chrétiens, quoique, mais la brutale déferlante des voix « pour » m'en empêcha. La proposition du père White venait d'être votée. Je me recroquevillai sur ma chaise.

25

De mes nombreuses années passées à chroniquer des réunions de conseil municipal, j'ai retenu que tout et n'importe quoi peut surgir sous la rubrique «Questions diverses». Ça s'inscrit souvent de manière trompeuse à la fin d'un ordre du jour, comme un sujet auquel on aurait pensé après coup. Or, invariablement, on assiste à la partie la plus longue et la plus passionnée de la réunion, d'autant que des problèmes essentiels comme l'ouverture des magasins le dimanche ou la quantité de merdes de chiens tolérée sur la voie publique y sont abordés. Celle-ci n'échappait pas à la règle — on serait tenté d'ajouter, si vous me permettez, «grâce au Ciel» — sauf qu'elle traitait de sujets moins banals, comme la tentative d'assassinat du Messie, le châtiment divin et la mise en croix.

N'empêche que ça restait chiant à en mourir. Je pouvais survivre à une tentative de meurtre, mais comment tenir le coup sans alcool *et* sans TV? Et que dirait Patricia? Moi, j'avais au moins la possibilité d'écrire mon roman. Qu'allait-elle faire de ses journées hormis s'occuper de Little Stevie? De la couture?

Oui, c'est ça, coudre mes pieds ensemble, puis me trancher la tête à la hache.

Je m'efforçais de résoudre ce problème démentiel lorsque la discussion prit un tour beaucoup plus grandiloquent. Flynn opéra un tour de table pour demander s'il y avait d'autres sujets. Le père White se leva alors et braqua son regard sur lui avec gravité.

Jusqu'à cet instant, je n'avais pas pris la peine de m'interroger sur la présence de *deux* prêtres sur une île aussi minuscule. Des questions plus importantes m'avaient assailli. Quoique White fût bien plus vieux que Flynn, il était tout sauf gâteux. Il s'affirmait comme un homme de pouvoir — ce que n'était pas Flynn — mais compensait en affichant un certain charisme patent. Flynn paraissait le plus âgé des deux dès qu'il s'agissait de la bonne marche de la paroisse et, a fortiori, de l'île. Malgré un objectif commun, j'étais certain que leurs méthodes relevaient de deux approches différentes. White appartenait à la vieille école alors que Flynn vivait dans son temps. White devait encore défendre la méthode Ogino quand Flynn jouait volontiers de la guitare autour d'un feu de camp.

Au début, j'avais imaginé que le père White pouvait être le prêtre dont le primat m'avait parlé, celui qu'il avait dépêché sur l'île pour enquêter sur le Messie et qui avait été converti. Quelque chose m'empêchait d'y croire vraiment.

White attendait que le silence total se fasse. Flynn parut contrarié de son intervention mais l'invita à s'exprimer d'un « oui ? » un peu sec.

— Père Flynn, j'aborderai une question insignifiante : la tentative de meurtre contre Christine !

— Je pensais que le problème était résolu, dit-il à l'adresse de l'agent Murtagh, elle est toujours détenue dans cette pièce, au premier étage du poste de police, n'est-ce pas ?

— Oui, mon Père, on attend que ce satané brouillard se dissipe et on la ramènera sur le continent, elle et le gardien des oiseaux.

— Son cas a été traité dans les règles, il est inattaquable, n'est-ce pas ?

Murtagh se gratta le menton.

— Cette affaire n'est pas aussi carrée. Légalement, Mary aurait déjà dû recevoir la visite d'un avocat. Comme nous n'en avons pas sur l'île, et que la radio a été détruite, il nous a été impossible d'en solliciter un sur le continent. Cela pourrait avoir des implications fâcheuses par la suite.

Je me tournai vers mon voisin et lui murmurai :

— Il n'y a donc *aucun* téléphone sur Wrathlin ?

— On a voté une loi, souffla-t-il.

— Ça paraît logique…

Le père White frappa sur la table une nouvelle fois. Flynn se tourna vers lui avec froideur.

— Oui, mon Père ?

— Je réfléchissais : voulons-nous vraiment voir cette affaire jugée devant un tribunal ?

— Cette femme représente un danger pour Christine, je crois que le mieux est de…

— Mais nous ne souhaitons pas ce procès, n'est-ce pas ? Personne ne sait ce qui peut en sortir. Je veux dire, vis-à-vis de Christine. Nous ne voulons pas de ça, pas encore, n'est-ce pas ?

Il adorait répéter « n'est-ce pas ? ». Il me regardait droit dans les yeux et je soutins son regard jusqu'à ce qu'il arrête.

— Que suggérez-vous, mon Père ? soupira Flynn.

— Que nous décidions d'une alternative.

— Bien… Est-ce que quelqu'un a une idée ?

Un malaise parcourut l'assistance car il semblait évident, du moins à moi, que le père White y avait déjà réfléchi. Il attendait simplement de voir venir.

À ma gauche, un bruit de chaise ; Carl Christie bouscula son siège et se mit debout.

— Mon Père, il y a deux minutes, vous avez parlé de quelque chose d'hermétique.

— D'inattaquable.

— Eh bien, j'ai chez moi un truc hermétique dans lequel on pourrait l'enfermer, et ensuite la balancer à la mer.

Un long silence s'ensuivit alors que tous les regards convergeaient vers Carl. Puis un fou rire s'empara de tout un chacun et se propagea lentement autour de la table pour cesser à hauteur du père White.

— Merci, Carl, pour cette contribution.

Jack McGettigan, le vieux patron du pub qui avait aidé, plus que tout autre, à rendre invivable ma vie sur Wrathlin, se leva à son tour en prenant appui sur la table.

— Mon Père, je ne crois pas nécessaire de s'embêter avec un procès. Chassons-la juste de notre île. On la colle dans le prochain bateau… En fait, elle n'a pas vraiment blessé Christine… Est-ce que d'ailleurs M. Starkey a l'intention de porter plainte ?

Je fis non de la tête, je n'y avais même pas songé.

Flynn se tourna vers l'agent Murtagh.

— Alors Bob ? Légalement…

— Si elle vivait dans une maison de la commune, nous pourrions l'expulser sans problème, et sa mère pourrait peut-être la reprendre chez elle. Mais, d'après mes sources, elle possède une petite masure à son nom. La présenter au tribunal me semble la meilleure solution. Je ne peux pas la maintenir enfermée éternellement dans cette chambre.

— Je crois que nous oublions une solution évidente, intervint le père White.

— La crucifixion, marmonnai-je dans ma barbe, malheureusement pas suffisamment bas pour m'épargner un coup d'œil agacé de la part de Flynn. Il soupira et reporta son attention sur le père White en suggérant :

— Quelle serait cette solution, mon Père ?

— Interroger Christine pour avoir son avis.

Je m'étranglai de rire, impossible de me réfréner. Je leur fis mon petit numéro ; j'attrapai un mouchoir dans ma poche et m'y mouchai bruyamment. À moitié caché derrière le papier blanc, je vérifiai si d'autres m'avaient suivi, mais j'étais le seul à me marrer. Aucun d'eux ne s'agitait sur sa chaise comme un dément. Le simple fait qu'ils soient disposés à en discuter prouvait bien que tous ces types étaient barrés dans leur délire.

— Cette démarche fait sens, déclara le père White.

— Elle est trop jeune, répliqua le père Flynn.

— Elle est le Messie.

— C'est une enfant.

— Cette enfant reste le Messie.

— C'est une enfant qui s'exprime comme une enfant, mon Père.

— Cette enfant reste le Messie.

— Je comprends votre point de vue, argumenta Flynn, le souffle court, les joues rouges. (Il promena un regard circulaire autour de la table pour y récolter quelques signes d'encouragement, mais en vain.) Si Christine se prononçait pour un châtiment ridicule, sorti d'on ne sait où..., par exemple... « cette femme devra faire la vaisselle du foyer municipal pendant un an », alors vous appliqueriez la sentence ?

— Nous l'appliquerions.

Flynn me jeta un coup d'œil furtif avant de revenir sur White.

— Et si, par un détour de son imagination, elle prononçait le mot de « crucifixion », qu'est-ce que... on ne va tout de même pas *crucifier* cette pauvre femme ?

— Cette femme n'est pas une *pauvre femme*. Elle a voulu *assassiner* Christine. Si Christine demande la crucifixion, qui sommes-nous pour nous opposer à elle ?

— Mon Père, on frise le ridicule. Nous vivons la Seconde Venue du Messie, cela signifie une nouvelle ère, emplie d'amour, pas cette...

— Vous ne pouvez pas dire ça ! Nous ne savons pas de quoi il retourne. *Vous*, mon Père, nous avez amené Christine ici. *Nous vous avons cru.* Et nous devrions maintenant ne choisir que les bons côtés ! Frank, si cette fois-ci Dieu se venge, nous devrons nous soumettre. Cela s'est déjà produit.

— Alors... mais... (Flynn s'énervait, n'arrivait plus à trouver le bon argument.) Donc... vous seriez prêt... à donner du crédit à la colère d'une enfant en affirmant qu'il s'agit de la parole de Dieu ?

— Christine a-t-elle déjà piqué une grosse colère ?

— Non, je voudrais juste…

— Elle est la fille de Dieu. Auriez-vous l'audace de lui refuser le droit de prononcer un jugement ?

Flynn laissa errer son regard tout autour de la table ; il ne rencontra que des visages fermés — il évita le mien.

— Non, bien sûr que non. Mon Père, vous tous, je connais Christine mieux que quiconque. Je sais ses façons de réagir. C'est une enfant pure, gentille, sans détour. Nous ne devrions pas lui demander pareille chose. Je vous en prie, la décision incombe à l'agent Murtagh, laissons-le trancher. Je propose que…

Le père White frappa du poing sur la table.

— Et moi je propose que nous laissions Christine décider ! Nous allons voter pour ou contre, et nous allons le faire tout de suite.

Flynn se pencha en avant pour répondre, puis renonça. Il soupira :

— Très bien. Mettons cela au vote… J'ai confiance en votre bon sens. Tous ceux qui sont en faveur de laisser Christine décider, levez la main.

Le père White brandit sa main. Les autres furent plus lents à le suivre, chacun surveillant l'attitude du voisin. Un chauve assis en face de moi, et dont j'avais oublié le nom, fut le premier à lever la main. Puis un autre, et encore un autre, et ainsi de suite. La plupart des hommes autour de la table avaient le bras levé. Quinze secondes plus tard, seuls le père Flynn, Carl Christie, Michael Savage, l'homme aux cheveux bouclés chargé de prendre des notes, et Jack McGettigan, l'ancien patron du pub, avaient refusé de lever le leur.

— Il y a donc une majorité de pour, annonça le père White, le visage épanoui.

— Le oui l'emporte, nota simplement le père Flynn.

— Qui va chercher Christine ? demanda White.

— Personne pour l'instant. J'en parlerai avant à Moira. Si elle n'est pas d'accord, ça ne sera pas possible.

— Mais nous avons voté…, protesta le père White.

— Christine n'est pas une marionnette que l'on apporte à chaque fois que vous le souhaitez. Elle ne nous *appartient* pas... Je vais informer Moira des résultats du vote, et nous verrons ensuite.

— Je devrais peut-être vous accompagner, mon Père, de manière à m'assurer que...

La main du père Flynn s'abattit si violemment sur la table et de manière si inattendue que la moitié de l'assistance sursauta.

— Qu'êtes-vous en train d'insinuer... ?

— Non, non, rien, bien entendu, laissa échapper White, lui-même surpris.

Sa précipitation à répondre lui avait fait perdre l'avantage. Il le comprit immédiatement. Flynn en tirait déjà tout le bénéfice ; il bondit sur ses pieds pour signifier clairement que la réunion était terminée. Juste avant de sortir, il annonça à la cantonade :

— Messieurs, nous reprendrons demain.

Je traînai un peu pour laisser sortir les membres du Conseil paroissial. À la fin, ne restaient plus que l'agent Murtagh et moi-même.

— En tant que représentant de la police d'Irlande du Nord, quelle est votre position sur le fait qu'un prévenu soit jugé par un Messie âgé de quatre ans ?

— Apportez-moi votre antenne parabolique demain à la première heure, mon gars, sinon je vous ferai crucifier, compris ?

— Compris.

26

Une pluie battante frappait les vitres du cottage. Agenouillé près de l'accoudoir de la chaise, je regardais fixement par la fenêtre, scrutant la nuit au travers du crachin. Je me demandais comment j'avais réussi, une fois de plus, à me laisser embarquer dans une aventure avec des timbrés.

À Belfast, à New York, j'avais déjà eu affaire à des cinglés isolés, un humoriste shooté aux champignons hallucinogènes ou encore ce flic qui coupait les doigts de ses victimes au sécateur de jardin, mais ici je naviguais dans autre chose. Ici, ils étaient *tous* cinglés. Le Conseil n'était qu'une assemblée de tarés.

Patricia se rendait compte que j'étais perturbé. Elle papillonnait autour de moi. Little Stevie dormait.

— Je te prépare une tasse de thé, et après tu me feras le plaisir de m'affranchir un peu. (Je lui souris et me replongeai dans ma contemplation de la pluie). Et je n'ai emporté qu'une seule bouteille de vin, donc pas de secours à attendre de ce côté-là.

Patricia m'entoura de ses bras et j'inclinai ma tête tout contre elle. La chaleur de son corps m'apportait un peu de réconfort. Je la pris par la taille.

— Je me sens impuissante.

— Tout va bien, t'en fais pas.

Ma main descendit le long de ses reins jusqu'à caresser ses fesses. Ce qui eut pour effet immédiat de réveiller en moi des pensées interlopes. À mon regard, elle comprit comment je comptais évacuer mes angoisses.

Elle se redressa, étreignit mon épaule, les yeux soudain baissés. Timidement, même après toutes ces années, elle me confia dans un murmure :

— J'ai des petits soucis en ce moment, une inflammation mal placée, tu comprends...

J'enlevai ma main.

— Alors ne me fous pas ton joli petit cul sous le nez.

Elle me fila une tape amicale à l'arrière du crâne en riant.

— On va s'en tenir à une tasse de thé. J'y vais.

Je continuai à fixer l'obscurité. Il aurait été si facile de boucler nos valises et de monter à bord du ferry ce matin. Oublier toute cette folie. J'avais assez de preuves à fournir au cardinal pour qu'il dépêche les troupes d'assaut ecclésiastiques. Je pensais mériter largement mon salaire, et même de quoi rallonger la sauce si je comptais l'accident de vélo. Je n'avais même pas pensé à demander si j'étais couvert par une quelconque assurance, ou si Patricia toucherait de l'argent en cas de malheur. Imaginons qu'un nuage de sauterelles se prenne soudain d'affection pour moi, ou qu'on me crève les yeux. Il me fallait une assurance au tiers, incendie et peste noire.

Je la suivis dans la cuisine. J'attrapai une canette de Pepsi light dans le frigo et m'assis.

— Au train où vont les choses, ils vont finir par l'interdire, et là, on aura vraiment touché le fond.

— Mais non, Dan.

— Il faut qu'on rentre à la maison, tous ces gens sont givrés.

— Dan, tu sais très bien que tu ne rentreras pas avant d'avoir mené les choses à leur terme.

— Jésus avait trente-trois ans quand ils se sont ligués pour le crucifier. Tu veux qu'on attende jusque-là ?

— Et qu'est-ce que Jésus a à voir là-dedans ?

Elle avait raison.

— Un point pour toi.

— En outre, les filles grandissent plus vite que les garçons.

— Ne te serais-tu pas laissé entraîner dans toutes leurs histoires ?

— Pas plus que toi, mon lapin !

Sa soirée avait été plus marrante que la mienne. Les femmes de Wrathlin formaient un groupe de braves filles. Leur manque de sophistication était compensé par un certain charme un peu vieux jeu et une chaleur humaine contagieuse. Leur petite réunion revenait plutôt à papoter gentiment entre elles, avec Patricia qui concentrait l'attention générale. Bien entendu, je l'avais briefée à mort, mais le temps qu'elle se mette à raconter sa vie, la soirée tirait déjà sur sa fin et elle eut vraiment de la peine à orienter la conversation sur le sujet. Elle se demandait comment introduire la question du Messie et avait espéré que ça viendrait naturellement sur le tapis. Mais personne n'avait abordé le sujet de toute la soirée. Elle avait fini par se jeter à l'eau et tapoté le genou de sa voisine en murmurant : « Et Christine dans tout ça ? Qu'est-ce qu'on sait sur elle ? »

La femme lui avait répondu, tout sourire : « N'est-ce pas merveilleux ? Notre petite Christine ! C'est une star ! » Et la conversation s'était arrêtée là.

Patricia se servit du thé. Je réfléchissais tout en donnant des petits coups d'ongle contre la canette.

— Christine est comme une célébrité locale, comme si elle avait remporté un trophée à une compétition entre gosses ou à une kermesse. Elles sont sincèrement fières d'elle.

— Une bande de timbrées, oui.

— Chéri, elles ont plutôt raison de prendre les choses de la sorte.

— Ouais. Bois ton thé.

— Mais...

— Trish, si tu avais vu les miens...

217

— Eh bien, s'ils acceptaient les femmes à ce Conseil, peut-être l'endroit serait-il plus vivable.

— Je ne peux pas imaginer que Wrathlin soit un jour « vivable ». À moins qu'ils ne décident de rouvrir le pub.

— Tu sais bien ce que je veux dire.

— Je ne mords pas à l'hameçon, ma chère Trish.

— Quel hameçon ?

— Tu sais bien ce que je veux dire.

— Je n'ai pas la moindre idée de ce que tu sous-entends.

— Tu le sais très bien, toute cette propagande féministe.

— Propagande féministe ?

— Oui, ce discours sur comment serait le monde dirigé par des femmes et...

— Je n'ai jamais rien dit de tel !

— Si, tu y venais...

— Mais je...

— Finis ton thé, ma chérie, et va laver la vaisselle.

Je m'éclipsai vers l'autre pièce dans un ricanement.

— Espèce de salaud ! hurla-t-elle.

Pourtant je l'entendis rire en douce.

Mon projet premier avait été d'écrire une épopée historique irlandaise. Cela avait déjà été fait, jamais réussi selon moi. Aucun de ces livres ne maniait l'humour, et l'histoire de ce pays fournit mille occasions d'engendrer l'hilarité. Quelques idées me trottaient dans la tête, et je n'avais jamais eu le temps de les coucher sur le papier. Or, à présent que je l'avais, mes idées étaient confuses à cause de cette affaire de Messie.

Patricia partit se coucher. Je m'assis dans un coin de la pièce-débarras qui me servait de bureau de fortune. Je restai dix minutes, les yeux dans le vague, à respirer la bonne odeur d'un stylo feutre noir. Au bout d'un moment, ma bonne humeur revint et je pris place devant ma table de travail. J'allumai l'ordinateur et commençai à écrire un rapport destiné au cardinal Tomas Daley. Je m'appliquai à le rédiger de manière synthétique et objective. Le mot « cinglé » ne surgit que deux fois. Une demi-heure plus tard j'avais terminé, et je devais songer maintenant à la façon de le lui faire parvenir. J'avais bien le modem et l'abonnement Internet, mais sans ligne téléphonique, impossible. Je pouvais le poster tout en sachant qu'il serait bien imprudent de le confier à d'autres mains. Non, il fallait que je prenne le ferry et que je lui téléphone, ou que je faxe mon rapport de Ballycastle. Pas mal ça ! Je pourrais même acheter un peu d'alcool une fois là-bas. Je commençai à calculer le nombre de canettes de Harp que je pourrais planquer dans la voiture (a) sans que personne sur le ferry ne le remarque ; (b) sans couler le ferry. À mon avis, le coffre pouvait en contenir deux cents. Et un cageot rempli de Pepsi light sur le siège passager ferait illusion auprès de ceux en charge des contrôles antialcool.

J'imprimai mon rapport et je le glissai, plié en deux, dans une enveloppe cachetée que je rangeai dans la poche intérieure de ma veste. J'évitai d'y inscrire un nom, celui du cardinal encore moins.

Je décapsulai une autre canette de Pepsi light et m'installai dans le salon à contempler de nouveau la pluie. Ce spectacle m'apaisait. Une sorte de massage du cerveau. Je commençai à repérer telle ou telle goutte de pluie coulant le long de la vitre. Les carreaux n'avaient visiblement pas été nettoyés depuis belle lurette, et la poussière et l'eau participaient à la création de diverses formes : une carte des États-Unis, un paon en train de faire la roue, le visage délabré d'une vieille femme.

Le visage délabré s'anima brutalement et un poing tambourina au carreau.

Je sursautai violemment et basculai à la renverse de l'accoudoir du canapé.

— Doux Jésus !

Sauf que le visage ressemblait plutôt à celui de la vilaine sorcière dans *Le Magicien d'Oz*.

J'étais le cul par terre, mon cœur battait à cent à l'heure. Le visage disparut et, l'instant d'après, on frappait à la porte.

Je respirai à fond et me levai avec prudence. Je prenais de la bouteille au fil des ans et mon régime recommandait d'éviter les chocs soudains.

Je me remis d'aplomb en prenant appui contre la porte du salon alors que la tête de Patricia surgissait à l'autre bout du couloir.

— Qui est-ce ?

— J'en sais foutrement rien, dis-je d'un ton sec.

— *Excuse-moi*, répondit-elle d'un ton sec.

Et elle retourna vite fait dans la chambre.

J'ouvris la porte.

La vieille femme au visage délabré cligna des yeux quand elle pénétra dans la maison. Son corps s'ébroua tel celui d'un labrador et le nuage de gouttelettes accapara toute mon attention.

— Entrez…

Elle était déjà dans le couloir.

— Désolée, mon garçon, je vous ai flanqué la frousse, pas vrai ? (Elle avait une voix de fumeuse.) J'ai jeté un œil avant de toquer pour vérifier qu'il y avait quelqu'un debout à cette heure. Il est tard.

— C'est exact.

— Je voulais vous parler.

— Allez-y. Dehors, ça a l'air épouvantable.

Derrière moi, au bout du couloir, Patricia sortit de nouveau sa tête.

— Qu'est-ce qu'elle veut ?

— Je n'en sais rien. (M'adressant à la vieille femme :) Qu'est-ce que vous…

Mais elle avait profité de ce moment d'inattention pour pénétrer dans le salon et s'asseoir au bord du canapé, une large tache humide s'étalant tout autour d'elle.

— Prenez place, je vous en prie.

Elle portait un anorak violet qui lui arrivait sous le genou et des bottes de caoutchouc pleines de boue. Son visage était cramoisi sous la capuche. Des gouttes d'eau dégoulinaient sur son front le long des sillons creusés par les rides. Ses mains grassouillettes et son visage me rappelaient vaguement quelqu'un.

— Vous êtes l'homme qui a sauvé la petite fille, affirma-t-elle en se penchant vers moi.

— Christine ?

— Oui.

— Que puis-je faire pour vous ?

— Je veux que vous fassiez la même chose. Je veux que vous sauviez une autre petite fille.

— Je ne suis pas certain de...

— Vous l'avez déjà fait, coupa-t-elle sèchement en arborant une mimique déplaisante de la lèvre supérieure, alors recommencez !

Il était inutile de s'énerver. Si j'avais bu, je lui aurais tiré les oreilles et l'aurais flanquée dehors. Avec un bon coup de pied au derrière en prime. Je n'ai jamais pensé que d'être vieux vous autorise à mal vous comporter. Ça ne vous autorise rien, sauf peut-être l'incontinence. Comme je n'avais pas picolé, je comptai mentalement jusqu'à dix et déclarai sur le ton le plus placide qui soit :

— Vous feriez mieux, madame, de m'expliquer de quoi il retourne, parce que je n'en ai pas la moindre idée.

Cette fois-ci, elle tordit sa lèvre inférieure dans une mimique de pur dégoût. Sa bouche faisait preuve d'une mobilité incroyable.

— Êtes-vous en train de m'écouter ? siffla-t-elle entre ses dents.

— Oui, je vous écoute.

— Vous avez sauvé la vie de cette petite fille.

— Oui, nous sommes d'accord sur ce point.

— Maintenant je veux que vous sauviez la mienne.

— Et quel est son problème ?

— Ils veulent la tuer.

— Qui ça « ils » ?

— Eux. Le Conseil.

221

— Et pourquoi voudraient-ils la tuer ?

— Pour ce qu'elle a fait. Avec sa bicyclette.

Ah.

Cela fit tilt dans mon cerveau. Mary Reilly. La mère de Mary Reilly.

— Ils vont s'en prendre à elle, lui faire des choses horribles. Elle ne voulait pas lui causer de tort, c'est juste qu'elle n'a pas toute sa tête… Allez-vous lui venir en aide ?

— Ils ne vont pas s'en prendre à elle, ni lui faire de choses *horribles*… Je pense… *Ils* croient qu'elle a besoin d'aide. Elle n'est pas en pleine possession de… (Je cherchai des yeux Patricia, elle sait parler aux vieilles personnes, je l'ai vue à l'œuvre. Moi, je ne les supporte pas, je n'ai aucune patience, je n'en ai jamais eu.) Ne vous bilez pas, tout ira bien pour elle.

— Mais vous ne comprenez pas ! Ils vont la tuer ! Ils arrivent toujours à leurs fins ! (Elle s'agitait sur place avec une vivacité que démentait son grand âge.) Je veux simplement que vous m'aidiez ! Aidez-moi à sauver ma petite fille ! Ils vont la tuer !

Incapable d'admettre que sa petite fille ne serait pour rien au monde jamais plus considérée comme une petite fille, elle éprouvait toutefois un réel chagrin. Sa voix éraillée trahissait son émotion. Des larmes coulèrent le long de ses joues, se mêlant aux gouttes d'eau.

— Je vous prépare une tasse de thé, proposa Patricia depuis la porte du salon.

Elle se calma peu à peu. Je me tenais dans la cuisine, les bras croisés. Patricia la consolait. Elle savait vraiment s'y prendre. Elle lui resservit une tasse de thé et murmura « la pauvre ». Quand j'en eus marre de loucher sur les placards, je me déplaçai vers le seuil de la pièce pour mieux les observer. Mais j'entendais à peine leurs propos.

Son visage me rappelait quelqu'un d'autre, outre sa fille. *Eurêka !* Il s'agissait de Marilyn Monroe.

Des années auparavant, dans une biographie trash consacrée à l'actrice, j'étais tombé sur une photo interdite. Elle avait été prise à la morgue ; Marilyn reposait sur une plaque de marbre, les cheveux mouillés, la peau du visage affaissée. Plus rien à voir avec un sex symbol. Cette photo n'avait cessé de me hanter. Et cette femme en anorak m'y faisait penser, comme si, par le passé, elle avait été superbe. Comme si, un certain jour, elle était restée à écouter la radio, à se coiffer, à se pavaner devant un miroir, à rêver d'une vie loin de l'île, en se promettant un nouveau départ. Comme si, le lendemain de ce jour-là, elle s'était réveillée vieille ; son combat pendant vingt ans pour rester belle s'était arrêté par une nuit calme. Comme si tout était allé de mal en pis.

Parfois je peux débiter de sacrées conneries.

Patricia me parlait.

— Oui ?

— Elle veut que tu ailles les raisonner. Elle pense qu'ils te respectent. Exige d'eux qu'ils ne fassent pas de mal à sa petite fille.

— Ils ne m'écouteront pas. Et ils ne lui feront aucun mal. Le père Flynn y veillera et...

— Ils ont déjà pris leur décision ! Tout le village est au courant ! cria Mme Reilly.

— Vous plaisantez ?

— Non ! Je vous en conjure. Essayez au moins. Personne à part vous ne lui viendra en aide.

— Et vous... ?

— Ils ne m'écouteront pas ! Ils me haïssent autant qu'elle.

— Mais pourquoi ?

— Parce que nous ne croyons pas à toutes leurs conneries.

Je toussotai. Il est rare d'entendre des vieux déclamer des gros mots.

— Dan, tu devrais peut-être y aller.

— Pour parvenir à quoi ?

— Leur mettre des bâtons dans les roues, Dan, ça tu sais faire, non ?

— Merci, c'est sympa.

— Le ferez-vous pour moi, fiston ?

Elle m'avait agrippé la main et j'étais surpris par la douceur de sa peau, inattendue chez une gorgone.

Je soupirai.

Mary Reilly était médium, potentiellement meurtrière. Partout ailleurs, je n'aurais pas plaidé en sa faveur, mais les tenants et les aboutissants de la situation ne m'échappaient pas, même pour un vieux cynique comme moi. Chacun a droit à un procès équitable, Messie ou pas Messie. Laisser une enfant de quatre ans décider du verdict ne collait pas avec l'idée que je me faisais d'un procès équitable.

Patricia étreignit mon épaule pour la première fois.

Mme Reilly mère se balançait d'avant en arrière, l'anorak toujours dégoulinant de flotte, les yeux implorants.

Il restait une question essentielle à régler avant de proposer mes services.

— Madame Reilly, par hasard, vous ne sauriez pas où je pourrais me procurer un peu d'alcool sur cette île ?

27

Mes soupçons sur Mme Reilly se confirmèrent par la diligence avec laquelle elle accepta. Ses bajoues bouffies témoignaient d'une accoutumance certaine à la Guinness. Elle n'était pas en mesure de m'en apporter sur-le-champ, me confia-t-elle, mais elle s'engageait à m'en fournir. Pour ma part, je promis de faire mon possible pour aider sa fille. Au moment où elle se préparait à nouveau à affronter l'orage, elle m'adressa un sourire timide suggérant qu'elle n'était pas fâchée de la transaction. Patricia, au contraire, l'était. Elle m'accusa d'avoir été pathétique de marchander sur le dos de cette pauvre Mary Reilly. Après mûre réflexion, je lui rétorquai de la boucler sur ce chapitre. Bien que déclarée sur le ton de la plaisanterie, elle prit ma remarque au premier degré et me balança une patate.

Plus tard, allongés dans le lit, je tentai de m'autojustifier, mais mes explications ne résistèrent pas à son analyse. Nous passâmes une longue nuit à nous tourner le dos, chacun collés le plus près possible au bord du lit, en évitant de glisser sur le côté.

Au petit matin, la pluie avait cessé. Le brouillard s'était dissipé. Le ferry nous attendait. Cependant je devais intercéder en faveur de ma baleine tueuse. Je l'avais surnommée Orca. Je me levai tôt, effectuai quelques pompes puis me préparai pour mon voyage en ville. Je criai à Patricia depuis la salle de bains :

— Pourquoi ne m'as-tu pas dit que j'avais de l'encre noire sur le nez ?

— Je croyais que tu l'avais vue.

— Sympa.

Douché et rasé, je retournai m'habiller dans la chambre. J'enfilai un jean noir, un pull-over noir, ma vieille veste en jean et une paire d'Oxford noires. Patricia avait l'air d'approuver ma tenue. J'avais insidieusement regagné son affection quand je lui avais apporté une tasse de thé au lit, ce qui n'était pas non plus un exploit. Little Stevie gazouillait. Je lui préparai son biberon ; il n'y a rien de mieux que téter dès le matin pour récupérer de bonnes petites joues rouges.

En vertu de la loi édictée par le Conseil, j'aurais dû charger dans mon coffre antenne parabolique et télévision, puis les déposer chez l'agent Murtagh. Patricia s'y opposa fermement et ça m'allait bien. Même avec Little Stevie en bonne santé, elle était flippée de rester seule dans le cottage, sans moyen de communication avec le monde extérieur. Et si l'état du bébé s'aggravait ? Aussi insista-t-elle pour garder la voiture. En cas de besoin, à part un hérisson bien peu fiable et plein de puces, elle ne pouvait compter que sur elle-même. Aurions-nous eu ce bon vieux Lassie chien fidèle, il aurait galopé jusqu'au village et aboyé quelques signaux de détresse au docteur Finlay. Pas comme notre hérisson à qui il aurait fallu des jours et des jours pour rejoindre la civilisation.

Prêt à m'y rendre à pied, j'endossai un instant la posture du martyr avant d'embrasser la mère et l'enfant.

— Bonne chance, et pas de bêtises, Dan.

— Tu me connais.

La promenade n'était pas désagréable, l'air était humide, mais pas glacial. Je me sentais presque revigoré en arrivant aux abords du village. Voilà une expérience à utiliser dans un roman. Ma montre indiquait sept heures trente ! Bon sang ! La dernière fois que je m'étais retrouvé dehors à une heure pareille, je sortais d'un pub pour rentrer chez moi en titubant.

En longeant le port, j'aperçus Charlie McManus se pencher à la rambarde du *Fitzpatrick*. Comme il semblait regarder dans ma direction, je lui fis donc un signe de la main. Il ne me répondit pas. Au moment où j'arrivais à hauteur du croisement, au pied de la colline, je levai les yeux vers l'église qui trônait, sombre et froide. Je poursuivis mon chemin tout droit, vers le domicile de l'agent Murtagh. Sa maison se dressait au milieu d'une rangée de quatre autres maisons identiques aux murs blancs, et la sienne se distinguait seulement par les barreaux à la fenêtre du premier étage. La seule chose notable sur la centaine de mètres qui me séparait du poste de police était la présence de deux hommes qui traînaient devant, fusil à l'épaule.

Alors que je m'approchais, ils se mirent délibérément en travers de ma route.

— Salut, qu'est-ce qui se passe ?

D'un signe de tête, je désignai leurs armes.

L'un d'eux, pas très grand, habillé d'une veste Barbour, le crâne dégarni, fit glisser son fusil avec désinvolture et me le pointa sur le ventre.

— À vous de nous le dire.

L'autre, même gabarit, mais avec plus de cheveux sur le caillou et revêtu d'un vieux duffel-coat, renchérit :

— Où tu crois que tu vas ?

— Je dois rendre visite à l'agent Murtagh.

— C'est pour quoi ?

— Mon antenne parabolique. Elle a été confisquée.

Le type à moitié chauve s'approcha. Son fusil s'avança de concert, dans mon estomac. Il me dévisagea avec un air nonchalant et je sentis sur moi son haleine fétide.

— T'es ce mec, là, l'écrivain, non ?

— Oui.

— Tu sais, celui qui a sauvé la vie de Christine, dit-il à son acolyte. (Il écarta son fusil.) Désolé. Nous vous sommes très reconnaissants.

227

L'autre type me tendit la main en me souriant. Sa main était froide et humide.

— Bien joué!

— Vous avez l'air d'être restés ici toute la nuit.

— Eh oui, avoua Duffel-Coat. La nuit la plus arrosée depuis des années, elle a été pour nous. Tu parles d'un pied!

— Alors, qu'est-ce qui se passe? Pourquoi ces fusils? On dirait un groupe d'autodéfense.

Le gars à moitié chauve eut un petit sourire.

— C'est pas ça, en fait. Le père White nous a ordonné de surveiller la maison du flic, au cas où cette sorcière voudrait mettre les bouts.

— Vous ne faites donc pas confiance à l'agent Murtagh?

— Bien sûr que si, mais on ne sait jamais. Elle est possédée, vous savez.

— Vous avez bien raison. (Je fis un pas en avant.) Je ferais mieux d'y aller et régler mon problème. Je suis sûr que c'est la dernière chose qu'il ait envie d'entendre avec le procès et tout ça, mais la loi est la loi, pas vrai?

— Ça c'est vrai, ça.

Ils me laissèrent passer.

— Encore bravo, lança Duffel-Coat, et méfie-toi d'elle, c'est une vraie diablesse, cette salope.

Je leur adressai un petit au revoir de la main.

Je frappai chez l'agent Murtagh qui répondit au bout du troisième coup. Son visage rougeaud émergea dans l'entrebâillement de la porte, retenue sur une quinzaine de centimètres par la chaînette.

— Putain, qu'est-ce qui vous amène?

— Je constate que vous avez été sauvé, vous aussi.

Un revolver à la main, ses cheveux gris tout ébouriffés, Murtagh avait revêtu son uniforme vert mais pas ses chaussures. Il me fit l'effet d'un homme qui avait passé la majeure partie de la nuit debout.

— Écoutez, monsieur je-sais-tout, j'suis occupé. Vous voulez quoi au juste?

228

— Je suis venu discuter avec Mary Reilly, si c'est possible. Sa maman m'a demandé de la défendre au procès.

Murtagh me détailla de la tête aux pieds.

— Je croyais que vous étiez le témoin à charge.

— C'est exact.

— Alors ?

— Je pense toutefois qu'il serait plus équitable de la juger sur le continent.

— Je vois... (Il détacha la chaînette.) Entrez.

Alors que je pénétrais chez lui, il jeta un regard plein de dédain aux deux sentinelles.

Je longeai un couloir sombre menant à une pièce obscure convertie en bureau. Une table, deux chaises et un petit meuble avec des dossiers. Des posters traitant de la prévention de la rage, de la drogue et du terrorisme décoraient les murs à côté d'un large crucifix.

— Levez les mains, ordonna-t-il derrière moi. (Je voulus me retourner, mais il m'en empêcha.) Restez comme vous êtes.

Il s'agenouilla pour tâter ma jambe, remonta jusqu'à la taille, me palpa le torse, le dos, mes deux bras, puis mon autre jambe. Il vérifia le contenu de mes poches : trente-huit pence et un récépissé de pari du bookmaker de Belfast, Barney Eastwood.

— Rien à signaler, conclut-il avant de s'asseoir derrière son bureau. Je suis désolé de vous avoir imposé cela, mais on n'est jamais trop prudent. J'ai connu une époque où on pouvait redouter que quelqu'un se présente à vous avec un couteau de pêche ou un grand bâton. Au jour d'aujourd'hui, vous tournez le dos cinq secondes et un salaud vous explose la tête à coups d'Évangile selon saint Luc. Prenez place.

Il déposa son arme dans un tiroir à sa gauche, tiroir qu'il laissa ouvert. Il faisait des efforts pour ne pas paraître nerveux, mais il l'était.

— Pas évident de vivre avec les gens d'ici, dis-je, tandis que j'attrapais une chaise.

— Ça devient impossible, et ça empire. Vous avez vu les deux zozos dehors ? On dirait Bleep, flanqué de son putain de Booster[1] !

— Ils ont l'air de penser que Mary pourrait s'échapper.

— Oh, il n'y a aucun danger, ne vous faites pas de souci. Mon souci à moi est de la conduire à l'église sans que ces gus ne la pendent.

— Donc vous êtes partant pour ce procès.

Il m'observa un instant avant de répondre.

— Bien entendu.

— Très bien !

— Vous vous dites, si le mouvement McCooey le gonfle tellement, pourquoi est-il d'accord avec le procès ? Eh bien, posons les choses d'une certaine façon : je suis croyant.

— Y a pas deux minutes, vous étiez en train de jurer.

— C'est vrai, j'ai prononcé « putain » deux fois.

— Vous reconnaissez que le ton se durcit parmi tous ces gens.

— C'est de pire en pire.

— Alors… ?

— Il y a croyants et croyants. Je suis croyant. Peut-être pas de la même façon que les autres. Je crois en Christine. Vraiment. Je ne suis pas toujours à la hauteur, parfois il m'arrive de dire « putain », parfois je convoite les poules de mon voisin. Je crois en elle, quoique je n'imagine pas qu'elle soit déjà en mesure de juger qui que ce soit.

— Vous êtes pour le McCooey, mais pas à fond.

— Si vous voulez.

— La branche provisoire du McCooey[2], en quelque sorte ?

— On peut présenter les choses comme ça, oui.

— Alors, que comptez-vous faire ?

1. Dessin animé des années soixante où Bleep est un extraterrestre qui vit des aventures interstellaires avec son copain Booster, un humain. Il était programmé dans l'émission *Blue Peter*.
2. Jeu de mots sur le nom de l'IRA provisoire (The Provisional IRA).

— L'amener devant ce tribunal. Il n'y a aucune alternative. Je n'ai pas les moyens de lui faire quitter l'île.

— Le ferry pourrait être un moyen.

— Charlie McManus a mis le ferry hors d'état de marche. Il n'y a plus *aucun* moyen de s'en aller.

— Il a le droit ?

— C'est son ferry.

— Genre c'est ma baballe, et personne ne jouera avec.

— Quelque chose comme ça. Il a prétendu que son ferry devait être réparé, mais à mon avis, l'ordre est venu d'ailleurs.

— Père White.

Murtagh esquissa un sourire fugitif.

— Eh bien, ce n'est pas à moi de le dire. Quelles que soient ses raisons, il a le droit, c'est son bateau. Et comme je ne suis plus en mesure d'appeler des renforts... Vous savez qu'on a bousillé ma radio. Ils sont venus en mon absence. C'était stupide de ma part, moi, un flic, je suis sorti sans fermer à clé.

— Vous pourriez réquisitionner le ferry.

— Oui. Et couler.

— Je vois. La police du continent ne va-t-elle pas s'inquiéter ? Sans nouvelle de vous ?

— Pas le moins du monde. Parfois il se passe des mois sans qu'ils entendent parler de moi. Cela ne les tracasse pas. Je gère tout le cirque ici et ils sont bien trop contents. Je veux dire... qui d'autre accepterait de s'en charger, sauf à être né ici et y avoir grandi ?

Nous nous regardâmes dans les yeux pendant quelques minutes. Cet homme me semblait être une version honnête de la brave pomme, mais une pomme avec un sacré stress. Il était obligé de se coltiner des situations qui dépassaient largement les attributions d'un simple flic basé sur une île insignifiante. On exigeait de lui d'être à la fois un moraliste, un philosophe, un juriste. Effroyable trinité.

— Il n'y a plus aucun moyen d'être en contact avec le monde extérieur ?

Lentement, il fit non de la tête.

— N'y a-t-il pas une radio à l'observatoire des oiseaux ?

J'avais sorti la phrase sans même y réfléchir. Dans ses yeux surgit un éclair de surprise, vite remplacé par un regard intense et calme.

— Et je peux savoir comment vous êtes au courant ?

— J'en ai entendu parler, répondis-je d'un ton désinvolte.

Il tendit le bras vers le tiroir resté ouvert. Au lieu d'en retirer son flingue, il en sortit un petit dictaphone noir et le déposa devant moi. Il ressemblait fortement à mon magnétophone.

En fait, *c'était* mon magnéto.

— J'ai ramassé ça sur la scène de crime.

— La scène de *crime* ?

Il hocha la tête tout doucement.

— Y aurait-il des faits, monsieur Starkey, que vous souhaiteriez me confier ?

Parfois, on entend son cœur battre dix fois plus fort que si on écoutait les Clash à fond. Je vivais un de ces moments. Je bredouillai :

— J'ai oublié l'antenne parabolique.

— *Putain*, j'en ai rien à foutre de votre antenne parabolique.

— D'accord.

Il ne me lâchait pas des yeux. Je devais prendre une décision. Il faisait partie du McCooey, quoique membre intermittent. Si c'était un bon flic, il avait écouté mon interview de Moira et vérifié auprès d'elle la date de l'enregistrement. Il savait alors qu'elle s'était déroulée le jour de la mort de Bill. Il savait par conséquent que j'étais dans les parages mais que je ne m'étais pas manifesté auprès des autorités. Y avait-il là matière à me soupçonner ? En outre, il ne m'avait pas convoqué pour un interrogatoire. C'était moi qui étais venu le voir. Sans doute connaissait-il des détails sur la mort de Bill qui lui permettaient de m'absoudre. À moins qu'il ne fût un peu lent. Ou paresseux. Où allais-je fuir? Wrathlin était une prison à ciel ouvert. Maintenant qu'il me tenait, il lui suffisait de m'arrêter, de me présenter au tribunal où Christine serait à la fois juge et jurés. Devais-je tout cracher? Me comporter comme un crétin?

Assis face à moi, Murtagh me paraissait l'être le plus équilibré parmi tous ceux rencontrés sur cette île. Il *jurait* comme un charretier. Il arborait une espèce de cynisme. Il représentait la loi et l'ordre, et pourtant il était piégé comme nous tous.

Je suis pas doué pour prendre des décisions. J'en prends parfois, ça m'arrive. Les doigts de Murtagh tapotaient le bureau.

— Si ça peut vous aider, je sais qu'on vous a pourchassé.

— Pardon?

— Racontez-moi ce qui est arrivé à l'observatoire.

— Je…

— La vérité. J'en connais une bonne partie déjà.

— Qui… ?

— Dan, racontez-moi tout ou je vous colle en cellule. (Il pointa le plafond.) Avec elle.

Je lui racontai tout.

Long silence.

— Voudriez-vous bien m'expliquer ce qui se trame? demandai-je.

— Trop de choses.

— Mais…

— Mais rien. Reprenez votre magnéto. Ce serait bien si vous pouviez dire quelques mots en faveur de Mary Reilly.

— Mais vous n'allez donc pas…

— Non.

— Vous croyez ce que je…

— Je vous crois. On s'arrête là. Ne me demandez plus rien. Dès que l'occasion se présentera, fuyez l'île. Voilà mon conseil, monsieur Starkey : emmenez votre femme et votre enfant loin d'ici.

— Savez-vous qui…

— Laissez tomber. (Il se redressa soudain et décrocha un jeu de clés d'un crochet fixé au mur.) Maintenant, si vous le souhaitez, je vous autorise à la rencontrer. Dépêchez-vous. Elle est menottée au lit, vous ne risquez rien si vous ne vous approchez pas trop d'elle.

— Elle est menottée en permanence ?

— Oui. Je sais que ce n'est pas conforme à la Convention internationale des droits de l'homme, mais je ne dispose que d'une seule cellule dont la serrure ne tromperait pas une enfant de quatre ans d'intelligence moyenne. Et avant que vous ne me posiez la question, *non*, elle ne se dégourdit pas les jambes pour la bonne et simple raison qu'il y a dehors des gens prêts à lui tordre le cou.

— Mais comment fait-elle pour…

— Pisser ? Elle dispose d'un pot de chambre. Ce n'est agréable ni pour elle ni pour moi. Mais c'est ainsi.

— Et dans quel état est-elle, sur le plan psychiatrique ?

— Elle ressemble au Groenland. Énorme et déserte. Au début, elle ne voulait parler à personne car elle était en état de choc. Chez le docteur Finlay, elle semblait avoir repris du poil de la bête. Ensuite, au moment où nous sommes sortis tous les deux, quelqu'un lui a lancé une brique et je crois qu'elle en a été étonnée. Dieu seul sait pourquoi. La brique ne l'a pas atteinte, elle est tombée sur mon *putain* de pied. Ah zut… ! Voilà que je recommence.

Il monta l'escalier le premier, déverrouilla la porte et me murmura :

— Des rumeurs ont filtré. Par conséquent, évitez de mentionner le mot « crucifixion » ; ça la fout dans tous ses états.

28

J'avais déjà eu l'occasion d'appréhender deux facettes de la personnalité de Mary Reilly. La première, une jeune femme aux joues roses, juchée sur son vélo, en train de lire la Bible, le visage épanoui. La seconde, une furie les joues en feu, fonçant à bicyclette sur une gamine innocente, apparemment dans l'intention de la tuer. J'avais à présent devant moi une troisième Mary Reilly : des yeux de biche, un visage blafard, la chevelure en désordre, une femme terrorisée.

Elle se redressa au moment où j'entrai, et je sentis sa peur à la manière dont elle se plaqua contre la tête de lit. Murtagh referma à clé derrière moi. Je m'adossai à la porte. À travers les solides barreaux de la fenêtre, on apercevait le port. La pièce aux murs gris ne contenait qu'un lit et un pot de chambre. Une bible était ouverte sur la couverture. Mary était menottée aux montants métalliques du lit par la main droite et son poignet irrité en témoignait.

— Ça doit vous faire mal à force. (Elle hocha la tête et massa sa peau rougie.) Vous souvenez-vous de moi ?

Elle opina du chef une deuxième fois. Elle ne paraissait pas avoir eu de séquelles physiques de notre collision.

— Votre mère m'a demandé de vous rendre visite.

Elle me répondit d'une voix haut perchée, timide, comme celle d'une petite fille.

— Maman ?

— Elle voulait savoir comment vous vous sentiez ? (Je m'approchai d'elle doucement et m'assis au bout du lit. Elle se recroquevilla davantage.) Tout va bien, Mary, je suis là pour vous aider. Avez-vous besoin que votre maman vous fasse porter quelque chose ?

— Pourquoi elle est pas venue elle-même ?

— Elle n'y est pas autorisée, Mary. Le Conseil ne le lui permettrait pas.

— Pourquoi ?

— Je n'en sais rien ; ils s'imaginent que vous êtes méchante.

— Je suis méchante.

— Vous en avez conscience ?

— Bien sûr, reconnut-elle avec tristesse. J'ai tenté de blesser une petite fille. Bien sûr que je suis méchante. Comment appeler ça autrement ?

— Pourquoi avez-vous fait cela, Mary ?

— On me l'a demandé.

— Qui vous l'a demandé ?

— L'homme.

— Quel homme ?

— L'homme.

— Quel homme, Mary ? Quel est son nom ?

— Il n'a pas de nom.

— À quoi il ressemble ?

— Je ne sais pas. C'est juste un homme.

— Où l'avez-vous rencontré ?

— Quelque part.

— Quelque part sur l'île ?

— Je ne me souviens pas.

Même si elles restaient pour le moins vagues, ses réponses nébuleuses ne me choquaient pas tant que ses yeux. Ils trahissaient, eux, un désarroi sincère.

— Mary, repris-je le plus doucement du monde, d'ici une à deux heures, à l'église, on va vous poser tout un tas de questions sur ce qui est arrivé. Il est important que vous me racontiez bien tout, de manière à ce que je puisse parler en votre nom. Vous me comprenez ?

— Ils me détestent, n'est-ce pas ?

— Mary, ce n'est pas…

— Ils vont me faire du mal, c'est ça ?

— Si vous me racontiez ce que…

— Il a dit qu'ils me feraient du mal.

— Qui vous a dit ça ?

— Le Père.

— Le père Flynn ?

— Non, l'autre. Il a dit qu'ils allaient me punir pour ce que j'avais fait. (Elle commença à respirer par saccades et des larmes coulèrent sur ses joues. Je lui tapotai l'épaule en signe de réconfort. Elle hurla :) Ils vont me faire du mal !

— Mais non…

— Je veux ma maman !

— Mary, mon petit, je ne peux pas…

Elle se jeta en avant et blottit son visage contre ma poitrine. Je relevai mes mains pour éviter de la toucher alors qu'elle s'appuyait contre moi. Dans de pareilles circonstances, je ne suis déjà pas très démonstratif, et la perspective d'enlacer une frappadingue de dix-huit ans bonne pour l'asile aurait dû normalement générer un effet repoussoir. Mais sa crise de larmes me touchait par son côté désespéré. Je l'entourai de mes bras et la consolai.

— Tout va bien.

— J'ai très peur.

— Je le sais.

— Il a dit que c'était l'œuvre du Diable et que je recevrais une punition réservée au Diable.

— Il voulait juste vous effrayer.

— Il a dit que…

— Mary... Mary... êtes-vous prête à leur expliquer que vous regrettez. (Elle hocha la tête.) Leur direz-vous que vous croyez en Christine ? Que vous avez compris que vous aviez mal agi, et que tout ce que vous souhaitez maintenant c'est prier et implorer le pardon ?

— Je leur dirai.

— Me le promettez-vous ?

— Je vous le promets.

— Bien. Je vais leur parler et essayer de régler le problème. Est-ce que ça ira ?

Elle hocha encore la tête, toujours blottie contre ma poitrine.

— Je ne veux pas me rendre là-bas, mumura-t-elle.

— Je m'en doute.

— Ne pourriez-vous pas y aller à ma place ?

— Je serai à vos côtés.

— Est-ce que maman sera là ?

— Oui.

— Est-ce qu'elle me tiendra la main ?

— Si vous êtes gentille et que vous racontez la vérité, elle vous tiendra la main à la fin, d'accord ?

J'enlevai mes bras. Elle se dégagea et prit son visage entre ses mains.

— J'ai honte de pleurer, je suis si bête parfois, dit-elle avec un petit gloussement.

— C'est normal.

— Je raconterai la vérité, je serai gentille. J'ignore ce qui s'est passé en moi, dit-elle tristement. J'ai si peur. (Elle se frotta un œil.) Je ne me souviens plus très bien. (Elle parlait maintenant d'une voix plus grave, plus adulte. Les mots sortaient tout seuls.) Ni de la raison pour laquelle je suis allée à l'église, ni pourquoi j'ai foncé à vélo si vite... Je me souviens de vous débouchant en face de moi... et ensuite, je me souviens de mon réveil chez le docteur Finlay... et de tous ces gens horribles qui me criaient dessus et me jetaient des trucs. Ils hurlaient, ils lançaient des choses, ils hurlaient... (Elle recommença à sangloter.) Ils étaient comme... comme des bêtes sauvages... je voyais leurs dents... blanches et pointues... Je ne sais pas ce qui se serait passé si l'agent Murtagh n'avait pas été présent... Tous ces gens, ces gens que je connais depuis toujours... à qui j'ai prédit l'avenir... pour qui j'ai cuisiné... tout à coup, ils vociféraient comme si j'étais le Diable en personne... (Elle se mordit soudain la lèvre et m'implora de ses grands yeux.) Je suis pas le Diable, dites-moi ? Je suis pas une sorte de...

— Mary, je n'ai jamais vu quelqu'un qui ressemble aussi peu au Diable que vous.

— Et même quand j'ai dévalé la colline... ?

— Je vous assure.

— Vous m'aiderez alors ? (Je lui répondis oui d'un signe de tête.) Et vous direz à maman que je vais bien et que je n'ai besoin de rien. Vous irez quand même la chercher pour qu'elle prenne soin de moi quand tout sera fini ?

— Je vous le promets.

— Merci. Je suis désolée de vous causer tant de soucis.

— Mary, tout ira bien.

Lorsque je redescendis, Murtagh commenta :

— Elle est pas un peu allumée, dites-moi ?

— Totalement cinglée.

29

Au moment où je sortais du poste de police, le soleil se risquait à une timide apparition de derrière les nuages, d'autant que le brouillard se dissipait rapidement. Je m'en retournai vers le front de mer, ayant glissé un « tout est résolu » à mes deux sentinelles épuisées.

Du carrefour, je grimpai la colline, direction l'église. À mi-chemin, je fis une halte au cabinet du docteur Finlay pour lui suggérer une déclaration en faveur de Mary. Il expliquerait sa schizophrénie ou ses brusques sautes d'humeur et rappellerait qu'elle est globalement inoffensive, à l'exception de rares tentatives de meurtre. Mais le docteur Finlay était absent. Comme je pouvais m'y attendre, Mme McTeague me gratifia d'un « je n'ai pas la moindre idée de l'endroit où il se trouve ».

J'atteignis les abords de l'église peu avant neuf heures et, bien que le début du procès ait été fixé une heure plus tard, les gens tournaient déjà en rond et discutaient à voix basse au milieu des touffes d'herbe humides. Une demi-douzaine d'entre eux s'étaient attroupés près de l'entrée de la salle paroissiale et fixaient quelque chose avec intensité. Curieux comme une pie, je me rapprochai et l'un des hommes m'aperçut. Il grommela quelques mots aux autres qui, à leur tour, lorgnèrent de mon côté. J'en connaissais au moins deux puisqu'ils étaient membres du Conseil : Carl Christie, le banquier du Credit Union, et l'ex-patron du pub, Jack McGettigan.

— Salut, Dan, dit Christie, avant de m'indiquer la porte d'un hochement de tête. Vous avez vu ça ?

Il recula et je pus lire un graffiti bombé à la peinture bleue : LIBÉREZ MARRY RILY.

— Oh, Nom… ! (Je me rattrapai de justesse :)… le bon Dieu ne va pas aimer cette plaisanterie.

Comme s'ils avaient répété une chorégraphie, ils agitèrent tous leur tête dans le même sens pour signifier leur désapprobation.

— Jackie Lavery a découvert l'inscription en venant ouvrir les portes ce matin, expliqua un autre homme que je n'avais jamais vu. La peinture était encore fraîche.

C'était un type assez maigre, aux sourcils roux sous une casquette de tweed, des yeux globuleux.

Jack McGettigan indiqua du doigt quelque chose plus bas.

— Vous avez vu ça aussi ?

Je me baissai pour tenter de lire les autres inscriptions, plus petites, qui couraient au bas de la porte. Je m'usai les yeux à les déchiffrer.

— Qu'est-ce que ça veut dire ?

McGettigan s'agenouilla.

— Rien, ce sont juste des lettres. Jackie a commencé à les effacer, puis il s'est ravisé. On pourra peut-être résoudre l'énigme. (Avec son doigt, il suivit les lettres à demi effacées.) A, F, L, R. AFLR. Quelqu'un a une idée ?

— Les initiales d'une personne ? proposai-je.

— Je pencherais pour une sorte d'anagramme, rétorqua Carl Christie, vous voyez, un genre d'indice.

Je réfléchis un instant aux lettres restantes, mais rien de cohérent ne me vint à l'esprit.

— Si l'on en juge par l'orthographe ci-dessus, il n'est pas exclu que nous ayons affaire à un vandale dyslexique qui signerait Ralph. Quelqu'un par ici s'appellerait-il Ralph ?

Mais personne ne répondait au nom de Ralph.

Je les laissai près de l'entrée avec leurs mines renfrognées. Un flot régulier de personnes se déversait à présent par le portail. Des familles entières. Cela constituait certainement l'événement le plus important survenu à Wrathlin depuis des années, exception faite d'un petit détail : la présence du Messie. Parmi la foule, le père Flynn discutait avec un jeune couple. Ils le remercièrent et s'éloignèrent main dans la main. Le père Flynn les suivit du regard, tout comme moi.

— Ah… n'est-ce pas merveilleux d'être jeune et amoureux ?

— C'est vrai ?

— Oh ! Désolé.

Il sourit, mais le cœur n'y était pas, tout comme cette jovialité affichée pour le jeune couple. Je remarquai son teint blême et les cernes sous ses yeux rougis. Flynn pointa son doigt vers la porte.

— Avez-vous vu l'œuvre d'art ?

— Oui.

— C'est tout ce qui nous manquait. Un autre taré.

— Aucune idée, mon Père ?

— Aucune. Comme si ça suffisait pas.

— Oui, je sais. Vous n'êtes toujours pas partant pour le procès, n'est-ce pas ?

— Qu'y puis-je, Dan ? Il s'agit d'une décision prise de manière démocratique. Comment la contester ?

— Je ne crois pas que le vote concerté de douze fascistes puisse être qualifié de « démocratique ».

— Vous faites preuve d'un grand cynisme.

— Je ne vois que de bonnes raisons d'être cynique.

— Vous n'avez foi en rien, Dan, voilà votre problème.

— Vous avez foi en trop de choses, voilà le vôtre.

Il s'interrompit car plusieurs fidèles venaient le saluer. Le père Flynn leur sourit avec lassitude et leur glissa quelques mots. Puis ils s'en allèrent.

— J'allais vous demander s'il était possible que j'effectue une déclaration en faveur de Mary Reilly.

Quelques minutes s'écoulèrent, le temps que ma question fasse le tour de son cerveau, mais une fois qu'elle eut percuté, ses yeux reprirent vie et il serra mon bras.

— Vous feriez ça, Dan ?

— J'en ai l'intention. Je ne crois pas qu'un autre le fera.

— Dan, Dan, je serais positivement ravi si vous vous en chargiez. (Puis, se penchant vers moi, il parla plus bas.) Je suis si contrarié par tout ce qui arrive. Vous n'avez pas idée. Je n'ai pas fermé l'œil de la nuit. Vous savez qu'il est anormal que Christine décide de la sentence. Je le sais parfaitement aussi. Mais qu'y puis-je ? Je ne peux m'opposer à ce que le Conseil a voté. Nous sommes solidaires, nous l'avons été dès les premiers jours du mouvement. Dan, si nous commençons à faire état de nos dissensions, qui sait comment les événements évolueront ? Est-ce que vous me suivez ?

— En partie, Lord Copper [1].

— Lord... ?

— Désolé, c'est une de mes vieilles blagues. Oui, je vous comprends.

— Bon. Excellent. Je suis content, déclara-t-il en se frottant les mains. Mary a besoin de quelqu'un qui la défende, je suis navré de ne pas être celui-là.

— Ça peut l'aider, ça peut aussi la desservir. On ne peut pas dire que je sois Perry Mason ; dans mon cas, on dirait plutôt Perry Como [2].

— Dan, vous êtes la dernière personne qui me ferait penser à Perry Como. Vous serez formidable, Dan, j'en suis certain. Mais le père White est si fervent... si... *enthousiaste*, je déteste le contrer... voilà

---

1. Cette réplique est celle que les journalistes répètent invariablement à leur patron de journal, Lord Copper, dans le roman satirique d'Evelyn Waugh, *Scoop*.
2. Perry Como était un crooner spécialisé dans les chansons de Noël ; Perry Mason est l'avocat créé par Erle Stanley Gardner et que l'acteur Raymond Burr a contribué à rendre célèbre.

pourquoi votre intervention est une aubaine. Mon garçon, conclut-il d'un ton grave, je n'oublierai jamais votre conduite, c'est celle d'un homme de bien.

Je m'en foutais de savoir si on se souviendrait ou non de moi. J'avais un trac terrible. J'étais censé être le dernier rempart entre une jeune femme qui travaillait du chapeau et un Messie de quatre ans qui risquait, sinon d'ordonner sa crucifixion, du moins de la condamner à vie à faire la vaisselle.

Comme on me tirait par la manche, je pivotai pour me retrouver face à la vieille Reilly, toute de noir vêtue. Le tremblement maladif de ses lèvres répercuté sur un menton frémissant aurait pu passer pour un vague sourire. Sa main s'attardait sur mon bras.

— Je voulais juste vous remercier de vous faire son avocat.

— Vous n'avez pas encore entendu ce que je vais dire. Et puisque je vous vois là... (Je baissai la voix.) Des nouvelles du front... ? L'alcool ?

— Pas encore, mais j'y travaille. Je ne vous laisserai pas tomber, ces choses-là prennent du temps.

— Pas trop de temps, j'espère.

Elle me salua et se dirigea vers l'entrée du bâtiment. Alors qu'elle montait l'escalier, tête baissée, les gens s'écartèrent sur son passage en chuchotant.

— Comment tu te sens, mon chéri ?

Patricia m'avait rejoint sans que je la voie. Elle poussait le landau de Stevie d'une main. Elle apposa l'autre sur mon bras à l'endroit laissé vacant par la mère Reilly.

— J'ai connu des jours meilleurs. Je craignais que tu ne viennes pas, à cause du bébé.

— J'étais un peu inquiète, c'est vrai. Il a l'air d'être en pleine forme, alors je suis venue. Pas question de louper le procès du siècle.

— Ça va être catastrophique.

— Tu vas très bien t'en sortir.

Je donnai un coup de pied dans le gravier et Patricia s'empressa de pousser le landau à cause du nuage de poussière.

— Hé chéri ! Du calme !

— Je suis calme.

— Pas du tout, on dirait un éléphant prêt à charger.

— Tant qu'on m'oblige pas à porter des pattes d'éph', tout va bien.

C'était une blague minable et Patricia me fixa avec commisération. Soudain, elle plissa le front et regarda par-dessus mon épaule. J'aperçus à mon tour deux hommes rougeauds traversant le portail du cimetière. Ils tenaient négligemment leurs fusils à bout de bras.

— Si c'est l'escorte policière, ils ont oublié la prévenue en route, et leurs motos ! lança Patricia.

Les hommes montèrent les marches quatre à quatre et disparurent dans la salle paroissiale. Comprenant que les choses se précisaient, la foule qui traînait dehors se précipita dans leur sillage.

— T'en penses quoi ? demanda Patricia.

— Je les ai déjà vus, ils montaient la garde devant l'endroit où Mary Reilly était prisonnière.

— Je croyais que c'était le boulot du flic.

— Ça l'était.

— Et alors ?

— Il faut tirer ça au clair.

Je commençai à me diriger vers l'église quand Trish me rappela à l'ordre :

— Tu me donnes *un coup de main* pour le landau ?

— Non, t'avais qu'à pas tomber enceinte !

Je m'attendais à entendre un « salaud » dans mon dos, mais rien. Erreur de calcul !

À l'intérieur, les gens s'étaient agglutinés au fond de la salle, près de l'entrée de l'église proprement dite. Je repérai un Duncan Cairns perplexe et lui tapai sur l'épaule.

— Qu'est-ce qui se passe, un type a gagné à la loterie ?

— Les jeux d'argent sont interdits.

— Sans blague?

— On vient de découvrir la preuve que Mary Reilly est innocente.

— Non?

— Je rigole.

Ah Ah! Quel sens de l'humour…

Finalement, Duncan était peut-être moins con qu'il en avait l'air.

La foule refluait. De l'intérieur, on ouvrait les portes de l'église et le père Flynn apparut, suivi du père White et des membres du Conseil. La mine sévère, ils ne répondirent pas aux questions qui fusaient de toutes parts. Flynn battait l'air de sa main en signe d'apaisement, comme s'il voulait calmer un cheval imaginaire. Les gars armés rôdaient près des portes de l'église.

Les jacassements s'estompèrent peu à peu et Flynn s'exprima :

— Merci. Mesdames et messieurs, heu… j'ai bien peur que nous ne prenions un peu de retard sur le déroulement de la journée. (Il se tourna vers l'un des hommes armés.) Pour reprendre l'expression imagée de notre ami Marcus Farrell ici présent, Mary Reilly a mis les bouts.

Cris d'effroi dans l'assemblée.

— Oui, il semblerait qu'elle se soit échappée.

Le père White n'arrivait plus à se contenir :

— Mais elle n'échappera pas au châtiment divin!

Cris d'approbation dans l'assemblée. Quelqu'un tapa du pied.

— Non, mon Père, elle n'y échappera pas, renchérit Flynn avec une force tranquille. Comme je le disais, elle a disparu du domicile de l'agent Murtagh, tout comme l'agent Murtagh lui-même.

Nouveaux cris d'effroi dans l'assemblée.

Le père Flynn recommença ses moulinets censés apaiser la foule.

— Calmez-vous. Cela ne servira à rien de s'énerver, je vous recommande le plus grand calme. À l'heure actuelle, nous ne savons pas exactement ce qui se trame. La maison est vide, la voiture de police est garée devant, donc, ils sont partis à pied. Elle a pu maîtriser l'agent Murtagh et obliger ce dernier à la suivre. Elle a pu le blesser et l'abandonner quelque part. Elle a pu — peut-être même — le décider à l'accompagner de son plein gré. Nous ignorons totalement de quoi il retourne.

— Je croyais qu'on la surveillait de près, cria un homme.

— Oui, Jimmy, c'était le cas. D'après les maigres informations dont nous disposons, ils se seraient échappés par l'arrière de la maison. Je tiens à vous prévenir que l'agent Murtagh a une arme, nous pouvons donc en déduire que Mary Reilly en possède désormais une. Elle est livrée à elle-même, quelque part sur l'île. Par conséquent, je recommande à toutes et à tous la plus extrême prudence jusqu'à ce qu'elle soit à nouveau sous les verrous.

— Et Christine, demanda Duncan Cairns, que se passera-t-il si Mary s'en prend encore à elle ?

— Des hommes armés veillent sur elle. Nous avons également posté des hommes près du port de façon à les empêcher de fuir par bateau.

— Ils ne s'enfuiront nulle part ! brailla le père White, et des hourras de soutien retentirent. (Il se plaça devant le père Flynn.) Il faut que chaque personne qui détient une arme parte chez elle la chercher. Et prévenez ceux qui ne sont pas là aujourd'hui. Rendez-vous ici dans trente minutes, et nous organiserons une battue, chaque centimètre de cette île sera inspecté. Elle ne nous échappera pas ! (Une nouvelle salve de hourras accueillit ses dernières paroles.) À tous les autres, rentrez chez vous, verrouillez vos portes et priez pour que nous mettions la main sur elle avant qu'elle n'ait causé du tort. Allez-y !

Dernier entré, premier sorti, je fus entraîné par le flot de postulants au groupe d'autodéfense et débarqué dans la cour de l'église près d'une Patricia qui me tendit un sac en plastique tiède.

— Qu'est-ce que c'est ?

— Un sac de merde.

— Je vois.

30

Il était presque midi lorsqu'un ramassis d'insulaires survoltés se regroupèrent dans l'enceinte du cimetière ; une soixantaine, uniquement des mecs, armés pour la plupart de fusils. À ma grande surprise, je remarquai d'autres armes un brin plus sophistiquées. Je m'attendais à des frondes, des flèches, des gourdins, des rouleaux à pâtisserie, des bâtons de berger, des hameçons. Pas à des fusils d'assaut AK-47.

Le père White déclama son discours du haut des marches de l'église. Le père Flynn se tenait près des grilles. Il avait l'intention de les bénir avant l'expédition. Les chasseurs, pas les grilles. Il avait délégué la partie technique de la battue au père White, bien qu'à mon avis il n'ait guère eu le choix.

« Le père White n'est plus tout jeune, ni en bonne santé, mais il aurait pu préparer le débarquement en Normandie en deux fois moins de temps », m'avait-il confié.

Dans les paroles du père Flynn se mêlaient respect et rancœur, et tout dans son expression — regard préoccupé, voix altérée — prouvait qu'il était inquiet. Aux cris de « Allons-y », un état de surexcitation s'installa au sein du groupe, quoique ce fût inutile tant le père White galvanisait ses troupes. Version débilitante d'une battue au renard puisqu'ils allaient chasser une jeune femme obèse sur à peine dix kilomètres carrés de ronces, de broussailles et d'arbres tordus par la tempête.

— Eh bien, mon Père, je suis impressionné par tant de matériel lourd sur une si petite île. Qu'est-ce que c'est ? La branche oubliée de l'IRA ?

— Non… bien sûr que non. Beaucoup de bateaux font escale à Wrathlin, alors ça fait marcher le commerce. Les Russes adorent faire du troc et Dieu les aime, pauvres âmes.

— Vous voulez dire qu'ils échangent volontiers leur Kalashnikov contre une demi-douzaine de choux ?

— Vous n'êtes pas loin de la vérité. Les Russes possèdent des stocks d'armes inépuisables, ce qui n'est pas le cas de leurs vivres. Pauvres petits gars malingres, ils sont affamés. Songez qu'on pourrait probablement équiper toute une armée contre soixante-quatre pâtés à la viande de chez Mme McKeown.

— Il semblerait que vous ayez réussi. Je maintiens que c'est beaucoup d'artillerie pour pourchasser une schizophrène de dix-huit ans. Mon Père, songez que vous avez affaire à Dumbo plutôt qu'à Rambo.

— Dan, elle circule en compagnie de l'agent Murtagh et, en ce qui nous concerne, Rambo, *c'est lui*. Il porte une arme et sait s'en servir.

— Mon Père, il incarne la loi.

— Pas sur notre île.

— Mon Père, vous savez bien que c'est faux.

Avant qu'il puisse me répondre, le père White avait surgi à ses côtés, un fusil sous le bras.

— Toujours dans les parages, Starkey ? s'écria-t-il d'un ton sec.

— Non, c'est pas moi, c'est mon hologramme.

Qu'il ait entendu ou compris, il n'en laissa rien paraître. Pas si mal, après tout. Il ignorait sans doute également que j'étais champion de kung-fu. Si je me mettais vraiment en rogne, je connaissais quelques vieux prêtres qui ne tiendraient pas deux minutes en combat singulier. Mais non. Mon Père avait des choses plus importantes à régler.

— Si vous ne vous joignez pas à nous, je vous conseille de rentrer chez vous et de vous y enfermer. Et vous aussi, Frank. On ne sait jamais.

Il pivota et, d'un geste, invita la meute à se mettre en route.

Je râlai dans ma barbe.

— Qu'y a-t-il? me demanda le père Flynn. (Mon haussement d'épaules fit office de réponse.) Dan, on doit la retrouver, elle est dangereuse.

— Sans doute. Pourtant je persiste à penser que vous n'y allez pas avec le dos de la cuillère.

— Dan, quand vous écrirez cette histoire — et loin de moi l'idée de vous censurer —, je vous conjure d'adopter notre point de vue. Essayez de nous comprendre. Je sais que vous n'êtes pas encore converti à Christine, mais nous, *nous le sommes*, nous lui avons consacré nos vies, *nos cœurs*. Si quelqu'un cherche à lui faire du mal, il est normal que nous voulions la protéger et nous assurer que cela ne recommence pas. Christine représente tout, et nous ne voulons pas la perdre.

Nous suivîmes des yeux les derniers participants de la battue du père White qui quittaient en contrebas la petite route pour bifurquer sur Main Street.

Le père Flynn fouilla dans la poche de sa veste.

J'entendis un froissement et il brandit un sachet en papier tout chiffonné.

— Puis-je vous offrir un bonbon à sucer?

— Y a de la liqueur dedans?

Il existe certains plats pour lesquels Patricia n'est vraiment pas douée. Par exemple, une fois, elle a voulu me préparer un petit déjeuner à l'irlandaise, avec saucisses à l'oignon, bacon, œufs, tomates et champignons. Eh bien, il y en avait pour un régiment. En revanche, elle réussit de super sandwichs au jambon. Du pain. Du jambon. Un peu de margarine allégée. Et de la Colman, ma mayonnaise préférée. Des ingrédients simples, certes, mais Patricia n'a pas son pareil pour les assembler. Un pain de mie entier de ces sandwichs et j'aurais pu marchander un sous-marin auprès des Russkoffs.

J'ai toujours pensé que le plus sûr moyen de toucher le cœur d'un homme était d'inciser à hauteur de poitrine avec un instrument tranchant. Mais les créations culinaires de Patricia m'ont rabaissé au niveau des bons vieux clichés. Assis dans ma cuisine, je dévorai à pleines dents le contenu de mon assiette. J'en oubliais presque le long retour à pied et le souvenir d'avoir dû franchir la barrière formée par les chasseurs d'un bout à l'autre de l'île. Leur silence et leur regard impitoyable m'avaient ébranlé. Si mon manteau avait été plus ample, je suis sûr qu'ils m'auraient fouillé des fois que Mary Reilly se serait cachée dans une de mes poches. Parmi ces hommes, je le savais, certains avaient essayé de me tuer. En m'éloignant d'eux, j'avais d'instinct rentré la tête dans les épaules comme si cela pouvait me protéger d'un éventuel coup de fusil.

Je mastiquais bruyamment mon repas. Patricia semblait contrariée. Elle regardait dehors, par la fenêtre.

— Alors, tu l'as laissé où, le père Flynn ?

— En haut du clocher, avec une longue-vue. De là-haut, on peut apercevoir à peu près tout.

— Et qu'a-t-il vu ?

— Je n'en sais rien. Il monopolisait l'instrument.

— Tu crois qu'il est stressé ?

— Je ne sais pas. Moi je le suis.

Oui, j'étais stressé. En Irlande, peu importe la nature du pétrin dans lequel on s'est fourré, on a toujours l'espoir que la police ou l'armée viendra à la rescousse. Et puis la réticence du terroriste à se montrer au grand jour existera toujours. Ici, on ne peut pas s'en remettre à la loi ; la loi, c'est celle des flingues. Ici, pas moyen de quitter l'île à moins que, eux, ne l'aient décidé.

— Ils vont les attraper, n'est-ce pas ? Avant le lever du jour.

— J'imagine que oui. Mary et Murtagh sont nés ici, on peut donc s'attendre à ce qu'ils connaissent chaque centimètre carré de cette île, et qu'ils sachent en tirer parti. Mais les autres sont dans le même cas. Flynn semble persuadé qu'ils seront capturés très bientôt. Il affirme qu'il existe un précédent historique.

— Tu peux traduire ?

— Il y a cent cinquante ans de cela, une autre affaire avait défrayé la chronique. Un pasteur protestant et sa famille avaient voulu fonder une église, en conséquence de quoi ils avaient hérissé le poil de tout un chacun, et un procès s'en était suivi.

— Un procès ? Pour quelle raison ?

— Je l'ignore. Dieu, peut-être. La signification de la vie. Le genre de sujet qui peut mobiliser toute la population d'une île. Et — surprise, surprise — le procès ne tournait pas en faveur du parpaillot qui décida de prendre la poudre d'escampette avec sa famille. À peu près toute l'île se mit à leurs trousses.

— Et alors ?

— Et alors ils les capturèrent. Et ils les massacrèrent à coups de hache.

— Oh, mon Dieu !

— Bien sûr, c'était comme ça à l'époque, mais plus maintenant. Nous vivons aujourd'hui dans un monde beaucoup plus civilisé.

— T'as raison.

Vers dix-huit heures, ils se pointèrent à Snow Cottage. Ils étaient trois. Deux d'entre eux vinrent toquer à la porte, le troisième contourna la maison et je le surpris à faire le guet dans le jardin broussailleux de derrière. Ils se montrèrent d'une parfaite politesse, parurent même un peu gênés, expliquèrent qu'ils fouillaient chaque maison, et demandèrent si on voyait un inconvénient à ce qu'ils fouillent la nôtre.

— Pas de problème, allez-y. Avez-vous avancé dans vos recherches ?

— Non. Jamie McBrinn a découvert une chaussure près du phare, elle pourrait appartenir à Mary Reilly, mais elle pourrait tout aussi bien être la chaussure de n'importe quelle femme aux grands pieds.

Nous restâmes scrupuleusement en retrait pour qu'ils poursuivent leur inspection. Patricia me chuchota qu'elle pouvait leur préparer une tasse de thé. Je lui répondis de ne pas se montrer trop aimable, que les gens de Belfast avaient offert quantité de tasses de thé à l'armée britannique la première fois qu'on l'avait envoyée chez nous ; l'armée avait dû apprécier puisqu'elle n'avait pas quitté Belfast depuis trente ans.

Les hommes saluèrent Little Stevie, le bébé miraculé. Le nez de Little Stevie coula et offrit une bulle épaisse et transparente pour toute réponse. La fouille du jardin leur prit un peu plus de temps parce que plus encombré. Ils découvrirent une brouette dans un sous-bois sombre, mais aucune baleine tueuse. Ils nous remercièrent pour notre patience et s'en allèrent. On les observa s'éloigner à travers la fenêtre de la cuisine, et la mince rangée de chasseurs se reforma après le jardin, au loin, avant de disparaître de notre vue.

Patricia baissa les yeux sur sa montre.

— Bientôt, il fera nuit noire.

— Oui.

— Ils vont interrompre les recherches durant la nuit, tu penses ?

— Sans doute. Si Mary et Murtagh sont dehors tous les deux, j'imagine qu'ils comptent là-dessus. Ils pourront faire ce qu'ils ont en tête à la faveur de la nuit.

— Et ton idée à toi ?

— Je n'en ai aucune.

— Comment agirais-tu à leur place, Dan ?

— J'appellerais ma môman. Je fomenterais une révolte parmi les lapins. Je déteste réfléchir.

Le ciel était encore clair, mais Patricia se leva soudain pour tirer les rideaux. Elle frissonnait.

— Fuir n'arrange rien, chéri.

— Je le sais.

Je la pris dans mes bras et l'embrassai.

— Que ferons-nous s'ils débarquent au milieu de la nuit en nous demandant notre aide?

— On leur dira de foutre le camp.

— On devra les aider, c'est ça?

— On se jettera à l'eau le moment venu.

— Et maintenant?

— Que dirais-tu d'exercices du plancher pelvien?

31

Durant la nuit retentirent des coups de feu et des clameurs ; des voitures pétaradèrent sous nos fenêtres.

Ça n'était qu'un rêve, bien entendu, et alors que je criais le prénom de Christine pour la troisième fois, trempé de sueur, Patricia en eut marre. Elle me vira du lit et m'ordonna d'aller prendre une douche pour chasser mes démons, sauf que pour la douche c'était râpé. Je me contentai de me frictionner avec un gant de toilette. Après ça, difficile de se rendormir. Aussi, on patienta jusqu'à l'aube dans une semi-obscurité, tout en se chamaillant à voix basse — de peur de réveiller Little Stevie — pour savoir qui prenait le plus de place dans le lit. À un moment, je l'interrogeai pour savoir si cela lui arrivait de prier et elle me répliqua que ça n'était pas mes oignons, ce que je traduisis par un « oui » honteux.

À sept heures, je me retrouvai debout et en survêtement. C'était un vieux survêt Liverpool Carlsberg, à ce détail près qu'il n'avait jamais servi pour l'entraînement. Par contre, il avait connu des actions sur plusieurs terrains de foot, la plupart merveilleusement menées par des gardiens maculés de boue. Des brûlures de cigarette parsemaient ses manches, vestiges de rencontres avec des footballeurs qui partageaient avec moi une conception très stricte de l'entraînement, nonobstant les dangers du tabagisme passif.

Avant de penser à avaler quoi que ce soit, je m'aventurai dans le jardin vers ces contrées peuplées de créatures vivant au ras du sol. C'était une belle matinée d'automne avec un ciel dégagé et un petit vent froid, mais rien de déplaisant. Le hérisson avait réintégré sa boîte désormais tapissée de feuilles. Je ramassai la soucoupe salie et repartis à la cuisine chercher des restes de jambon. Je la lui rapportai, mais le hérisson resta sans réaction : aucun signe de la papatte, aucune œillade complice. Il ne se mit même pas en boule. Il devait mesurer combien il est difficile d'exprimer ses émotions ; je le soupçonnai d'être d'origine anglaise. Un court instant, je m'interrogeai sur la signification d'avoir choisi un hérisson comme animal de compagnie sur une île qui comptait pas moins de dix millions de lapins ou de lièvres. Ma méditation s'arrêta là.

Je préparai le petit déjeuner pour Patricia — des toasts, de la confiture de framboises, du café — et pour moi un Pepsi light et un Twix. Je lui portai le tout sur un plateau. On s'occuperait — elle s'occuperait — plus tard de Little Stevie. Patricia bâilla, la bouche grande ouverte, et se frotta les yeux de ses petits poings.

— Oh! Merci! Qu'est-ce qui t'arrive ?

— Je compense pour les hurlements et la transpiration. Mon devoir de mari.

— Amour, honneur et confiture de framboises.

— Quelque chose comme ça.

On mangea en silence, chacun perdu dans ses pensées.

Durant la nuit, j'avais eu une intuition sur l'endroit où avaient pu se réfugier Mary et Murtagh. Il me semblait préférable de garder cette information pour moi, sur le principe que ce qu'on ignore ne peut causer de tort à autrui, à moins d'être élève chez les Frères des écoles chrétiennes [1].

L'observatoire des oiseaux.

1. Les Christian Brothers est le nom d'un ordre catholique fondé en Irlande en 1802 et qui se consacre à l'éducation des plus pauvres.

Murtagh n'avait pas réussi à dissimuler sa surprise quand je lui avais révélé l'existence d'un émetteur radio là-bas. Prisonnier sur une île sans aucun moyen de communication avec le continent, s'il arrivait à gagner la baraque où le gardien avait installé sa radio, il appellerait des secours. On pourrait les hélitreuiller. Si mon hypothèse se vérifiait, nos problèmes seraient bientôt résolus. Une fois qu'ils auraient pris la mesure de la situation, la police enverrait agents et travailleurs sociaux, y compris pour prendre en charge Christine.

Comme les autorités ne se risqueraient pas à tenter un atterrissage de nuit sur une île balayée par la tempête, tout dépendait de la capacité de Murtagh et Mary à échapper à leurs poursuivants d'ici le lever du jour. Or, nous avions largement dépassé l'heure du petit déjeuner et toujours aucun bruit d'hélico. À moins, solution plus facile encore, qu'ils ne soient venus par bateau. Ou alors la radio ne fonctionnait plus. Ou alors ce n'était pas du tout le plan qu'ils avaient en tête.

— Tu veux bien arrêter de t'agiter dans tous les sens? s'exclama Patricia.

— Désolé.

— Si tu ne tiens pas en place, tu n'as qu'à aller te renseigner. (Je me levai.) Mais avant, donne-moi un coup de main avec le bébé.

Je ronchonnai. Elle me foudroya du regard. Je cessai de ronchonner.

Un heure et demie plus tard, nous roulions en direction du village. J'espérais y récolter à la fois du pain frais et quelques potins. Patricia se rendait à une réunion de femmes. Je la briefai afin qu'elle leur arrache toutes les informations disponibles. De cette façon, de retour à la maison, nous pourrions tout mettre en commun et concocter un de ces ragoûts de ragots dont il ressort toujours quelque vérité.

Patricia était habituée à tous mes délires.

— Ce n'est pas ce genre de réunion, Dan.

— Vous allez bavarder. Vous le faites systématiquement, c'est dans vos gènes.

— Pas du tout. Nous serons essoufflées, on fait de la gym!

— Dieu du ciel! ricanai-je. Vous êtes désespérantes. Faire de la gym alors que le monde part à vau-l'eau. Pourquoi pas de l'aérobic, version Stepford, une, deux, une, deux… ?

— Arrête. Ça nous aide à relativiser. Et puis, je ne vois pas ce qu'il y a de mal à se maintenir en forme.

— Ne nous trompons pas de combat!

— Tu peux dire ce qui te chante, Dan, mais moi… (Elle souleva son tee-shirt.)… j'ai du ventre à perdre.

— Quel ventre?

— Dan, je t'en prie.

— Je suis sérieux.

— C'est ça…

— Tu es parfaite, chérie, je t'assure. Je t'aime comme tu es.

— Mon cul, oui!

— En outre, que va devenir Little Stevie pendant tout ce temps? Je ne voudrais pas avoir à t'accuser de négligence.

— Steven sera à la crèche.

— Il y a une crèche? Oh, désolé!

Dans le quartier qui m'a vu naître, une crèche désigne tout autre chose, mais je laissai tomber. Patricia ajouta que plusieurs enfants la fréquentaient, dont Christine.

Je les déposai, Stevie et elle, près de l'église. Plusieurs femmes attendaient déjà et saluèrent Patricia. Elle ne m'embrassa pas, supposant que je reviendrais la chercher une heure plus tard. Patricia adore supposer des choses, souvent à juste titre. Je redescendis de la colline et me garai sur le front de mer.

Les rumeurs allaient bon train, plus fraîches que le pain dont la cuisson avait eu à pâtir du procès, puis de la chasse à l'homme. Résultat: en attendant qu'il soit cuit, plusieurs femmes jacassaient devant l'épicerie et donnaient leur propre version des événements.

En flânant parmi le poisson froid, je restais, si je puis dire, tout ouïe… Près de la caisse, cinq ou six de ces femmes ressassaient les mêmes ragots ; c'était blanc bonnet et bonnet blanc. Dans la cinquantaine, rondouillettes, elles auraient mieux fait de se joindre à Patricia pour entretenir leur corps plutôt que leur langue, qu'elles avaient bien pendue. La commerçante, si affable la première fois que je l'avais croisée, jetait des regards mauvais par intermittence. Une racontait avoir entendu du bruit à l'extérieur et être sortie ; elle avait failli se prendre un coup de fusil pour la peine. Une autre était certaine d'avoir perçu des pleurs de femme dans son jardin, mais elle n'avait pas osé mettre le nez dehors. Une autre affirmait que trois ou quatre voitures avaient filé en trombe devant chez elle en direction de la ferme des Magennis. Une autre avoua avoir dormi comme un loir sans se soucier le moins du monde de la battue pour retrouver Mary Reilly.

La contemplation du poisson mort devenant suspecte au bout d'un moment, je renonçai à attendre le pain, et j'étais juste en train de me diriger vers la sortie quand la clochette du magasin tintinnabula. Duncan venait d'entrer, vêtu d'une grosse veste noire et d'un jean noir assez sale. Les femmes cessèrent de papoter quand elles le reconnurent.

— Alors, Duncan, des nouvelles ? demanda l'épicière.

Duncan me salua ; il se tourna vers ces dames, la mine décomposée.

— De mauvaises nouvelles, j'en ai peur. Il semblerait qu'ils aient réussi à s'échapper.

— Pas possible ?

— Si. Je viens de m'entretenir avec le père Flynn. Le bateau à moteur de Carl Christie a disparu. Avant de se coucher, il avait vérifié qu'il était solidement amarré et ce matin, à sept heures, il n'y était plus.

— Et il croit que… ?

— Pas de doute.

— Oh, mon Dieu ! gémit une des femmes.

— Nous n'avions pas besoin de ça, se lamenta une autre.

— Rien de très bon ne va sortir de tout ça.

— Oh oui, que des ennuis…

— Ils doivent être arrivés à l'heure qu'il est.

— Ils vont prévenir le monde entier.

— C'est sûr, ils vont tout raconter sur nous. Quelle sale bonne femme, cette Mary Reilly, je l'ai toujours su.

— Dites-nous, Duncan, qu'en pense le père Flynn?

— Il estime que notre vie continue normalement. Il n'y a rien dont nous puissions avoir honte. Par ailleurs, et là il marque un point, qui serait prêt à croire quelqu'un comme Mary Reilly?

— Mais Mickey Murtagh? Lui, ils le croiront, non?

— Que peut-il dire? Qu'il a déserté son poste en compagnie d'une folle?

— Ça c'est bien vu, Duncan! s'écria l'épicière.

Alors que je tentais de m'éclipser par la porte, la clochette attira tous les regards sur moi.

— Je reviendrai prendre le pain, vous pensez que ce sera long?

— Ça dépend, répondit l'épicière.

J'entendis un dernier commentaire juste avant de refermer la porte :

— Celui-là aussi, il est bizarre.

Je m'adossai au capot de ma voiture le temps d'apercevoir Duncan sortir du magasin, un sac de pommes de terre coincé sous le bras. Il se dirigea directement vers moi.

— Vous croyez vraiment qu'ils se sont fait la malle?

Il déposa les pommes de terre sur le capot et glissa sa main dans ses cheveux hirsutes.

— Probablement. (Il braqua son regard vers le port transformé en vraie ruche vibrionnante.) Le père White et une poignée de ses hommes ont affrété un chalutier dès ce matin pour essayer de les rattraper. Ça dépendra de l'heure à laquelle Mary et Murtagh ont pris la mer. Ces petits bateaux ne sont guère puissants. Un peu de houle, et ils auront eu du mal à aller bien loin. Moi je pense qu'ils ont pris une sacrée avance. Vous êtes content, j'imagine ?

— Je suis content qu'elle ne soit pas crucifiée. Enfermée, oui, clouée, non. Et votre sentiment à vous ?

— Mon esprit est scindé entre deux points de vue.

— Un peu comme Mary.

— Elle ne mérite certes pas un procès dans de telles conditions, ni d'être traquée comme un animal. En même temps, je frémis en pensant aux conséquences si Murtagh se mettait à tout déballer.

— Vous croyez qu'il le ferait ?

— A-t-il le choix ? Peut-il se contenter de se présenter au premier poste de police venu avec Mary, la remettre aux autorités, reprendre un bateau et revenir ici ? C'est difficile à croire.

— Je le pense aussi.

— Il sera obligé de tout raconter. Le cas de Christine ne les dérangera pas plus que ça. Par contre, le fait d'avoir instauré nos propres lois, c'est une autre paire de manches. Avant l'heure du goûter, je vous le prédis, l'horizon sera couvert d'hélicos. Et le reste suivra : les télés, la radio, etc. La moitié de l'humanité se foutra de notre gueule pendant que l'autre moitié se prosternera à s'en faire mal au cou devant Christine. (Il conclut en agitant tristement la tête :) Cet endroit ne sera plus jamais le même.

— Oui, mais pensez aux slogans d'enfer à imprimer sur les tee-shirts !

Attrapant au vol son sac de pommes de terre, il tourna les talons tout à trac.

Patricia déboucha de la salle paroissiale pile à l'heure, mais gâcha cet exploit en papotant sur le perron dix bonnes minutes. Je tapotai nerveusement mon volant. Elle était en nage, tee-shirt humide et cheveux mouillés.

— Ne t'en fais pas pour moi, je n'ai rien de mieux à faire.

— Ça c'est vrai, dit-elle.

— C'était de l'humour.

— Ah bon?

Je démarrai la voiture. Little Stevie commençait à chialer. Patricia le secoua doucement et à peine avions-nous franchi le portail qu'il s'était calmé. Tout le portrait de sa mère.

— Alors, tu te sens en forme?

— Crevée.

— Et qu'as-tu appris chez tes Sœurs de la Non-Miséricorde?

— Pas grand-chose.

— Tu as eu une heure pourtant, ronchonnai-je.

— Je faisais du sport.

— Peu importe, tu avais une heure devant toi.

— J'ai entendu dire qu'ils s'étaient enfuis par bateau, dit-elle en passant sa main dans les cheveux.

— Ça je le sais. Rien d'autre?

— Dan, on a eu cette discussion cent fois! Je ne suis pas journaliste. Je bosse aux impôts. Toi, tu bosses dans un journal. Si tu pouvais *imprimer* ça dans ton cerveau, ça m'arrangerait!

— Merci de ton aide.

Alors qu'on atteignait le bas de la colline, Patricia pointa son doigt vers le port.

— On dirait qu'il y a un attroupement, mon chéri, si cela t'intéresse.

— Je suis pas aveugle.

En fait, je ne l'avais pas remarqué. Une foule de gens toujours plus nombreux se formait à l'extrémité du port. Je bifurquai vers la droite pour longer le port et me rapprochai le plus près possible. Je me garai et sortis d'un bond en proposant à Patricia de m'accompagner.

— Tu viens?

— Attends-moi, le temps que je prenne Stevie…

Je claquai la portière et filai en direction de la foule. Patricia me cria quelque chose, mais je m'en fichais, j'étais trop impatient de savoir. Une trentaine d'habitants étaient agglutinés le long d'une anse du port, et fixaient l'eau en contrebas depuis la jetée. Je me frayai un passage parmi les gens dont la moitié tenait une arme à la main. Le père White remontait non sans peine d'un chalutier en escaladant des marches visqueuses. De sa main grassouillette, il se maintenait en équilibre en agrippant la ceinture de l'homme qui le précédait. Derrière lui, sept ou huit bonshommes attendaient leur tour de débarquer. Un petit bateau à moteur était accroché à l'arrière du chalutier.

Parvenu en haut, il haletait un peu à cause de l'effort, et la foule s'écarta pour le laisser reprendre son souffle. Les autres hommes mirent pied à terre avec plus d'aisance et entourèrent aussitôt le prêtre.

— Mon Père, quelles sont les nouvelles ? cria quelqu'un.

— Vous les avez attrapés ?

— Hé, Dermot ! Tu vois bien que non, sinon ils seraient dans le bateau !

Le père White leva le bras.

— Comme vous le constatez, nous avons retrouvé le bateau de Carl Christie. Il dérivait — vide — à environ cinq kilomètres au large de Ballycastle.

Il fouilla dans sa poche et en retira un pistolet qu'il brandit à la foule.

Cris et chuchotements.

— Nous avons découvert sur le bateau l'arme que voici, c'est celle de l'agent Murtagh, mais il y avait aussi ses chaussures et sa carte de police.

Cris et chuchotements.

— Nous ne pouvons émettre que des hypothèses... Mary se serait-elle jetée à l'eau dans un état de démence, ou bien prise de remords ? L'agent Murtagh aurait-il plongé pour la sauver ? Et ils se seraient noyés tous les deux ? Nul ne le sait. (Les mains jointes, il ajouta :) Prions le Seigneur pour le salut de leurs âmes.

Tous les gens baissèrent la tête à l'exception du père White. Ses yeux grands ouverts reflétaient non pas la tristesse causée par ces tragiques disparitions, mais l'exultation du triomphe.

32

Au cours des trois jours qui suivirent, tout fut très calme sur l'île — presque trop calme, pourrait-on dire.

On posta des sentinelles le long de la côte pour guetter si la mer rejetait des corps. La plupart des gens craignaient qu'il ne se passe des semaines, des mois, voire des années, avant que l'océan ne les ramène, à cause des courants contraires, vers le continent. Une messe du souvenir fut organisée à la hâte ; beaucoup y assistèrent. L'ambiance était au soulagement plutôt qu'à la tristesse. Mme Reilly mère ne se déplaça pas, et une femme qui lui rendait visite de temps à autre témoigna de la dignité de son chagrin. Quant à l'agent Murtagh, on ne lui connaissait aucun parent vivant.

Au cottage, je m'étais réfugié dans le travail, prenant des notes pour mon roman. La prise de notes est du bonheur à l'état pur : nul besoin de style, ni de cohérence, deux qualités qui me font habituellement défaut. De son côté, Patricia était fort occupée avec le bébé et se servait enfin de plusieurs brûleurs de notre cuisinière à la fois. Un jour, on invita même Moira et Christine à déjeuner. On bavarda aimablement, sans doute parce que le sujet essentiel était soigneusement évité. On se la jouait : « C'est le Messie, et alors, qu'est-ce que ça peut faire ? Un autre petit gâteau ? » À un moment donné, Moira me demanda quand je comptais revenir l'interviewer et je devins rouge comme une tomate. Comme Patricia était en train de nourrir Stevie, elle ne remarqua rien. Christine s'activait dans le jardin à veiller à ce que le hérisson ait suffisamment de brindilles dans sa boîte pour traverser l'hiver. La gosse faisait preuve d'une patience d'ange avec cette bestiole, pas très vive, il faut en convenir. À sa place, je l'aurais emmurée !

Par une belle nuit d'automne emplie d'étoiles, un jeudi, Duncan vint dîner chez nous. Patricia alluma un feu qui éclairait notre petit salon d'une lumière douillette. Je rapportai le lit d'enfant dans la pièce, au cœur de cette ambiance de douce chaleur. Après le dîner, on profita tous les quatre des plaisirs de la cheminée. Duncan semblait différent : plus serein, presque mélancolique. Il avait étendu ses longues jambes devant lui et sa grande carcasse était calée dans un petit fauteuil. Sur son visage renfrogné, ses yeux s'éclairaient ou s'assombrissaient de temps en temps comme sous l'influence de pensées mystérieuses. Il y avait des temps morts, mais ces silences étaient ponctués par les gazouillis joyeux de Little Stevie ou les craquements du feu. Un vrai bonheur. Et pas un mot déplacé de ma part, Patricia m'avait fait la leçon.

Duncan rompit l'un de ces silences avec un « excusez-moi ». Il se leva.

— C'est au fond du couloir, indiqua Patricia.

Mais il secoua la tête en souriant et s'approcha du porte-manteau, près de la porte. Il glissa sa main dans une poche de son manteau et en ressortit une bouteille. Il me la montra dans le halo de l'âtre et je lus « Bushmill » sur l'étiquette. Il y avait là de quoi remplir une dizaine de verres, mais le liquide à l'intérieur était clair comme de l'eau de roche.

— La nuit est glaciale, dit-il en m'observant attentivement, j'ai pensé que nous pourrions prendre une petite goutte de ceci.

Il me tendit la bouteille et nos doigts se frôlèrent une seconde. Geste de connivence entre hommes, les vrais. Je dévissai le bouchon et plaçai mon nez à l'endroit exact du goulot, avec une précision digne d'un arrimage d'Apollo. Je respirai le breuvage. *Ouah !*

Je la tendis à Patricia qui le respira elle aussi et manqua défaillir. Elle me la rendit. J'en pris une gorgée, la savourai dans ma bouche, puis jugeai préférable de l'avaler avant que mes plombages ne fondent. C'était comme de la lave en fusion qui glissait dans mon œsophage. Si le ragoût compact de Patricia n'avait pas tapissé mon estomac d'un petit matelas de sécurité, je pense que ça m'aurait brûlé tout du long jusqu'aux pieds.

— Nom de Dieu, grognai-je avec une voix à la Tom Waits — bien involontaire —, c'est raide...

Duncan hurla de rire en rejetant sa tête en arrière. Je lui tendis la bouteille et il sirota une plus longue rasade que moi, puis se renversa dans son siège pour laisser le précieux liquide s'en donner à cœur joie.

— Nom de Dieu, répétai-je en lançant un regard à Patricia.

Duncan lui donna la bouteille. Elle respira une nouvelle fois et son visage eut un mouvement de recul. Puis elle haussa les épaules, se pinça le nez et s'arrêta juste avant que le goulot n'effleure ses lèvres. Avec une voix de Minnie petite souris, elle demanda :

— Si nous devenons tous aveugles d'ici une demi-heure, qui va nourrir le bébé ?

Elle n'attendit pas la réponse, avala une rasade, lutta un instant contre la sensation avant de la faire sienne. Ma femme était une vraie Starkey. Elle nous offrit un magnifique sourire.

— Eh bien ! fit-elle, avant de me rendre la bouteille.

Je la montrai à Duncan.

— Vous d'abord.

Je la déposai sur mes genoux.

— Qu'est-ce qui vous a pris, Duncan ?

— J'ai pensé qu'un petit verre vous ferait plaisir. Pas d'objection ? (Je fis non de la tête.) Le docteur Finlay a laissé entendre que vous pourriez apprécier.

— Eh bien, c'est le cas. Je suis étonné, c'est tout. Venant de vous. Je vais penser que vous commencez à nous faire confiance. (Je levai la bouteille, en la tournant un peu sur elle-même.) Ceci est résolument interdit. Il n'y a pourtant pas eu d'abrogation de la prohibition, n'est-ce pas ?

— Non, bien sûr que non. Nous le fabriquons nous-mêmes.

Je bus une lampée.

Pendant que j'étais neutralisé, Patricia se pencha, intriguée.

— Nous ?

— Euh…

— Qui ça « nous » ?

— Qu'est-ce que ça peut faire ? Profitez-en ! Il n'y en a pas beaucoup et personne n'est encore mort.

— Merci pour le « encore ».

— Duncan, c'est du vitriol, marmonnai-je.

Il acquiesça.

Une demi-heure plus tard, nous étions tous les trois bourrés et, comme il se doit, les langues commencèrent à se délier. Duncan nous en apprit un peu plus sur son île. Il n'était même pas utile qu'à force de cajoleries je l'amène à se confier à nous — à moi —, il se livrait de lui-même. Je soupçonnais l'alcool d'être pour beaucoup dans son attitude, comme s'il parvenait à se confier plus facilement qu'en temps normal. Ce grand bonhomme baraqué possédait une timidité propre aux insulaires et il avait dû grandir selon le principe qu'on garde les choses pour soi. Or, il devait désormais se forger une opinion sur des sujets qui dépassaient largement ce que son éducation l'avait préparé à affronter. Et il souhaitait la confronter avec d'autres. Après un début hésitant, quelques tergiversations, il se mit à nous parler plus vite, exposant les faits, ignorant la chronologie des événements, appréhendant les idées au fur et à mesure.

— Nous sommes six. Nous étions sept. (Il se frotta rapidement le visage dans ses mains comme s'il se passait de l'eau.) Mickey. Mickey Murtagh. Paix à son âme.

— Sept quoi ?

— Sept d'entre nous qui aimions bien boire un coup. On avait l'habitude de traîner chez Jack McGettigan en ce temps-là. (Il se mit à rire d'un seul coup.) En ce temps-là! C'était il y a deux ans à peine, l'an passé même. Puis Jack a vu la lumière, et le Conseil en a profité pour éteindre celle de son bar. Plus de pub. Soudain, nous n'avions plus rien à boire. Alors nous avons fabriqué notre alcool. Ça nous a pris un certain temps pour réussir. Nous avions conservé quelques provisions, dans la crainte qu'une interdiction nous tombe dessus. Ça n'a pas loupé. Nous avons donc procédé à un mélange d'un peu tout, et voilà. Il ne reste pas grand-chose de nos mixtures. (Il avala une autre rasade à même la bouteille et me la tendit.) Et ce jour où Mickey Murtagh nous aida à nous en tirer! On ne s'attendait pas à ce qu'il y ait des descentes. Il m'a fallu fuir dans les bois pour démanteler tout notre attirail avant qu'ils ne le découvrent et ne lui fassent subir un mauvais sort. Et à nous pareil! Pauvre Mickey. Ça lui ressemblait bien de vouloir sauver Mary. Il était gentil, Mickey, piètre nageur, mais un brave type.

— Oui, il en avait l'air, dis-je avec componction.

— Je ne l'ai jamais rencontré, fit Trish.

— Un brave type, répéta Duncan.

Il laissait errer son regard sur Patricia. Avant, ça m'énervait, maintenant, je le prenais pour ce que c'était: le regard affectueux d'un ami sur une jolie femme.

— Vous vous retrouvez tous ensemble quelque part, pour boire, c'est ça? demanda Patricia.

— Oui. Nous discutons de la situation, et de ce que nous pouvons faire.

— Et vous pouvez faire quoi?

Il eut un rire désabusé, s'essuya la bouche d'un revers de la manche, s'en excusa aussitôt.

— Les vieilles habitudes ne se perdent pas facilement. Que pouvons-nous faire? Pas grand-chose. C'est vraiment triste. Le meilleur d'entre nous, notre étoile, s'est noyé. La seule action un peu constructive que nous ayons réalisée a été de jouer les apprentis vandales dans une église.

Le bombage, évidemment.

— Le graffiti, c'était vous ?

— Ah non, pas moi, je connais l'orthographe ! Willie... il n'a jamais été très bon. Une belle connerie, oui !

— J'ai saisi l'allusion pour Mary Reilly, mais que signifiaient les lettres ? Le F, le L... une anagramme ?

Duncan les épela en traçant les lettres dans l'espace.

— Ça donnait en fait : « Front Alcoolique de Libération de Wrathlin ».

Une jolie pensée, en tout cas. On en avait la larme à l'œil.

Patricia, qui avait moins picolé que nous, se ressaisit la première.

— Vous étiez sérieux, avec ce Front de... ?

— Plus sérieux que nous aurions dû. Mais moins que nous le pouvions en réalité. Qui sommes-nous, après tout ? Juste un instituteur. Un médecin...

— Le docteur Finlay, confirmai-je.

— Oui. Peu importe. Une demi-douzaine d'entre nous à peine à ne pas être heureux de la tournure prise par les événements.

— Vous croyez en Christine ? l'interrogea Patricia.

— Croire ?

— Vous savez bien ce que je veux dire. Croire qu'elle est le Messie.

— Non. Je ne crois pas.

— Vous n'y croyez pas, ou vous ne pensez pas qu'elle le soit ?

— Nous n'y croyons pas. Nous aurions dû nous appeler le Front des Agnostiques Anonymes. En fait, ce n'est pas tant Christine qui nous inquiète que ce qui s'est construit autour d'elle : les lois, la prohibition, les méthodes d'intimidation. La nature dictatoriale du Conseil, en particulier l'attitude du père White.

— Pas celle du père Flynn ? demandai-je.

— Flynn a un cœur là où il faut, si vous me pardonnez cette image. Mais ce n'est pas un leader, il est trop gentil. White est un homme rompu à dresser les gens les uns contre les autres, à endormir avec des promesses et à instaurer des lois répressives.

— Je pensais que vous étiez très unis sur cette île, mais White est là depuis à peine quelques mois et il a réussi à imposer sa loi.

— Qu'est-ce qui vous donne cette impression qu'il est là depuis quelques mois ?

— Je… en fait… j'en sais rien. Je croyais… Quelqu'un m'a dit qu'il n'était arrivé que récemment. J'avais même l'impression qu'il était converti depuis peu au mouvement McCooey.

— Vous avez faux sur toute la ligne. Le père White est là depuis le tout début. Il a été prêtre durant trente ans avant l'arrivée du père Flynn.

— Sans blague ?

— Mais oui ! Il a pris sa retraite il y a cinq ans. Le père Flynn est venu prendre la relève. Flynn a commencé à avoir ses visions concernant le Messie, mais il ne savait comment réagir, ni à qui se confier… alors, il a fini par en parler au père White, et voilà comment les choses ont démarré. C'est White qui a tout combiné. Il a façonné les visions, il a façonné Christine, il a créé le concept dans lequel nous vivons aujourd'hui. Enfin, dans lequel certains vivent.

— Avez-vous entendu parler d'un prêtre qui soit venu du continent et qui ait été converti ? Et qui serait resté ? Il y a de ça quelques mois ? Je suis certain qu'on m'a raconté cette histoire. C'est pas vous ?

— Non, je vous assure que non. Il est possible que quelqu'un soit venu pour un week-end, mais Flynn et White sont très soucieux de protéger leur petit secret, ils sont très discrets.

Little Stevie, jugeant qu'on ne s'occupait pas assez de lui, poussa quelques pleurs. Cela parut ébranler toute la confiance de Duncan. Il déposa la bouteille à ses pieds, tandis que Patricia se penchait pour surveiller Little Stevie.

— Je suis désolé, je me suis laissé aller, je crois.

— Mais non, dit Patricia en soulevant le bébé du lit, vous vous êtes lâché, vous avez ouvert les yeux, on en a tous besoin.

270

— Merci. Mais je ne veux pas que vous... je ne veux pas vous donner une fausse impression de notre petit groupe, je veux dire, nous ne sommes pas vraiment des... *révoltés*, ni rien de ce style. Plutôt des grandes gueules. Nous avons juste barbouillé cette inscription, pas plus. Jamais nous ne toucherions un cheveu de la tête de Christine. Ça nous plaît de boire un coup de temps à autre, voilà tout.

— Je sais tout cela, dit Patricia.

— Mais les choses s'aggravent, soulignai-je.

— Oui, c'est vrai.

— Et tôt ou tard, quelqu'un devra s'interposer.

— Je sais. Ah! J'ai école demain, dit-il en regardant sa montre. (Il décrocha son manteau, un peu gêné.) Merci, c'était un délicieux repas.

— Avec plaisir, répondit Trish.

— Vous êtes le bienvenu, ajoutai-je.

On le suivit jusqu'au bout du couloir. Duncan s'attarda près de la porte.

— Je compte sur vous pour ne pas ébruiter ce que je vous ai raconté. Pas seulement pour moi, mais pour les autres aussi. Je rigolais. Et plus personne n'a le sens de l'humour.

Je lui tapotai le bras.

— Partez tranquille. Nous serons des tombes. Et puis, qui croirait au Front Alcoolique? Un nom pareil!

— C'est un peu con, pas vrai?

Patricia le serra dans ses bras pour lui dire au revoir. Je n'avais plus envie de le frapper. Au contraire, je le raccompagnai à sa Land-Rover pendant que Patricia rentrait rejoindre Little Stevie.

— Ça ira pour la conduite?

— Qui sait? Une route plutôt en ligne droite, si l'on excepte les virages...

Je lui serrai la main. À l'intérieur, je trouvai Patricia assise près de la cheminée, Little Stevie sur les genoux.

271

— Il est parti ? C'est quand même un gars un peu empoté, non ?

— Oui, si tu veux.

— Tu sais ce qu'on raconte sur lui à l'église ?

— Je m'en fous, pour tout te dire.

— Il serait le père de Christine.

— Doux Jésus !

— Et Joseph, alors ? répliqua Patricia, tandis que je lorgnais sur la bouteille pour vérifier s'il en restait une goutte.

33

Durant la nuit, un inconnu pénétra dans le cottage. Il se faufila jusqu'à notre chambre, ôta l'édredon, trancha le sommet de mon crâne et le remplit de ciment à prise rapide. Puis il planta du fil barbelé dans mon nez et me cloua la tête contre le montant du lit. Normal. Pendant ce temps, Patricia dormait du sommeil du juste.

Ce matin-là fut l'un des plus clairs et des plus bruyants depuis la création de l'univers. Même avec les rideaux tirés.

Le teint gris et les yeux cernés, Patricia se tenait devant le lit, les cheveux encore ébouriffés. Sa robe de chambre entrouverte, elle portait Little Stevie qui se sifflait un biberon. Tremblement de terre. Elle filait des coups de pied rageurs contre le cadre en bois de notre lit.

— Tu n'apprendras donc jamais rien, c'est ça ?

— Aaaaah…

— Tu ne peux t'en prendre qu'à toi.

Ma tête tournait à soixante-douze tours-minute, une vitesse totalement démodée.

— Merci, croassai-je, c'est tout ce qui me manque.

— Tu le savais que c'était un tord-boyaux.

— J'assure.

— T'en as l'air, tiens !

J'optai pour un repli stratégique sous la couette.

273

— Est-ce que tu m'entends me plaindre ? Non…, fis-je en gémissant, bien à l'abri dans mon cocon.

Finir la bouteille avait été une grossière erreur. Comme l'autre avec la baie des Cochons.

Je risquai un coup d'œil furtif. Patricia arborait sa mine faussement sympa.

— Alors, que dirais-tu d'un petit verre pour faire passer ta gueule de bois ? (Sourires malfaisants.) Tu veux que je vérifie s'il en reste un fond ?

— Y en a plus…

— Tu veux manger ?

— Non.

— Un œuf au plat avec du pain.

— Patricia, t'es pas drôle, laisse-moi.

Elle bougonna à travers la maison pendant une bonne vingtaine de minutes avant de me hurler qu'elle descendait en ville, à l'église, pour une autre de ses réunions. Elle m'ordonna de m'occuper de la vaisselle de la veille. Je répondis par un grognement peu concluant. Le cottage trembla sous la violence du choc lorsqu'elle claqua la porte. Je me raidis, prêt à recevoir le plafond sur la gueule. Rien ne vint.

Au quatrième passage de la matinée au-dessus d'une cuvette en plastique, je m'en fis la promesse, jamais plus une goutte d'alcool.

Le genre de promesse qui avait déjà fait ses preuves par le passé.

Vers quatre heures de l'après-midi, je retrouvai des sensations dans les jambes.

Je me redressai prudemment sur mon lit, posai délicatement mes pieds sur le sol. Je fis quelques pas sur mes jambes de Bambi, avant de me rasseoir. Quelques pas encore. Pause. Un test supplémentaire et, dix minutes plus tard, j'étais redevenu la svelte machine de guerre de la veille. Me bouchant le nez, j'attrapai la cuvette au bas du lit et allai la rincer dans la salle de bains. Berk. Petit tour à la cuisine. J'avalai un petit biscuit chocolaté spécial transit intestinal, et sirotai une canette de Pepsi light.

Une fois calé, j'enfilai mon survêt pour sortir dans le jardin, respirant à fond l'air frais. Ça me collait un peu le tournis tout en me dégageant les bronches. Je portai toute mon attention vers le hérisson sauf qu'avec toutes ces feuilles, impossible de savoir s'il était chez lui.

J'étais en train de revenir vers la maison lorsqu'une Land-Rover s'engagea dans notre allée et se gara. J'entendis une portière claquer, mais avec toutes ces broussailles, je ne pouvais apercevoir qui c'était. Une toux caractéristique de fumeur s'éleva, suivi du frottement répété d'un briquet visiblement difficile à allumer par ce vent, et la bouille du docteur Finlay émergea derrière le portail.

— Ah ! fis-je, ce qui n'était pas terrible comme entrée en matière, je vous l'accorde.

C'était pourtant ce que j'arrivais à prononcer de mieux avec ma langue pâteuse.

— Starkey, j'espérais vous trouver là.

Il poussa la grille et remonta le petit chemin en secouant son briquet dans tous les sens. Quand il arriva à ma hauteur, il le jeta dans sa poche en râlant.

— Putain de briquets, on les achète et ça ne marche jamais. Vous avez du feu ?

— Vous n'avez pas fait tout ce chemin, Docteur, pour avoir du feu ?

— Ne dites pas de sottises.

Il tenait sa cigarette sous mon nez, attendait que je l'allume, mais il était piètre acteur.

— Si vous savez faire marcher la gazinière sans foutre le feu à la baraque, vous pourrez y allumer votre clope.

Il me suivit à la cuisine et tripota un des brûleurs. Je n'avais pas approché une cuisinière depuis quinze ans et il était hors de question que je commence aujourd'hui. Je chérissais le Dieu Micro-ondes et les instantanés de chez Pot Noodle. Avec Patricia, il valait mieux.

Il alluma sa cigarette en quelques secondes, se redressa, tira goulûment dessus et recracha une bouffée avec un bonheur non dissimulé.

— Alors, Doc, ça boume ?

Ignorant mon sens de la repartie, il posa sur moi un regard absent.
J'aurais pu sortir un lapin de mon chapeau, il n'aurait guère mieux
réagi. Je me donnai une tape sur la caboche.

— Ma tête est totalement guérie si c'est la raison de votre visite.
Le bébé est en forme, il est en ville avec la maman.

— Non, non, je ne suis pas là pour m'enquérir de votre état de
santé ni de votre famille.

— Alors si vous êtes venu me recruter pour le Front Alcoolique de
Libération de Wrathlin, vous arrivez trop tard. Je m'apprête à m'inscrire dans une association humanitaire — les Pioneers, pour ne rien
vous cacher — dès que l'arrêt de ce léger tremblement des mains me
le permettra.

Il me souffla sa fumée de cigarette dans le visage. Je la dissipai
d'un geste.

— Oui, Duncan m'a avoué qu'il vous avait raconté ces idioties.
N'y prêtez aucune attention, Starkey, c'est juste une blague à trois
sous.

— Je comprends. Vous êtes juste des potes de beuveries.

— Oui, on peut le résumer à ça.

— Enclins parfois à de petits actes de vandalisme.

— Ce n'était pas mon idée.

— Je m'en doutais. Mais alors, qu'est-ce qui me vaut le plaisir ?

— J'ai une lettre à vous remettre. Elle vous a été adressée par la
mère de Mary Reilly, précisa-t-il en extrayant une enveloppe de son
anorak.

D'instinct, je sus ce qu'elle renfermait. Maintenant que Mary était
morte, notre marché était caduc, je ne lui étais plus d'aucune utilité.
Je gardai mon self-control pour ne pas paraître trop déprimé, après
tout, ce n'était pas comme si je n'allais jamais plus reboire de ma vie.

— La vieille rosse n'a pas eu le cran de me l'apporter elle-même.

— La vieille rosse s'est pendue hier soir.

— Oh…

— Oui, comme vous dites.

J'attrapai l'enveloppe, c'était un modèle pour les envois par avion. Soudain le contact de ce papier bleu cyanosé dans ma main me donna une sensation de froidure. Était inscrit dessus, au crayon, mon nom mal orthographié : DAN STARKY.

— Elle s'est pendue ?

— Oui. La femme qui passe chez elle de temps à autre l'a découverte ce matin. Elle était morte depuis vingt-quatre heures au moins. Elle s'est pendue à une poutre de sa cuisine. Elle a utilisé des bas marron, un vieux modèle, même pas filés.

— Mon Dieu !

— Que dire ? Sa seule fille est morte. La plupart des gens ici la détestaient. Elle n'avait plus aucune raison de vivre. Cette lettre est tout ce qu'elle a laissé derrière elle.

— Ne devrais-je pas la remettre à quelqu'un d'autre ? Un policier ?

— Il n'y a plus de policier.

— Un représentant de la loi, alors ? Le père Flynn ?

— Mon ami, il n'y a plus de loi, non plus, m'assura le docteur Finlay, qui hocha la tête avec mélancolie.

J'agitai l'enveloppe devant lui.

— Les gens ne vont-ils pas se demander ce que…

— S'ils étaient au courant, peut-être, mais ce n'est pas le cas. Presque tous les membres du Conseil étaient autour du cadavre, mais j'ai emporté la lettre discrètement.

— Et la femme qui a découvert le corps ne l'avait pas remarquée ?

— Non, elle était trop bouleversée pour repérer l'enveloppe.

— Eh bien, dis-je en brandissant le courrier.

— C'est à vous de jouer, mon garçon.

Ce faisant, il tapota sa cigarette et un peu de cendre tomba à nos pieds. Il ne s'excusa pas.

Je décachetai l'enveloppe et en retirai une seule feuille de papier que je dépliai. L'écriture en pattes de mouche démarrait à l'angle, en haut à gauche, et descendait en une diagonale grossière vers le bas de la page.

— Vous me la lirez, déclara le docteur.

— Bien entendu.

C'était bref, mais avec suffisamment d'informations pour éclairer les jours à venir de nouvelles priorités, une fois, bien entendu, le temps de mon deuil échu.

Cher Monsieur Starky — nous voici donc à la fin de l'aventure, et tout ce qu'il me reste à faire est d'honorer ma part d'engagements. Il y a un carré de terre fraîchement creusée au bout du champ des Mulrooney, côté bord de mer. Enterrées à cet endroit. Je vous remercie d'avoir accepté de défendre Mary. Je sais combien cela aurait pu l'aider. C'était très généreux de votre part.

— Elle a été droit au but.

— De quels engagements parlait-elle ?

— Elle m'avait promis de me fournir des bouteilles d'alcool si je prenais la parole pour défendre sa fille.

— C'est votre côté mercenaire.

— Mon côté poivrot. Mais j'ai aussi de bons côtés, Docteur, demandez à ma femme. Parfois je suis obligé de camoufler ma bienveillante nature sous des dehors de businessman. (Le docteur me dévisagea, pas convaincu.) En outre, vous vous montreriez compatissant, je n'en doute pas, si vous aviez sifflé hier soir ce tord-boyaux apporté par Duncan. C'est un mélange détonant !

— Oui, il possède un goût inimitable.

— L'arsenic aussi a un goût inimitable. Et là, je tiens ma carte au trésor, dis-je en agitant la lettre. Enterrée dans un champ, la cargaison de gnôle de notre ami Jack ! Putain ! Il doit y en avoir des litres !

278

Finlay ne semblait pas y croire. Il m'arracha le papier des mains et relut son contenu à toute vitesse.

— Pourquoi s'emmerder à enterrer des bouteilles ? Autant les vider dans les égouts.

— Pas si vous doutez de ce que vous réserve l'avenir et que vous ayez besoin de quelque chose pour retomber sur vos pattes. Je suis certain que Jésus devait faire des menus travaux de menuiserie quand la quête des troncs des pauvres ne remplissait pas ses espérances.

Finlay plissa les yeux et, dans un nuage de fumée, se lâcha :

— Vous êtes un garçon désinvolte, le savez-vous ?

— Que vous répondre ? La première fois que je vous ai vu, vous ne m'aviez pas donné l'impression d'être totalement soumis au McCooey. Je ne crois pas que ça vous gênait.

— Si je ne suis pas tout dévoué au mouvement McCooey, ça ne signifie pas que je ne le suis pas envers Christine.

— Bien entendu.

Cette excuse commençait à sentir le réchauffé. Ou alors s'agissait-il d'une ligne de défense ?

Un silence s'installa. Il réfléchissait tout en tirant sur sa cigarette. Il me rendit la lettre.

— C'était une vieille pie un peu cinglée.

— Un oiseau bleu désormais.

— Par la force des choses.

— Et pas la dernière pour boire un coup. Ça se voyait sur son visage.

— J'imagine qu'elle buvait.

— Elle n'était pas membre de votre petite association ?

— C'était un groupe d'hommes.

— Mais elle savait où était planquée la gnôle, pas vous.

— Ça reste à vérifier.

— Exact. Et il n'y a qu'une seule façon de s'en assurer. (J'attendais une réaction de sa part, mais il se contenta de darder sur moi un regard pénétrant.) Nous devrions aller voir ! Êtes-vous d'attaque ?

Il se trémoussa d'un pied sur l'autre, visiblement mal à l'aise.

— Vu la tournure des événements, ce serait pure folie en ce moment. Le père White et ses acolytes sont à cran. S'ils nous prennent avec des litres d'alcool, qui peut dire ce qu'ils nous feront? Vous les avez vus à l'œuvre avec Mary Reilly?

— Je vous ai demandé si vous étiez d'attaque?

Il renifla, aspira une autre bouffée de tabac, balança son mégot dans l'évier où il s'éteignit avec un chuintement dans un bol de céréales détrempées. Nos regards se croisèrent. Puis le bout de sa langue apparut et il s'humecta inconsciemment les lèvres. Le Signe qui ne trompe pas! Il en crevait d'envie.

34

— Je pense que vous êtes tous cinglés ! s'emporta Patricia depuis le seuil de la maison.

Tous les quatre, le docteur Finlay, Duncan Cairns, Willie Nutt et moi. Chacun une pelle à la main. C'était la première fois que je croisais Willie Nutt. Petit et trapu, les cheveux rasés, il avait le regard vif du gars ravi de se montrer à la hauteur de son nom. Pour ça, il le portait bien[1] ! C'était lui l'auteur du graffiti à l'église. Il trimbalait dans sa poche une flasque du vitriol de l'AFLR et s'en jetait un petit coup derrière la cravate de temps à autre, comme si de rien n'était. Nous refusâmes une tournée générale.

Alors que nous montions dans la Land-Rover du docteur Finlay, Patricia s'énerva :

— Je ne vois vraiment pas l'*intérêt* !

— Moi, *je le vois*, répondit Willie Nutt par la vitre baissée, ça fait huit mois que je n'ai pas bu une pinte de Harp.

Elle marcha jusqu'à la portière du conducteur.

— Vous cherchez les ennuis ou quoi ? Docteur, vous vous rendez compte que c'est une immense connerie ?

— Bien sûr que je le sais, mon enfant.

1. En argot, *a nut* signifie un branque.

281

Et il claqua sa portière.

Elle se précipita vers moi en contournant l'avant du véhicule au moment où je grimpais dedans.

— Dan ?

— Oui ?

— Promets-moi une chose, dit-elle en m'attirant à elle pour m'embrasser doucement sur la joue.

— Oui ?

— Si vous trouvez l'alcool, ne nous ramène pas tout ici, on a assez de problèmes.

— Je ne suis pas débile.

— Et que vas-tu en faire ?

— Le boire, pardi !

— Jusqu'à la dernière goutte, renchérit Willie Nutt.

— Ce n'est pas drôle.

Finlay démarra le moteur. J'embrassai tendrement ma femme et m'installai parmi mes compagnons. Avec les portières et les vitres fermées, flottait dans la voiture comme une odeur nauséabonde.

Finlay roulait tous phares éteints. La voiture bringuebalait lentement sur un chemin éclairé uniquement par la lune. Celle-ci émergeait par intermittence derrière de gros nuages gris. Des nids-de-poule ou ce qui aurait pu aussi bien être des crânes de lapin provoquaient cahots et secousses. Willie Nutt était installé à l'arrière, à côté de Duncan. Il se marrait tout seul en sirotant sa bouteille.

— Il a toute sa tête ? murmurai-je au docteur.

— Suffisamment, dit-il en vérifiant dans son rétroviseur.

Willie surprit le regard du médecin et se pencha vers lui.

— J'ai trahi Christine. (Je ne savais quoi répondre.) Judas, c'est moi. (Je me retournai pour l'observer.) Et voici la bouteille de Judas, conclut-il quand il leva le bras.

Il poursuivit un brin de causette puis se renversa sur la banquette.

Duncan ne semblait pas l'avoir écouté. Il scrutait l'obscurité, le visage tendu, excepté à l'endroit où il se mordillait la lèvre.

— Il n'a pas toute sa tête, dis-je à Finlay.

— Suffisamment.

— Ça va, Duncan ?

— Pas de soucis, me répondit-il, l'air absent.

— T'as soif ?

Je venais de le tutoyer.

— Ouais…

— Bien.

— Et toi, Willie, tu fais quoi dans la vie ?

Il m'offrit un sourire édenté.

— Tu penses que j'fais quoi ?

En fait, j'avais presque deviné.

— Quelque chose avec le poisson ?

— Oui.

— Tu les attrapes ?

— Je les fume.

— Ah, tu fumes le poisson ?

— Et les cigarettes.

— Et tu préfères quoi ?

— Eh bien, me suis jamais retrouvé à me mettre un hareng fumé au bec après avoir baisé, hi, hi, hi !

Finlay jeta un regard derrière lui.

— Et depuis quand t'as des relations sexuelles, Willie ?

— Hi, hi, hi, ricana Willie, et il se pelotonna contre la banquette.

Les cinq minutes suivantes, plus personne ne parla. On ne croisa aucune autre voiture. Finlay se pencha soudain en avant.

— C'est la route, là, devant nous.

— Ce Mulrooney, le propriétaire du champ, il sait que l'alcool y est enterré, non ?

— Je l'ignore, me répondit Finlay.

— On peut difficilement lui demander, renchérit Duncan.

— Il semblerait incroyable que quelqu'un vienne enterrer les réserves de tout un pub dans votre champ sans que vous le sachiez ! Il doit bien le surveiller, non ?

— Gerry Mulrooney a quatre-vingt-neuf ans et une araignée collée au plafond la plupart du temps. Vous pourriez construire quarante-huit bungalows devant chez lui sans qu'il le remarque.

— Ah, je vois !

— Donc, on ne s'attend pas à être dérangé. Pas par lui, en tout cas.

— Hi, hi, hi, ricana Willie.

— Il *n'a pas* toute sa tête, c'est sûr.

— Foutez-lui la paix, dit Finlay. Il est bon comme du bon pain. Il se plaît en sa propre compagnie.

Le docteur dépassa une barrière ouverte et nous roulâmes lentement, mais bruyamment, le long du champ. Lorsqu'il coupa le moteur, nous n'entendîmes plus que le fracas des vagues déchaînées. Des embruns nous aspergèrent alors que nous sautions hors de la Land-Rover. Au moins ce boucan couvrirait nos bruits de pelle. Environ trois cents mètres plus loin, en haut du coteau, une fenêtre de la ferme de Mulrooney était éclairée.

Finlay sortit une torche électrique de dessous son siège et braqua son faisceau vers l'angle du champ qui plongeait vers la mer. On voyait bien que dans ce coin l'herbe était rase, alors que partout ailleurs elle était assez haute. Mais on pouvait sans problème mettre ça sur le compte du vent et de l'air salé.

— Je suis navré, dit Finlay, je n'ai qu'une seule torche, mais nous devrions nous déployer à partir de cette ligne pour chercher…

— Chercher ça ? cria Willie Nutt.

— Ouah ! siffla Duncan entre ses dents.

Willie avait reculé d'un pas lourd sur une vingtaine de mètres sans qu'on y fasse attention. À cause de sa petite taille, il avait presque disparu dans le noir, mais quand on accourut vers lui, on ne put que

284

remarquer le carré de terre tout retourné avec un petit monticule en son centre, semblable à une croûte.

*

Finlay balança une grande tape dans le dos de Willie.

— Mon petit William, tu as du nez pour ce qui est de l'alcool.

— Jackie ne l'a pas bien dissimulé, nota Duncan.

— Il devait être nerveux, rétorqua le docteur pour expliquer la négligence du patron du pub.

On attrapa nos pelles et on se plaça chacun d'un côté du remblai, attendant de l'autre qu'il plonge le premier la lame dans la terre malléable. Un vent violent balayait l'endroit et rendait notre tâche encore plus déplaisante.

Willie Nutt nous offrit une tournée.

Nous n'avions pas froid à ce point.

— Allez, les gars, la fête nous tend les bras, finit par dire Finlay qui plantait sa pelle dans le monticule.

— On creuse et on trouve notre pub, renchérit Willie. Des tonneaux, et des tonneaux, et des tonneaux de bière.

— Je m'installerais bien un tonneau dans la salle du fond, suggéra Duncan.

— Moi, j'aimerais tomber sur un bon vieux whisky irlandais, du Black Bush de préférence, et aussi une Guinness, s'écria le docteur Finlay en évacuant sans ménagement sa première pelletée derrière lui.

— Et du cidre Strongbow, ajoutai-je. (Je calai ma pelle contre la terre humide. Elle glissait facilement.) Je n'en ai pas bu depuis des années, j'ai vraiment envie de retrouver le goût des pommes. Les bitures au cidre sont les pires au monde, mais elles valent le coup.

— C'est une boisson pour les gosses, ouais, cria Finlay.

— Des tonneaux, et des tonneaux, et des tonneaux, et des tonneaux, répéta Willie Nutt, avant de terminer par quelques «Hi, hi, hi».

Comme slogan, on avait connu mieux, mais c'était mignon, et je préférais ça à son odeur de poissons fumés.

— Ce bon vieux Jack risque d'avoir une attaque s'il revient les chercher, dit Duncan.

— Bien fait pour lui.

Willie enfouissait sa pelle dans la terre noire.

Le sol voletait peu à peu pour atterrir derrière nous.

Au bout d'un petit moment, on ressentit tous le besoin d'une pause. Nous nous étions précipités à creuser de manière désordonnée et on haletait comme des malheureux. Je m'épongeai le front car je transpirais beaucoup malgré le froid. À part des pompes une fois par semaine, je n'étais guère habitué aux exercices physiques et j'avais déjà mal partout.

— C'est plus profond que je l'aurais imaginé, dit Duncan.

— Oh, pas tant que ça, rétorqua Finlay, pense au petit whisky que tu boiras après.

Duncan conseillait la prudence :

— Attention, demain, à notre haleine. Les gens sont entraînés à reconnaître l'odeur de l'alcool.

Willie s'arrêta de creuser, puis cracha.

— Et alors ?

— On aura besoin d'une cargaison de bonbons pour l'haleine fraîche, dis-je avec l'assurance du vrai professionnel, comme ça nous n'éveillerons les doutes de personne.

— Sûr qu'on éveillera les doutes de tout le monde si on se met tous les quatre à acheter des bonbons pour l'haleine.

— Compris, cria Willie en enfouissant à nouveau sa pelle dans le sol, des bonbons pour une haleine fraîche !

Il ne ressemblait pas à quelqu'un qui a le loisir de prendre quoi que ce soit de frais. En revanche, un rapide gargarisme avec son tord-boyaux aurait tué toute mauvaise haleine. Et un bain là-dedans lui aurait été salutaire.

Clink !

La lame de métal venait de buter contre quelque chose de solide.

— Alléluia ! s'exclama Willie.

Clink !

Duncan, qui était éloigné d'environ deux mètres cinquante, rencontra également quelque chose. Il poussa des cris de joie :

— On l'a trouvé ! C'était vrai ! Ce vieux couillon rusé l'avait enterré !

— Vous ne m'aviez pas cru !

— Dan, je vous ai cru, vous, mais pas la vieille Reilly. J'embrasserais bien ses lèvres bleuies si je pouvais, s'exclama Finlay.

Berk, pensai-je.

Alors que nous commencions à épousseter la terre en trop, nous aperçûmes des éclats argentés — mais ça ne ressemblait pas au métal de tonneaux de bière. Willie, le plus assidu d'entre nous, balança sa pelle derrière lui et descendit dans la tranchée étroite que nous avions créée. Il s'agenouilla pour enlever des poignées de terre avec ses doigts potelés, puis il tâtonna tout du long. La surface dégagée mesurait bien un mètre de large. Il chercha à en cerner les côtés.

Il leva les yeux vers nous. On était accoudés sur nos pelles qui en outre nous aidaient à nous tenir droit pour lutter contre les bourrasques de vent. On brûlait d'enthousiasme de savoir, mais pas au point d'être les premiers à le faire. Creuser des trous dans une nuit sombre livrée à la tempête avait de quoi vous donner le frisson. La pluie battante avait redoublé d'intensité et se déversait avec régularité dans la tranchée, la transformant en cloaque.

— Alors Willie, c'est quoi ?

La voix de Duncan trahissait son impatience.

— On dirait de la toile goudronnée, comme une bâche argentée. C'est mégalourd. Le salaud a emballé la gnôle super-serrée. Y faut qu'on creuse sur les côtés pour trouver l'ouverture. Ou y faut un truc coupant, vous avez ça, Doc ?

Finlay fit non de la tête.

— Pas ici, peut-être chez moi, j'ai pas pensé…

287

— Qui aurait pu y penser ? (Duncan observait attentivement la toile goudronnée. Les côtés étaient glissants à cause de la pluie et de la terre retournée, et il évitait prudemment de se pencher.) Tu crois que ça prendra longtemps à tout dégager autour ?

— Pas trop si on s'y met tous, mais difficile de dire comment c'est profond, enfin, ça devrait pas être enfoncé si loin.

— Peut-être qu'on devrait laisser tomber, reprit Duncan qui jeta un coup d'œil nerveux à la ferme derrière lui. Et revenir une autre nuit, plus tôt. Il est déjà quatre heures, bientôt il fera jour, on sera coincé avec l'alcool sur les bras et on aura pas le temps de le cacher. On devrait remettre ça.

— Mon cul, dit Willie.

Il marquait un point.

— Duncan, on y est presque. Si on s'arrête maintenant, tout ce qu'on va gagner, c'est un fossé rempli de flotte et deux fois plus de mal pour finir le boulot par la suite.

— Dan, je pense qu'on devrait carrément laisser tomber.

— Tu te dégonfles, Duncan ? intervint Finlay.

— C'est ça, je suis un dégonflé ; et j'ai aussi les pieds gonflés par la flotte, si tu veux savoir.

— Alors finissons-en, et on fera prendre un bain de whisky à tes pauvres petits pieds, conclut-il en brandissant sa pelle, d'accord ? Ce ne sera plus très long.

Duncan souleva sa pelle à contrecœur.

— O.K., on continue. Je suppose que t'as raison. On traîne pas, alors !

Nos travaux de terrassement reprirent de plus belle.

Au bout d'une demi-heure, chacun de nous se siffla cette fois une bonne lampée du breuvage de Willie Nutt. Nous étions crevés, gelés, trempés jusqu'aux os et passablement moroses. Vivement qu'on soit bien au chaud à la maison.

On creusait la terre aisément, et plus nous en retirions, plus le sol sous nos pieds devenait meuble. Une vraie tranchée de 14-18. Si on avait été mômes, on aurait adoré ça, sauf que nous n'étions qu'une bande d'alcoolos et que tout ça ne nous faisait pas marrer.

Enfin, on atteignit le fond, et ce fut bien entendu Willie qui, en premier, fit buter la lame de sa pelle contre une surface solide, de la pierre ou un rocher. Willie lâcha sa pelle et se précipita pour dégager les dernières poignées de boue semi-liquide. Il ramassa un truc qu'il nettoya du mieux qu'il put.

— Qu'est-ce que c'est ? demanda Duncan.

— Une brique, c'est tout.

Willie l'examina rapidement puis la balança du côté de Duncan.

— Hé ! Fais un peu attention !

Willie se pencha à nouveau pour suivre de son doigt toute la longueur de la tranchée, découvrant, brique après brique, les bords de la toile goudronnée enfin dégagée.

— Putain, c'est pas trop tôt ! J'en peux plus, souffla Duncan.

— Courage, dit Finlay, nous y sommes.

Il enjamba avec précaution la bâche de son côté pour se glisser près de Willie et Duncan. Je les rejoignis également.

On se reposa un instant, tout sourire, nous les quatre rebelles de la nuit, puis on ôta les briques qui restaient en les jetant derrière nous. Willie termina le premier et commença à soulever la bâche.

— Hé ! Attends ! s'enflamma le docteur. (Willie se retourna brutalement.) Un peu de classe, mon petit Willie, ce n'est pas tous les jours qu'on fait une chasse au trésor. (Il se frotta les mains.) Maintenant, que chacun de nous soulève un coin de la toile, je compte jusqu'à trois. À trois, on l'enlève. Et à nous les meilleurs alcools que la Terre ait portés, ce bon vieux Bushmill, et que Dieu veille sur nous.

— *Amen*, fit Duncan.

— Oui, *amen*, répéta Willie.

On attrapa la bâche par les quatre coins.

— Un, dit Finlay. Deux. (Profonde inspiration.) Trois !

La toile fut soulevée et projetée au plus loin, fendant l'air comme une flèche, toute scintillante sous le halo de la lune.

Nos pieds dérapèrent maladroitement dans la boue humide alors que nous nous jetions en arrière, d'instinct, dans un mouvement de pure panique. Sous nos yeux terrifiés, gisait un amas de corps enchevêtrés dans un état de décomposition plus ou moins avancé.

On décampa à toute allure sans demander notre reste en poussant des hurlements plus stridents que le sifflement du vent.

35

Le ciel ne se fissura pas. La nuit ne s'acheva pas brutalement.

Un soleil matinal suintait à travers le brouillard comme de la crème épaisse et rance dégoulinant d'un gâteau moelleux.

Réfugiés à l'intérieur de la Land-Rover, tétanisés, trempés, frigorifiés, tremblants, nous n'étions plus que trois. Le docteur Finlay tapotait le volant avec une nervosité extrême. Duncan se rongeait les ongles comme un malade en regardant droit devant lui. J'étais allongé sur la banquette et grattai la boue de mon jean. Englués dans nos propres cauchemars, nous étions incapables d'échanger un mot. Willie Nutt s'était enfui dans la nuit en hurlant.

Finlay avait perdu la torche dans la tranchée au moment de notre fuite éperdue, et personne ne se sentait d'attaque pour aller farfouiller parmi les restes. Dans mon cerveau restait imprimée l'image atroce de globes oculaires vides, de membres raidis et du sourire figé d'une tête en décomposition me dégringolant dessus sous le poids des autres cadavres. Lorsque j'avais escaladé la tranchée à toute allure et qu'une main m'avait agrippé le mollet, je m'étais violemment débattu en m'époumonant, jusqu'à ce que j'entende d'autres cris, de douleur et d'effroi cette fois. Car, sous l'emprise de la panique, c'était bien Duncan qui m'avait empoigné et tiré vers l'arrière, et non quelque démon sorti des Enfers. Je ne l'avais pas secouru pour autant, pas plus que je n'étais venu en aide au docteur Finlay, pourtant plus vieux et moins agile. Les yeux écarquillés, il était remonté tant bien que mal, ses doigts crochetaient la terre glissante. La proximité de la mort héritée de son expérience professionnelle ne lui avait été d'aucun secours. Puis j'avais cavalé comme un dératé pour me planter dans la première haie venue, ignorant les épines et les griffures des ronces, les savourant presque avec délices comme une manifestation de la vie.

J'étais resté allongé dedans une bonne dizaine de minutes, à l'affût du moindre bruit que j'aurais pu distinguer malgré le vent, la pluie et ma respiration saccadée. Le docteur avait été le premier à nous appeler d'une voix tremblotante :

— Duncan ? Où es-tu ? Dan, où êtes-vous ? Willie, ça va ? Est-ce que quelqu'un m'entend ?

À une quinzaine de mètres de moi, Duncan avait émergé des herbes folles, je m'étais relevé à mon tour et nous avions rejoint Finlay en silence. Ce dernier, le teint livide, était effondré sur le capot de sa Land-Rover.

Des « Oh, mon Dieu » répétés à l'envi furent à peu près les seules paroles prononcées à l'intérieur du véhicule où nous avions espéré quelque réconfort. Le jour ne tarderait pas à se lever et nous comptions sur lui pour apporter des réponses aux questions auxquelles nous n'osions pas songer. Il nous fallait attendre encore une heure à tout casser, mais l'attente nous paraissait interminable. Le temps s'étirait… s'étirait… jusqu'au moment où un halo grisâtre nous encouragea à sortir dans un grincement de portières pour nous dégourdir les jambes. Toute l'humidité de nos vêtements se rappela alors à nous.

— Bordel de Dieu ! furent les premiers mots du docteur Finlay.

L'air hagard, il semblait avoir pris dix ans.

— Sacrée mère Reilly, dis-je.

— Ah ça oui…, renchérit Finlay.

— Voilà ce que j'adore chez cette vieille, qu'elle ait conservé intact son sens de l'humour. Mais elle a du bol d'être déjà morte, moi je vous le dis.

— Duncan, tu es sûr que ça va, mon garçon ? demanda Finlay.
Duncan baissait la tête vers sa montre, la mine défaite.

— Il va falloir que j'y aille bientôt. Qu'allons-nous faire ?

— Retourner là-bas, dit Finlay en désignant la tranchée.

— Ben voyons.

— On est obligés ? s'enquit Duncan.

— Il le faut, affirma Finlay, la mine sombre.

Et il partit en avant, tandis que Duncan l'apostrophait :

— Et si on les laissait là ?

— On ne peut plus reculer, mon pote, dis-je en emboîtant le pas
au docteur.

Duncan nous suivit à contrecœur. Finlay s'approcha du bord de
la tranchée et secoua la tête au moment de regarder en contrebas.
On se posta de chaque côté du docteur en l'imitant. C'était un vrai
carnage. Des spaghettis humains, décomposés depuis longtemps, se
mêlaient aux cadavres plus récents, exsudant leurs chairs dans la
gadoue automnale. Douze pieds, six corps au total. Deux d'entre
eux — des corps, pas des pieds — étaient ceux de Mickey Murtagh
et Mary Reilly.

— Filez-moi un coup de main, dit Finlay en descendant dans la
fosse.

Je fis quelques pas tandis que Duncan restait pétrifié.

— Tu vas faire quoi ? demanda-t-il à Finlay qui détourna les
yeux.

— On va les soulever, répondit le toubib en relevant ses
manches. Il faut les séparer du mieux qu'on pourra.

— Mais pourquoi pas… les laisser… je veux dire… pour l'autopsie… pour un légiste… ?

Finlay pivota vers Duncan et tempêta :

— Merde ! Tu vas la fermer à la fin ! Personne ne viendra s'en
occuper ! Il faut qu'on sache qui sont ces gens, comment et pourquoi
ils ont fini là. Il faut qu'on sache la vérité ! Pour l'amour du Ciel,
Starkey, dites-lui de revenir sur terre !

Finlay marquait un point ; un retour au réel s'imposait, même si on nageait plutôt dans le surréel... Duncan mourait d'envie d'expérimenter ce que j'avais prêché devant lui, à savoir se foutre la tête sous la couette et attendre que les choses se tassent.

— Il a raison, Duncan, il faut qu'on découvre par nous-mêmes ce qui est arrivé, car personne ne s'en chargera à notre place. Descends nous donner un coup de main. Ils sont morts, tu ne crains rien.

— Tu disais pas ça cette nuit.

— On a eu une trouille de tous les diables, tu le sais bien. À présent, c'est différent, viens.

— Ça ne me dit rien qui vaille. (Pourtant Duncan se glissa lentement dans la tranchée et s'accrocha à moi pour maintenir ses pieds d'aplomb dans l'épaisseur de la boue.) Et en plus ils puent.

Oui, des corps, remplis de gaz nauséabonds, ça pue. L'odeur de poisson fumé de Willie Nutt aurait pu leur servir de déodorant si seulement ils avaient eu la chance de conserver leurs aisselles.

Murtagh et Mary ne posaient pas problème. Je les pris par une jambe chacun à leur tour et on les déposa sur l'herbe. Une jambe raide, froide et visqueuse de gadoue. Le corps de Murtagh pesait une tonne. Le poids de la mort. Celui de Mary était tout bonnement lourd.

Les autres corps, ceux du dessous, n'étaient vraiment pas frais. Duncan dégueula trois fois. Moi deux. Le docteur, pas du tout, bien qu'il hoquetât à une ou deux reprises. Il nous fallut une demi-heure pour les transporter avec délicatesse et, malheureusement parfois, déverser les restes sur le sol. Dès qu'ils furent alignés, le docteur Finlay s'attela à la dure tâche de les examiner de près. Duncan et moi allâmes nous adosser contre la voiture en prétendant discuter de tout et de rien. Enfin, surtout de rien. De temps à autre, on lorgnait dans la direction du toubib. Avec des hochements de tête, il inspectait l'intérieur des cavités et soulevait avec prudence les vêtements en lambeaux. Il crachait régulièrement derrière lui.

Duncan consulta une nouvelle fois sa montre.

— Il va falloir que j'y aille bientôt, répéta-t-il, j'ai école. Si les gosses arrivent avant moi, ils se poseront des questions. Enfin, ils risquent de s'inquiéter plus que d'avoir vraiment des soupçons. Ils en parleront à leurs parents, qui, *eux*, auront des soupçons.

— Qu'ils en aient! Nous, on a des meurtres en série sur les bras!

— On ignore si ce sont des meurtres, Dan!

— Qu'est-ce que tu crois que c'est, bordel? Tu t'imagines quoi? Que les gens se promènent dans ce champ, et hop, ils glissent dans un trou et on n'entend plus jamais parler d'eux.

— Pas impossible.

— Tu sais bien que non.

— Tu tires des conclusions hâtives. Ça pourrait être le vieux Mulrooney qui ne supporte pas qu'on pénètre dans sa propriété.

— Mouais, du style: «Propriété privée — les contrevenants seront exécutés».

— Dan, je ne dis pas que ça s'est déroulé de cette façon, je dis que c'est une possibilité.

Je dodelinai de la tête; le docteur Finlay cracha. Duncan vérifia l'heure:

— Il est huit heures passées.

Le docteur Finlay s'approcha d'une démarche pénible. Penché sur le capot de sa voiture, il nous ignorait. Il pleurait. Il était venu se récupérer un bon petit whisky irlandais et avait fini par manipuler des corps en putréfaction. Il avait le droit de pleurer.

— Ça va aller? dis-je, une main sur son épaule gauche.

Il inclina sa tête avec lassitude. Il avait le visage défait, mâchoire tombante, lèvres desséchées, cheveux plaqués sur le crâne.

— Alors, demanda Duncan sans ménagement, t'as découvert quoi?

Finlay se redressa, les mains à hauteur de poitrine, regarda autour de lui; il semblait désorienté. On aurait dit qu'il cherchait un endroit où les laver. Il forma le mot « idiot » avec sa bouche. Puis il les essuya sur son pantalon. Il s'interrompit brutalement et se retourna vers la rangée de cadavres.

— Je ne veux plus jamais avoir à recommencer un truc pareil.

— Qui le voudrait ? constata Duncan.

— Qu'en est-il de Murtagh et de Mary ? demandai-je. Y a pas à tortiller, ils ne se sont pas noyés.

— Non, bien sûr que non. Ils ont été tués par balle tous les deux. À bout portant avec un fusil, j'ai l'impression. Il ne reste pas grand-chose de leur cage thoracique.

— Oh, mon Dieu ! murmura Duncan en regardant ailleurs. (Il prit une grande goulée d'air marin.) Oh, mon Dieu !

— Et les autres ?

— Ils ont connu à peu près le même sort. Je ne l'affirmerais pas à cent pour cent, car les corps sont très abîmés.

— Savez-vous de qui il s'agit ?

— Oui et non. J'ai une petite idée pour deux d'entre eux. Il y avait un prêtre, j'ai identifié le col de sa soutane ; pourtant j'ignorais qu'un prêtre manquait à l'appel.

— Vous pourriez estimer la date du décès ?

— J'aurais du mal à la déterminer de manière précise. Ce n'est vraiment pas mon domaine. Peut-être six mois. Quant à l'autre, ça remonte à beaucoup plus loin, mais au moins j'ai un nom : Mark Blundell. Un type de Belfast.

— Vous l'avez reconnu ?

— Je serais chagriné de connaître quelqu'un qui ressemble à ça.

— Alors comment… ?

— Travail de déduction. Enfin, surtout ceci. (Il glissa sa main dans la poche intérieure de sa veste et en ressortit un portefeuille en cuir détrempé.) Je l'ai trouvé dans son manteau.

Il me le tendit et je l'ouvris d'une pichenette. Ce qu'il contenait était remarquablement bien conservé, compte tenu de l'endroit où il avait séjourné. Il y avait quelques traces d'humidité sur les trois billets de vingt livres que je retirai, plus des reçus de distributeurs d'argent liquide — une demi-douzaine environ — presque effacés; sa carte Visa en bon état; une carte plastifiée du ministère de l'Environnement à son nom; un permis de conduire; une photo ondulée représentant une femme en compagnie de deux enfants en bas âge.

Duncan m'arracha le permis et examina la photo.

— Il a changé.

— Merci Sherlock, dis-je à Duncan en le lui reprenant.

— Je hais tout ce cirque, dit-il en tournant la tête.

— Qu'est-ce que vous en déduisez, Starkey?

J'aurais parié qu'il connaissait déjà la réponse.

Je me remis à examiner tous les documents.

— J'en déduis qu'il est enterré depuis six ans, si j'en crois ce ticket de retrait, qu'il travaillait pour le ministère de l'Environnement à Belfast, qu'il était marié et père de deux mômes.

— Rien d'autre?

— Il est venu sur l'île pour des raisons professionnelles puisque les reçus datent de début février, et que vous n'avez pas de touristes à cette époque de l'année, pas vrai?

— Oui, c'est rare. Les touristes viennent surtout pour observer les oiseaux. Parfois on a la visite de types du gouvernement pendant l'hiver, mais ils travaillent pour le ministère de l'Agriculture. Ils vérifient nos quotas de pêche ou essaient de nous faire accepter des trucs liés à la myxomatose. J'ai du mal à comprendre pourquoi un type de l'Environnement causerait un souci quelconque et se ferait tuer — à moins que ça n'ait dégénéré.

Duncan montra la rangée de cadavres.

— Les deux autres... L'un d'eux ne pourrait pas être sa femme tout de même? Peut-être que c'était tous des ornithologues amateurs et qu'il y a eu un... accident (Sa voix s'amenuisa.) On en rencontre parfois en hiver, alors peut-être que ces deux-là...

— Je n'y crois pas, répondit Finlay, ces deux-là sont des jeunes hommes de dix-huit ans, dix-sept à tout casser. Que Dieu les bénisse…

— Sa femme est sans doute toujours à l'attendre, dit Duncan.

— Quatre disparitions sans que personne ne les signale, c'est peu plausible, fis-je remarquer.

— En effet, et sur notre île encore plus. Je l'aurais su, faites-moi confiance.

— Par conséquent, mis à part Murtagh et Mary, on peut imaginer que les quatre autres venaient du continent.

— Oui, je suppose.

— Présumons également que le père White et ses petits amis navigateurs, après nous avoir offert le joli spectacle de la poursuite des deux fuyards, de la découverte de leur bateau et de la carte d'identité, ne sont pas seulement impliqués dans les meurtres de Murtagh et Mary, mais aussi dans les meurtres de ces quatre-là.

— Oui, ça y ressemble.

— Mais dans quel but, putain ? tempêta Duncan en levant les bras au ciel. C'était censé n'être qu'amour et salut de notre âme, pas cette horreur !

— Eh oui, Duncan, voilà la question à un million de dollars.

— Ça n'a pas de sens, s'écria Finlay. (Il frappa le capot du plat de la main, puis martela de son poing serré le creux de son autre main.) Ce procès, ce foutu procès, était axé sur la protection de Christine, pas sur *ce*…

— Et ce prêtre alors ? s'interrogea Duncan.

Moi, j'avais ma petite idée. Le primat s'était trompé et j'avais raison. Le prêtre avait été assassiné, pas converti.

— Si cela fait seulement six mois qu'il a été tué, alors il y a de fortes chances pour qu'il soit venu sur l'île en visite et qu'il ait découvert des choses…

Finlay m'approuva.

— C'est possible. Mais ce gars de l'Environnement… Mon Dieu, Starkey, s'il est enterré là depuis six ans, ça correspond à deux ans avant qu'on connaisse l'existence de Christine. Dans quel but, merde ?

Il n'y avait pas forcément de but. Ou, s'il y en avait un, on était passé à côté.

Toute l'histoire de Christine fille de Dieu était à la fois perturbante et légèrement comique. La fuite de Mary et de Murtagh y avait ajouté une note bizarre et inquiétante. Leur noyade présumée l'avait précipitée dans une tragédie. Avec ces cadavres pourrissants, on venait de basculer dans le récit d'horreur. Et cette histoire-là n'était pas achevée.

Le mugissement du vent déclina un peu et on tourna tous les trois la tête quand on entendit le bruit d'un moteur. Une autre Land-Rover s'engageait dans le champ.

— Oh, mon Dieu, se lamenta Duncan, ils vont nous tuer nous aussi.

Sa silhouette massive pivota avec grâce. Ses yeux agités trahissaient sa panique. Il fonça à toute allure vers une haie située à quelques mètres de la voiture du docteur. Il y plongea tête baissée, se faufila dedans, avant de disparaître.

Le docteur Finlay me lança un regard entendu et désigna la rangée de cadavres.

— J'espère que vous nous avez concocté une bonne petite justification.

— J'y travaille.

36

Duncan avait détalé bien trop vite pour qu'on puisse lui crier de ne pas s'inquiéter. Il avait dévalé la colline, bondi comme un fou et était donc déjà loin au moment où tout ce qu'il aurait pu redouter se composait de ma femme, Little Stevie, le père Flynn, Moira McCooey, et la manifestation de Dieu Tout-Puissant sur terre, à savoir Christine. Tout ce beau monde roulait en cahotant le long des traces de roues creusées par nous la veille au soir.

Je reconnus tout de suite la tôle cabossée de la voiture, puis aperçus le visage de Patricia qui criait quelque chose par la vitre passager. Ses paroles furent emportées par le vent. Dès que le prêtre eut coupé le moteur, le docteur Finlay s'avança vers eux, en agitant ses mains.

— Si j'étais vous, je resterais où vous êtes pour le moment, brailla-t-il.

Flynn, la portière ouverte, hésitait, Patricia descendit, Christine pointa son nez derrière elle, tandis que Moira, assise sur la banquette arrière, tenait Little Stevie sur ses genoux.

Finlay tenta d'empêcher Patricia d'aller plus loin, mais elle l'évita aisément et continua à courir dans ma direction. Je m'attendais à une étreinte tendre, un baiser de réconfort, elle m'avait manqué, quoique de manière subconsciente.

Elle se précipitait vers moi beaucoup trop vite et arrivait déjà à ma hauteur lorsque j'identifiai — trop tard — son regard venimeux et les poches sous ses yeux. J'allais ouvrir la bouche quand elle leva sa main et me balança une sacrée tarte. Je vacillai et m'écroulai sur le sol détrempé. Christine gloussa, lâcha un « Youpi ! » et accourut vers nous.

— Putain de bordel de merde, hurla Patricia, où t'étais ?

— Trish, pour l'amour du Ci...

— Je suis restée debout toute la nuit, à me faire un sang d'encre !

Le docteur Finlay la prit par l'épaule.

— Madame Starkey....

— Vous, allez vous faire foutre ! cracha-t-elle en cherchant à lui en coller une. (Elle se ruait à nouveau sur moi.) Je compte si peu, c'est ça ? Tu ne t'intéresses ni au bébé, ni à moi, tout ce que tu sais...

Christine poussa un cri strident. Le cri de l'innocence perdue. Tous nos regards convergèrent dans sa direction. Elle se tenait devant la rangée de cadavres, son petit visage livide. Ses cheveux blonds flottaient dans son dos, portés par le vent.

Moira s'extirpa de la voiture en vitesse, courut vers sa fille et, sans ménagement, colla au passage Little Stevie dans les bras de Patricia. Derrière elle, apparut le père Flynn. Je me relevai d'un bond et, avec un haussement d'épaules à l'adresse de Patricia, je rejoignis le docteur Finlay qui, dans l'intervalle, avait soulevé Christine de terre.

— Tout va bien, chuchota-t-il à l'oreille de l'enfant qu'il serra contre lui.

Le père Flynn resta en arrêt, bouche pendante, regard fixe. Il se signa. Deux fois. Puis il porta la main à son menton dans la pose du type frappé de stupeur. Il s'approcha du docteur Finlay et de moi-même avec des yeux implorants.

— Que s'est-il passé ? marmonna-t-il.

— Vous n'en avez aucune idée ? demandai-je.

Moira n'accorda qu'un bref coup d'œil aux cadavres. Elle attrapa Christine des bras du docteur Finlay pour la ramener à la Land-Rover. Patricia semblait tout aussi pétrifiée.

Le père Flynn secouait la tête, des larmes coulaient le long de ses joues.

— Comment... le saurais-je ? Mon Dieu... Docteur, que s'est-il passé ?

— Mon Père, vous avez certainement une hypothèse à nous fournir...

Flynn enfouit son visage dans ses mains.

Patricia, tout à coup dégrisée, m'étreignit le bras.

— Tu es venu déterrer de la gnôle et tu as déterré des corps, bien fait pour toi, ça t'apprendra ! C'est quoi, un ancien cimetière ?

Je fis non de la tête. Patricia n'avait visiblement pas pris la mesure de la situation. Comment l'aurait-elle pu ? Elle n'avait jamais croisé la jeune femme obèse. Je fis donc les présentations.

— Et voici l'agent Murtagh, lui tu l'avais au moins aperçu de loin.

— Oh, mon Dieu...

Moira effleura un des pieds de Mary avec la pointe de sa chaussure.

— Je croyais qu'elle s'était noyée.

Le docteur s'approcha du prêtre et le prévint :

— Frank, si vous n'étiez au courant de rien, vous savez tout de même ce que ça signifie.

On pouvait lire une grande lassitude dans le regard de Flynn dont les épaules semblaient plus voûtées que jamais.

— Je n'ose pas y penser.

— Vous y avez déjà réfléchi, Frank, je vous connais bien.

— Il ne se serait pas résolu à de telles extrémités, il n'est pas mauvais à ce point.

— Il l'est, Frank. Il les a tués. Six cadavres, faites le compte.

Le père Flynn prit une profonde inspiration, rejeta sa tête en arrière comme s'il implorait le Ciel de lui indiquer la conduite à tenir.

— Qui sont les autres ?

— L'un d'eux est un prêtre.

Lèvres pincées, Flynn pivota rapidement vers la rangée des corps.

— Un jeune curé a débarqué un jour sur l'île, mandaté par le cardinal. Il y a un petit moment de ça. Il venait nous sonder. Un chouette garçon.

— Et ensuite ?

— Je lui ai raconté la vérité, et il m'a paru très enthousiaste. On l'implora de ne rien en dire au cardinal, mais il affirma qu'il devait le tenir informé, c'était son devoir. Je le comprenais. Il téléphona au cardinal avec lequel j'eus également une discussion. Il ne me parut pas impressionné. Le prêtre est reparti sur le continent, j'en suis sûr, c'est moi qui l'ai conduit au ferry.

— Eh bien, s'il s'agit du même homme, soit il est revenu par la suite, soit il n'a jamais quitté Wrathlin.

— Et comment… est-il… ?

— On lui a tiré dessus.

— Oh, mon Dieu, murmura Flynn en se signant.

— Mon Père, que savez-vous d'un dénommé Mark Blundell ? demandai-je.

— Mark… ?

— Blundell. Celui au bout de la rangée — le gars qui sourit de toutes ses dents. Il travaillait pour le ministère de l'Environnement à Belfast. Ça vous dit quelque chose ?

— Je devrais ?

Son regard allait du cadavre à Finlay puis à moi. Je lui tendis sa carte professionnelle et il l'examina attentivement, jeta un œil à la version moins présentable du bonshomme. Flynn fit non de la tête.

— Si ça peut raviver votre mémoire, il a été assassiné et enterré il y a six ans.

— Dan, vous êtes bien placé pour savoir que je n'étais pas encore à Wrathlin il y a six ans. Je vivais encore à Crossmaheart.

— Exact. Cela vous met par conséquent hors de cause.

— Je…

— Je plaisantais.

Le prêtre avait les larmes aux yeux.

— Et qui sont les autres ?

— Aucune idée, répondit Finlay en pointant les deux corps non identifiés, désormais un peu maigrelets dans leurs jeans en lambeaux. Qui sont ces pauvres bonshommes qui se sont trouvés au mauvais endroit, au mauvais moment ? Soit ils étaient trop croyants. Soit pas assez. Soit... on ne le saura jamais.

— C'est dingue, renchérit Patricia en s'agrippant à mon bras.

— On nage en plein délire, comment on a pu en arriver là ? dit Moira. Ce n'est pas ce qui était prévu.

— Et qu'est-ce qui était prévu ?

— Tout... (Elle plaqua ses bras contre elle car elle frissonnait dans le vent glacial.) Tout était comme dans un rêve jusque-là. Réel et non réel à la fois, tu vois ce que je veux dire ? Juste notre communauté, *ici*, personne ne pouvait nous atteindre. Je n'avais vraiment pas besoin de réfléchir à ce qui pourrait survenir ensuite.

— D'autres s'en sont chargés.

— Pas de cette façon, Dan, intervint Flynn, pas à n'importe quel prix. Je ne comprends pas *pourquoi*... (Il secouait la tête avec une profonde tristesse.) Pourquoi quelqu'un voudrait ternir un si *merveilleux*...

— Pouvoir ? suggéra Finlay. Toute-puissance ?

— Le pouvoir est le truc le plus génial qu'on ait connu depuis l'invention du pain de mie en tranches.

J'adore en rajouter une couche.

— Mais il s'agit de Christine, autrement dit d'innocence, d'amour, de...

— Mon Père, cela vous aura peut-être échappé, mais la moitié des gens massacrés au cours des siècles passés l'ont été pour des questions religieuses. Cela n'a rien d'innovant.

— Mais Dan, nous *ressentions*... le McCooey justement comme quelque chose d'innovant.

— Si on veut, oui, dit Finlay.

Soudain, Flynn tapa du pied. Comme la boue envahissait le sol, ce n'était pas une super idée. La boue gicla un peu partout mais personne ne râla. La mâchoire de Flynn se crispa et son regard se durcit tout à coup.

— Moira, nous ne pouvons laisser le nom de Christine être sali par tout cela. Nous allons retourner en ville et convoquer une assemblée. Nous allons demander des comptes au père White, le dénoncer et le chasser hors de notre île, lui et tous ceux impliqués dans cette abomination. Il faut mettre un terme à cette horreur.

Il devait juger que le débat était clos car il tourna les talons en direction de sa Land-Rover.

— Ah! Quand on parle de sautes d'humeur, commenta Patricia qui en connaissait un rayon sur le sujet.

Le docteur lui emboîta le pas et dit:

— Frank, ne brusquez pas les choses, vous n'y gagnerez rien.

Les yeux de Flynn brillaient d'une ferveur de missionnaire zélé.

— Docteur, soit vous m'accompagnez, soit vous restez!

Exaspéré, Finlay leva les bras au ciel alors que Flynn grimpait derrière son volant. Patricia et moi, bébé inclus, courûmes vers le véhicule. Moira hésita une seconde en lorgnant sur les macchabées.

— Mon Père, on ne peut pas les abandonner dans cet état.

Flynn ignora sa remarque et démarra le moteur.

— Allons, Moira, cria Patricia qui hissa Little Stevie sur son épaule avant de monter à l'arrière, ils vont rester là où ils sont.

Mais elle se trompait. Déjà les mouettes tournoyaient.

Décision fut prise d'abandonner le véhicule du docteur Finlay pour le moment, car l'intérieur était souillé de boue et de petits morceaux de chair pourrie. On jugea donc préférable de tous se tasser dans la voiture du père Flynn. C'était assez inconfortable, mais pas autant que de se prendre un coup de fusil en pleine poitrine ou d'héberger une convention annuelle d'asticots dans ses intestins.

Patricia me demanda tacitement de m'occuper de Little Stevie. Je m'exécutai, profitant de cette magnifique occasion de me réconcilier avec elle. Little Stevie me jetait des regards vifs et pleins d'amour auxquels je répondis par quelques gazouillis. J'avais l'impression que ses cheveux roux étaient légèrement plus foncés ; comme quoi, il ne faut jamais perdre espoir.

— Comment se fait-il, demandai-je à Patricia alors que le père Flynn filait à tombeau ouvert en direction du village, que vous soyez arrivés tous ensemble ?

Patricia resta discrète.

— J'étais inquiète… Dieu m'est témoin… et par conséquent…

Je l'interrompis brutalement.

— Va droit au but, O.K. ?

— Rien de plus que ça : j'étais folle d'inquiétude.

— Alors tu as couru voir le père Flynn.

— En fait, non.

— Tu t'es précipitée chez Moira alors ?

— Non, ils sont venus me voir.

— Tu veux me faire croire qu'ils ont débarqué à huit heures du matin pour une petite visite de politesse ?

Je jetai un bref coup d'œil à Moira, puis revins sur Patricia en craignant qu'elle n'enchaîne sur des révélations sordides…

— Christine nous a prévenus, intervint Moira. (Je poussai un soupir.) C'est vrai. Elle s'est levée au milieu de la nuit, elle avait des cauchemars. J'ignorais si elle avait simplement mal au ventre ou si c'était la fin du monde. Elle n'arrêtait pas de répéter qu'il fallait aller à la maison du hérisson. Je ne savais pas quoi faire. Tu comprends, on ne peut pas céder à tous les caprices d'une môme, mais là…

— Ouais, le Messie…

— Alors nous sommes allées chez Frank.

— T'as de la veine de pas avoir choisi le père White.

— Frank nous a conduit chez Patricia. Une bonne chose, vu qu'elle était dans tous ses états.

— Mais non, pas tant que ça…

Christine était assise à l'avant, sur les genoux du docteur Finlay, le nez appuyé contre la vitre, et sa tête ballottait de droite à gauche au rythme des essuie-glaces.

Le médecin la tenait par la taille pour lui éviter de se cogner lorsque le père Flynn foncerait dans les ruelles étroites.

Patricia m'effleura le bras en argumentant :

— Je ne voulais pas leur dire où tu étais, mais quand j'ai vu que tu ne revenais pas, j'ai eu peur que quelque chose de grave te soit arrivé, que tu aies pu…

— T'as bien fait, c'est bon.

Je lui tapotai le menton et elle me fit un petit sourire câlin, de ceux qui sous-entendent « je-veux-un-bisou ». Je l'embrassai sur le bout du nez.

— Tu aurais fait pareil pour moi, Dan, pas vrai ?

— En te laissant une ou deux heures de plus, oui.

Arrivés aux abords du village, Finlay insista pour que Flynn s'arrête. Ce dernier s'exécuta de mauvaise grâce.

— Frank, je sais que vous êtes en colère, mais êtes-vous certain que ce soit prudent d'accuser brutalement le père White ?

— Je ne l'accuse de rien, il n'y a rien à démontrer. On a déjà toutes les preuves.

— Je suis bien d'accord. Mais réfléchissez. Vous savez tout comme moi que White n'est pas le seul responsable de ces meurtres. Il a bénéficié de l'aide d'autres personnes. On ne tue pas six personnes et on ne se pointe pas pour les enterrer sans l'aide d'amis, de disciples — peu importe comment on les appelle — d'ailleurs, il y a de fortes chances qu'ils soient avec lui en ce moment. Et s'ils en ont déjà assassiné six, je…

— Quand j'aurai informé les membres du Conseil, ils prendront…

— Oubliez ce foutu Conseil, Frank ! Vous vous doutez bien qu'ils doivent y siéger, non ?

Pour nous tous, il s'agissait d'une évidence, sauf pour le père Flynn qui en resta tout ébranlé. Son visage reflétait une innocence semblable à celle de Christine avant qu'elle n'aperçoive les cadavres.

— Je l'aurais su, murmura-t-il.

— Vous le croyez vraiment ? s'étonna Finlay.

Flynn redémarra sa Land-Rover ; je posai ma main sur son épaule.

— Si White est capable de massacrer six personnes, je suggère que nous déposions femmes et enfants avant. Et en particulier Christine.

— Il n'oserait pas tirer sur Christine tout de même !

— Dan, mieux vaut rester groupés, suggéra Patricia, l'union fait la force.

— Je ne crois pas que tu devrais emmener notre bébé là-bas.

— *Notre* bébé ?

— C'est ce que j'ai dit.

— Si c'est notre bébé, sa place est avec nous.

Moira hochait la tête et l'approuvait.

— Christine est notre chef, il ne tentera rien contre elle.

— Soufflerait-il un vent de rébellion parmi la troupe ?

Au moment où Finlay ouvrait la bouche pour me répondre, Christine tambourina sur la vitre et poussa de petits cris pour attirer notre attention.

Le village n'était pas encore en vue, mais on devinait que l'entonnoir de fumée noire qui s'élevait en tourbillons dans le ciel provenait bel et bien de là.

37

Le père White arborait un sourire extatique et gesticulait sans ménager sa peine pour qu'on nous ouvre le portail de l'école. Il suivit du regard notre voiture descendre la modeste pente.

Le père Flynn tira sur le frein à main, alors que nous restions bouche bée devant le spectacle qui s'étalait sous nos yeux.

Un feu de joie avait été allumé au beau milieu de la cour et les enfants l'alimentaient en faisant la chaîne avec quantité de livres sortis tout droit de leur classe. Autour d'eux, une demi-douzaine d'hommes armés les encourageaient en criant. Pire que tout : Duncan était agenouillé devant le feu, les mains liées, sale, couvert de boue, une vilaine entaille à la tête, une partie du visage maculé de sang séché.

— Nom de Dieu…, murmurai-je.

Les feuilles des ouvrages, enroulées et noircies, s'envolaient vers le ciel au milieu d'un jaillissement d'étincelles éparses.

Flynn fut le premier à reprendre ses esprits. Il sortit furieux de la voiture et fonça droit sur le prêtre.

— Je peux savoir à quoi tu joues ?

Le père White lui répondit par un large sourire.

— Nous brûlons l'ordure, voilà tout ! (Et, s'adressant aux enfants,

il leur ordonna en tapant dans ses mains :) Allez-y, faites-en des piles !
Brûlez-les !

Flynn nous lançait des regards désespérés pendant que nous descendions de la Land-Rover et que le docteur Finlay s'avançait, sidéré.

— Vous ne pouvez pas brûler les livres, ânonna-t-il.

— Bien sûr que si, le coupa White, du moment que c'est de l'ordure.

— Nous ne sommes pas sous l'Allemagne nazie.

— En fait, fis-je remarquer, ça y ressemble.

Le prêtre me foudroya du regard. L'adrénaline prenait le pas, à moins que ce ne fût la folie ?

— Nous ne brûlons pas *les livres de classe* ! Nous brûlons juste la bibliothèque de ce pervers ! Ses lectures ! Rien que de l'ordure ! Vous vous rendez compte qu'il les gardait dans la salle de cours, là où les enfants pouvaient être en contact avec ces saletés !

Duncan, prostré, recracha un caillot de sang.

— Ce ne sont pas des saletés, dit-il en tremblant.

Je m'étais mis à aimer Duncan et il ne me donnait pas l'impression d'un type qui reluque des revues pornos pédophiles. Il vivait en célibataire sur une île isolée, on ne pouvait pas lui tenir rigueur de posséder quelques ouvrages de charme. En même temps, je me doutais que ma définition de lectures crades ne devait pas coïncider avec celle de White.

— Je n'arrive pas à croire que tu aies organisé cela, commenta Flynn toujours sous l'emprise d'une perplexité grandissante.

Il voulut s'approcher du feu — ou de Duncan — mais White s'interposa.

— Il a essayé de nous tenir tête, Frank ! Nous sommes venus le voir pour régler le problème sans scandale, pour simplement emporter ses livres, mais il n'était pas chez lui. On l'a vu débarquer tout couvert de boue comme le porc qu'il est. Il nous a attaqués. Il a été blessé, c'est tout. Ce n'est qu'un sale noceur. Désolé, Frank, mais j'applique la loi.

— La loi ? Quelle loi ? s'écria Flynn en sursautant. Voyons ! Jamais nous n'avons eu de loi contre les livres.

— Mais si, Frank, cette loi votée par le Conseil.

— Pardon ?

— Les choses ont changé, Frank, répliqua White avec une tristesse convenue. Tu n'es plus celui qui — comment dire ? — prend les décisions.

— Tu deviens fou ! Des lois contre les *livres*...

Pourtant, ça se tenait. Après avoir accepté de bannir la télévision et le téléphone, Flynn aurait bien dû se douter que viendrait le tour des livres. Ce n'était guère le moment de le lui faire remarquer. Flynn ouvrait les yeux, enfin. Cruelle clairvoyance. Prenant White par surprise, il se précipita vers Duncan et l'aida à se relever.

— Tout va bien, mon garçon, souffla Flynn avec assurance.

White leur jeta un regard mauvais ; il avait perdu son sourire arrogant.

— Frank ! Il corrompt nos enfants ! Il n'est qu'ordure et saletés, Frank, ordure et saletés !

— Non, ce n'est pas vrai ! Pas *Duncan*...

J'observais tout le désarroi du père Flynn dans ses yeux : il vivait l'épreuve du feu. Littéralement.

Il avait bâti son monde idéal en tâchant d'en écarter les aspects déplaisants, et à présent son utopie était pervertie par plus fort que lui. Il détestait cette réalité-là : des cadavres, un instituteur brutalisé, des livres brûlés. Il ne pouvait la supporter.

Duncan tanguait sur ses faibles jambes et marmonna :

— Je n'ai pas... je ne pouvais pas...

D'un signe de tête aux deux gardes postés en haut de l'escalier de l'école — je me souvenais qu'ils faisaient partie des plus enthousiastes de la horde — White leur ordonna d'approcher. Ils n'avaient pas perdu une miette de l'altercation et c'est l'arme négligemment pendue à l'épaule qu'ils descendirent les marches. L'instant d'après, ils encadraient le père Flynn.

La stupeur se lut dans l'expression du prêtre, et elle était, oui, *stupéfiante*. Elle se changea aussitôt en fureur lorsqu'ils l'empoignèrent chacun par un bras. À nouveau, l'instituteur s'écroula, genoux à terre. Le père Flynn se dégagea assez facilement en martelant :

— Vous vous croyez *où* pour faire ça ?

Les deux hommes hésitèrent sur l'attitude à adopter et guettaient les instructions de White. Flynn se baissa vers Duncan.

White claqua des doigts.

— Conduisez Duncan à l'église. Maintenant. Et Frank aussi.

Un des types planta son fusil dans les reins de Flynn. L'autre redressa Duncan avec rudesse, sous l'œil inquiet de Moira. Patricia glissa sa main libre dans la mienne et me la serra. Little Stevie semblait fasciné par le feu. Christine s'était soudain précipitée dans sa classe, sa mère à ses trousses.

Flynn se redressa, fit demi-tour et secoua la tête avec dédain. D'une main, il écarta le fusil sans quitter des yeux son agresseur.

— Vous n'oseriez pas.

— S'il te plaît, Frank, insista White d'une voix moins sèche, suis-le à l'église. Je viendrai t'y rejoindre et je t'expliquerai tout.

— Tu veux dire que tu vas m'expliquer la raison de ces cadavres dans le champ de Mulrooney ? Il pointait un doigt accusateur vers White.

S'il s'attendait à une réaction de surprise, il en fut pour ses frais. Ni les hommes de White, et ni ce dernier — ou si peu — ne sourcillèrent.

— Oui, si tu y tiens, déclara White d'un ton neutre comme s'il était en train d'expliciter un passage des Saintes Écritures à un futur converti.

Les gardes poussaient sans ménagement le prêtre et l'instituteur vers le portail. Flynn résista un instant avant de lever ses bras avec ostentation.

— Très bien, cria-t-il, tu le prends sur ce ton ! On va convoquer le Conseil et nous allons régler ça ! Je deviens fou !

Alors qu'ils arrivaient à notre hauteur, le docteur Finlay s'avança pour examiner la blessure de Duncan, mais, là encore, un des hommes de White s'interposa, et tous continuèrent leur chemin. Le docteur était interloqué.

— Rentrez chez vous, Docteur, grogna White, on n'a pas besoin de vous ici.

— Lui a besoin de soins.

— Non, Docteur, il n'en a pas besoin. Mais vous, oui. Pourquoi ne retournez-vous pas à votre cabinet médical pour vous servir un petit verre ? Ou pour préparer une attaque dévastatrice du Front Alcoolique de Libération de Wrathlin ? (Finlay cherchait Duncan des yeux ; il avait disparu.) C'est pathétique ! Rentrez chez vous, Docteur, vous pourriez commencer par vous débarrasser de vos réserves d'alcool avant qu'on ne vous rende une petite visite, hein ?

Finlay toisa le prêtre. Il se dirigea ensuite vers le portail sans même me lancer un regard.

Patricia bondit pour attraper Christine qui se dirigeait vers le feu, les bras chargés de livres. Deux tombèrent par terre.

Le père White s'exclama :

— Ah ! Voici ma petite fille !

Moira surgit derrière Christine.

— Ce n'est pas votre fille !

— Moira, regardez-la, elle reconnaît ce qui est juste et bon.

— C'est une enfant, elle est fascinée par le feu, c'est tout.

Patricia récupéra les livres tombés dans l'herbe pendant que Christine en lançait cinq de mieux dans les flammes. Elle applaudit avant de filer vers sa classe. Le feu était imposant et les enfants continuaient leur va-et-vient. L'instituteur possédait une bibliothèque imposante.

Ma femme écarquilla les yeux et me montra une couverture.

— Alors mon Père, que leur reprochez-vous à ces livres ?

— Que de l'ordure.

313

— *Le Seigneur des Anneaux ?*

— Ordure, répéta-t-il.

— Mon père, c'est un classique. Le combat du bien contre le mal. Le bien triomphe. Qu'y trouvez-vous à redire ?

Il lui arracha le roman des mains et le balança dans le feu.

— Ordure païenne.

— Quelqu'un de célèbre a déclaré que lorsqu'on se mettait à brûler les livres, c'était la fin de la civilisation.

— Ce quelqu'un s'est trompé. Nous sommes sur le point de sauver la civilisation et de sauver les âmes. Tous nos espoirs reposent en Christine. Notre devoir est de la protéger justement de lectures comme *Le Seigneur des Anneaux*. C'est l'œuvre du Diable et vous le savez. (Il arracha l'autre livre des mains de Patricia.) Et celui-ci ? *Kane and Abel* ? Le roman de l'ignoble Jeffrey Archer ? (Il brandit le volumineux best-seller au-dessus de sa tête.) Que devrions-nous en faire à votre avis ? Une étude au titre mal orthographié sur un épisode de la Bible ? Y trouvons-nous des leçons pour l'humanité ? Eh bien non ! Toujours de l'ordure ! M'empêcherez-vous de le brûler ?

— Non, en fait, celui-là, vous pouvez le balancer. C'est le critique littéraire qui vous parle.

White ne m'écouta pas. Patricia s'excusa pour son fou rire nerveux. L'ouvrage fut livré aux flammes.

Nous ne pouvions détacher nos yeux du feu de joie. Les enfants, à court de livres, nous imitèrent.

Le père White tapait dans ses mains, il avait de nouveau la forme.

— Beau travail, les enfants ! Bravo ! (Cris de joie des mômes.) Pour vous remercier de votre dur labeur, je vous libère pour le reste de la journée. Que dites-vous de cela ? (Nouvelles clameurs de joie.) Rentrez vite raconter à vos mères comment vous vous êtes bien conduits, toutes et tous. Et à demain !

Les élèves s'éparpillèrent au milieu de cris et de rires et gagnèrent la sortie. Christine demanda à sa mère si elle pouvait aller jouer.

Rien qu'à son air, je sentais que Moira bouillait de rage intérieurement. Cependant, elle lui répondit doucement en lui tapotant la tête :

— Bien sûr, ma belle, que tu pourras jouer. Mais d'abord, tu vas accompagner maman à la maison.

Christine fit une petite grimace avant de saisir la main de sa mère avec un sourire.

Le père White abattit une poigne de fer sur l'épaule de Moira qui se dégagea.

— Ne vous amusez pas à ça ! dit-il.

— Je fais ce que je veux !

— Je vous rendrai visite plus tard. Pour vous expliquer la situation.

— Ne prenez pas cette peine. Ce que je viens de voir me suffit amplement.

Et elle traversa la cour en entraînant Christine.

— Elle changera d'avis.

White parlait tout seul.

Patricia me lâcha la main et suivit Moira.

— Je l'accompagne pour voir si elle tient le coup.

— Elle tient le coup.

— Dan, tu es un mec.

— C'est-à-dire ?

— Réfléchis un peu et tu auras la réponse.

Et elle courut après Moira, Little Stevie contre son épaule. Je lui proposai de venir, mais elle déclina mon offre.

J'avais du mal à suivre. Bien sûr, je reconnaissais là un geste généreux : soutenir la copine bouleversée. Une attention sincère. Et moi ? Pourquoi une telle empathie ne s'appliquait-elle pas à moi, le mari adoré ? Elle m'avait abandonné à un tueur en série et à ses hommes de main sans même l'élégance d'un baiser d'adieu !

— Ah, les femmes ! murmura le père White à mes côtés, drôle d'engeance…

C'était la seule chose sensée que j'avais entendue sur l'île depuis mon arrivée. Elle venait pourtant d'un homme dont la vie sexuelle se résumait à l'utilisation de sa main gauche, ce qui signifiait, globalement, une totale absence d'expérience. Je lui suggérai néanmoins de ne pas se priver de développer. Je retournai près du feu où se réchauffaient les quatre hommes armés.

Le père White nous rejoignit en se frottant les mains. Nous formions un demi-cercle à nous six et j'aurais dû crever de trouille car j'étais en compagnie des méchants depuis que mon protecteur avait été éloigné. Pourtant je n'avais pas si peur. L'hystérie engendrée par la scène d'autodafé s'était consumée avec le dernier livre envolé en fumée.

— Vous ne semblez pas déboussolé outre mesure par la découverte des cadavres.

— C'est vrai, Starkey. Je suis simplement étonné qu'on ne les ait pas découverts plus tôt.

— Vous avez tiré sur l'agent Murtagh et sur Mary Reilly.

— Nous n'avions pas d'autre choix.

— Bien entendu. Et aussi sur un prêtre.

— Nous n'avions pas d'autre choix.

— Et sur un inspecteur du ministère.

— Raisons identiques.

— Il était sur l'île bien longtemps avant la naissance de Christine?

— Exact.

— Et alors…?

— Je ne vais pas raconter trente-six fois la même histoire. Venez à l'église. Je vous dois une explication comme je la dois à Frank. Et je n'ai aucune objection à ce que vous soyez le témoin de ces informations. Après tout, vous êtes l'historien officiel.

— Vous avez envie que j'écrive cette histoire? demandai-je, incrédule.

— Absolument. C'est très important.

Sa dernière remarque, Wrathlin… tout me désorientait. White n'avait pas son pareil pour m'embrouiller les idées.

— Ça ne vous gênerait pas qu'on retienne de vous l'image d'un meurtrier ?

— Un historien qui n'aurait pas à sa disposition l'ensemble des faits pourrait brosser de moi un tel portrait. Au contraire, un historien capable de prendre du recul, de faire preuve d'ouverture d'esprit, serait en mesure de mettre les faits en perspective et pourrait en dresser un portrait bien différent.

— Et s'il n'y arrive pas, ou qu'il ne le veut pas ?

— Eh bien, il pourrait terminer six pieds sous terre comme les autres. C'est tout ce qu'il y a de plus simple. Possédez-vous cette ouverture d'esprit, monsieur Starkey ?

Il avait une façon très nauséeuse de prononcer « monsieur ».

— Une ouverture d'esprit… béante !

38

Au son régulier du martèlement sur le plancher, je savais, avant même d'entrer, que le père Flynn arpentait la salle paroissiale. Quand la porte s'ouvrit, je compris que cette brève attente n'avait pas réussi à le calmer, au contraire. Il se tenait devant nous, bras raides, plaqués contre le corps, et son visage cramoisi découvrait des lèvres sèches qu'une langue presque blanche cherchait à humecter.

— Tu te prends pour qui, bon sang ? s'emporta Flynn.

White resta de marbre, et moi j'usai de mon vieux tic, hausser les épaules. White referma la porte derrière lui et nous regarda, les mains serrées dans le dos. Des rigoles de sueur avaient laissé en séchant de fines traces sur son front, à l'image d'un delta africain dont l'eau se serait retirée.

— Eh bien ? demanda Flynn.

— Frank, avant toute chose, je te conjure de te calmer.

— Me calmer ? De paradis, tu as transformé cet endroit en enfer ! Tu as tout détruit !

— Non, Frank, tu ne comprends pas. (Flynn ouvrit la bouche pour argumenter, mais White leva aussitôt la main.) Prends une chaise, Frank, et discutons de tout cela de manière rationnelle.

— Rationnelle ?

Pour un mot si peu en vogue sur Wrathlin, il venait d'être prononcé deux fois en moins de deux secondes.

— Où est Duncan ? demandai-je.

— Ils l'ont emmené, coupa Flynn. Guettez le bruit du coup de feu !

White secoua la tête et partit s'installer à la table du Conseil. Sciemment ou non, il ne prit pas le siège en bout de table. Il attendait que Flynn le rejoigne.

Je lui touchai le bras.

— Cela ne vous engage à rien, mon Père.

Il me regarda comme s'il découvrait ma présence.

— Vous le soutenez ?

— Allons, bien sûr que non. Vous êtes fou. Je ne suis que le journaliste impartial, vous vous souvenez ?

— Vous n'êtes pas de mon côté non plus ?

— Mon Père, on ne risque rien à écouter ce qu'il a à dire. C'est lui qui a suggéré cette réunion, non ?

— Merci, coupa White d'un ton cinglant, mais on se débrouillera sans vous.

Je m'installai à l'autre bout de la table. Flynn braquait ses yeux sur White, puis sur moi, et inversement. Il contourna ensuite la table et, l'espace d'une seconde, je crus qu'il allait asséner un coup à l'usurpateur. Il marqua une pause derrière le siège du président de séance, un éclair d'hésitation dans le regard. Il opta finalement pour la chaise d'à côté.

— Très bien, commença Flynn, droit comme un i, je vais t'écouter. Je suis curieux d'entendre ton argumentation. Oui, je serais fasciné de comprendre comment un homme de Dieu peut justifier le meurtre de six personnes.

Un visage barbu apparut à la fenêtre de la salle paroissiale. L'homme, un fusil à l'épaule, observa à l'intérieur avant de disparaître.

White se courba en avant, frottant ses mains avec lenteur, les yeux rivés au sol. Flynn fixait son crâne comme s'il voulait tenter d'y pénétrer. White cherchait ses mots. Il finit par se redresser.

— Frank. (Sa voix posée prouvait qu'il avait opté pour une attitude diplomatique.) Je dois te présenter mes excuses, je...

— Des excuses ne sauraient apporter...

— Je veux te présenter mes excuses pour t'avoir tenu à l'écart des décisions. (Il parlait d'une voix plus ferme.) Nous avons pensé... le Conseil a pensé que le mieux, compte tenu de la fragilité de ton cœur...

— Fragilité ! Quelle fragilité ? cria Flynn d'une voix tonitruante.

— Frank ! S'il te plaît ! Écoute-moi. Nous savions que tu n'approuverais pas nos décisions. Or, nous avions la conviction d'avoir raison. Nous *avons* raison. Écoute-moi à présent.

— Je t'écoute.

— Bien. Donne-moi une chance. Je t'ai déjà expliqué le cas de Murtagh et Mary.

— Tu as reconnu les avoir tués. Tu ne m'as rien *expliqué*.

— Si. Il fallait protéger l'île. Protéger Christine.

— Ça ne ressemble ni à une explication ni à une justification.

— Un peu de patience, veux-tu ? Laisse-moi te raconter ce qui s'est passé avec celui qui nous a causé le plus gros souci. L'homme du ministère.

— Mark Blundell, dis-je.

— Peu importe son nom.

— Assassiné avant même la naissance de Christine, ajoutai-je.

— Oui, merci, dit White en me fusillant du regard, genre « tu vas la boucler ». Frank. Voici comment ça s'est passé. Cet homme. Blundell. Il voulait qu'on quitte tous notre île.

— Qu'est-ce que tu veux dire ?

Flynn parut soudain intrigué.

— Exactement ce que je te dis. Il voulait que chacun d'entre nous déménage sur le continent. Pour notre bien.

— Mais pourquoi, pour l'amour du Ciel ?

— Il racontait qu'il était très dangereux de vivre ici. (Il marqua une pause pour entretenir le suspense, avant de murmurer :) As-tu jamais entendu parler du radon ?

— Qu'est-ce que c'est ?

White me dévisagea :

— Et vous ?

— Une sorte de poudre à laver, non ?

— Bien sûr que non. Frank, bien avant ton arrivée, ce type, *Blundell*, a débarqué ici un jour sans prévenir, avec tous ses instruments. Je l'ai surveillé durant quelques heures, puis je suis allé lui parler. Lui se limitait à me poser des questions. Tout ce que j'arrivais à lui arracher, c'est qu'il réalisait une étude. Quelle sorte d'étude ? Il me répondit qu'elle portait sur l'ensemble du territoire du Royaume-Uni, pas seulement sur l'île, et qu'elle durait depuis plusieurs années. « Wrathlin a été un peu oubliée dans la liste », avait-il ajouté sur le ton de la confidence narquoise. Je ne le trouvais pas sympathique. Il arborait une attitude hautaine, alors qu'il n'y avait pas de quoi. Mais il se montrait poli et m'assurait qu'il n'y en aurait que pour quelques jours. Il cherchait des traces de radon. Quand je l'interrogeai à nouveau, il m'expliqua qu'il s'agissait d'un gaz radioactif. « Mon Dieu, ça fait peur votre histoire », avais-je répondu. Il s'était mis à rire et m'avait rassuré. Selon lui, il effectuait une petite étude de rien du tout pour estimer et surveiller les traces de ce gaz existant à l'état naturel. Je me souviens de ses propres termes : « Je serai reparti avant même que vous ayez remarqué ma présence. » White prit une profonde inspiration et fixa le sol. Nouvelle pause. Nouveau suspense.

— Et ensuite ?

— Ensuite, Frank, il a filé terminer son travail. Nous, on lui apportait à manger et on l'accueillait du mieux qu'on pouvait comme on le fait avec les visiteurs…

— Comme vous le faisiez, précisai-je.

— Peu importe — la ferme, Starkey !

— D'accord.

321

— L'étude se poursuivit encore plusieurs jours. C'était un curieux petit bonhomme, toujours renfermé sur lui-même, mais en vérité il possédait en lui quelque chose de mauvais et, d'une certaine façon, cela nous a été bénéfique. Il aurait pu mener son étude dans son coin, rentrer à Belfast et faire son rapport auprès de ses supérieurs. Non, au lieu de ça, il n'a pas pu résister à la tentation de tout me raconter. Tu aurais vu son visage ! Comme s'il me confiait un secret, mais en fait tout était calculé de sa part. Avec un plaisir non dissimulé, il m'expliqua que les relevés attestaient une présence anormale de radon.

— Mais… mais… qu'est-ce que ça signifie ?

— Anormale signifie anormale, Frank. Il voulait dire qu'il n'avait jamais rencontré un taux aussi élevé. Que c'était carrément dangereux. Qu'il était très inquiet pour la population et que sa recommandation porterait sur une évacuation immédiate de l'île.

— Et que lui as-tu répondu ?

— Que cela me semblait un peu imprudent de préconiser une telle décision. Quel type de danger y avait-il vraiment ? Il l'ignorait lui-même, mais s'obstinait à dire que, devant un phénomène de cette ampleur, le plus sage serait d'évacuer Wrathlin jusqu'à ce que des scientifiques évaluent avec exactitude la situation. Il ne voulait rien entendre de mes arguments, Frank. J'avançais l'idée que les gens se sentaient tous en bonne santé, et qu'en cas d'évacuation notre communauté ne reviendrait jamais sur l'île, donc, à terme, elle finirait par se disperser et disparaître. Il n'écoutait rien. Je n'arrivais pas à le raisonner. Il détenait le pouvoir.

— Alors vous l'avez supprimé.

— Cela n'a pas été aussi simple, Starkey. Nous avons insisté pour qu'il assiste à notre Conseil.

— Insisté ?

— Nous l'avons empêché de quitter la séance. Simplement pour que chaque membre du Conseil puisse entendre l'histoire de sa propre bouche. Il n'était pas content d'être retenu contre son gré, mais en même temps il semblait se délecter de créer un tel tumulte.

Il n'écouta aucune de nos réserves. Son opinion était faite, point final. L'ambiance devint soudain houleuse, car quelques gars avaient bu. Toutes sortes de noms d'oiseaux ont commencé à fuser. Oui, tout cela peut te paraître puéril, mais tu sais bien, Frank, comment nous sommes, et combien nous aimons notre petite île. La situation a dérapé. Quelqu'un lui a tiré dessus, c'est arrivé comme ça et j'en suis désolé. Je ne peux pas non plus prétendre que ça n'était pas la bonne chose à faire.

— Vous donneriez-vous la peine de vous souvenir de qui a appuyé sur la détente ?

— Non. On n'arrivait plus à raisonner Blundell. Il aurait « tué » notre vie sur l'île sans le moindre remords.

— Il aurait pu aussi vous sauver.

— Starkey, vous ne comprenez donc rien. Je ne suis pas en train de dire que ce gaz, ce radon, n'existe pas. Je sais qu'il y en a. Et il est présent pour une bonne raison. À l'époque, nous ne la connaissions pas encore. Mais nous savions que quelque chose allait se produire. Nous le sentions dans l'atmosphère. Un sentiment d'allégresse s'emparait de nous. La sensation d'un potentiel dont vous n'avez pas idée. Tous les habitants l'ont ressenti. Un bien-être nouveau. Tu te souviens, Frank, la rumeur de ton retour a couru dans toute l'île. Je me rappelle ton arrivée… tu n'étais pas en très bonne santé… et en quelques semaines… (Flynn acquiesça, sa fureur était complètement retombée.) Nous étions si heureux… et, en même temps, nous étions dans l'attente… dans l'attente d'une chose importante… c'était dans l'air, et notre petite Christine… c'est toi qui nous l'as amenée, et de ça, nous te serons éternellement reconnaissants. Dieu a créé ici l'environnement parfait pour sa naissance. Ce Jardin d'Éden. Il faut que nous fassions notre maximum pour le protéger. Tu comprends mieux à présent, Frank ? Réfléchis bien à tout ce que je viens de te dire.

— Tu as raison, déclara Flynn en se calant dans sa chaise, les yeux clos. J'ai besoin d'y réfléchir.

323

White se leva.

— Prends tout ton temps. Tu finiras par saisir la vérité. Et tu comprendras alors pourquoi nous avons agi de la sorte. Nous avons toujours cru à une nouvelle aube, Frank. Et elle démarre aujourd'hui. Il est vital que nous protégions Christine par tous les moyens, jusqu'à ce qu'elle soit en âge de montrer la voie.

Après le départ du père White, je dis à Flynn :

— Il est complètement frappé, non ?

Flynn me dévisagea avec une telle expression de dégoût que je me levai et partis me coller à la fenêtre. À cause des cadavres, je pensais qu'il s'était rangé définitivement de notre côté, mais je m'étais trompé. Il était toujours le père Flynn, celui qui avait pris fait et cause pour Christine, le type qui avait parlé à Dieu.

— Ils ont assassiné Blundell.

— Chuuut.

— Ils ont tué le prêtre. Et les autres.

— Voulez-vous bien me laisser en paix !

Je la bouclai.

Peu après midi, la porte de l'église s'ouvrit et Duncan entra en boitant. Quelqu'un referma la porte à clé derrière lui. Toujours sale et couvert de boue, il portait un sparadrap sur le visage ; il vint s'asseoir à la table d'un air abattu.

— Salut ! Alors, il s'est passé quoi ?

— Félicitations à notre unique rempart contre la censure, plaisantai-je.

— Je n'ai pas été très héroïque.

— Je salue l'effort fourni. Nous avons plus que jamais besoin de livres. De manière à y chercher des mots comme *radon*.

Il ouvrit de grands yeux étonnés.

Je lui déballai toute l'histoire, White n'ayant pas prononcé la formule magique, *ceci restera strictement entre nous*. Je la lui fis courte, du style, *on finit tous par crever un jour.* Il leva un sourcil, un seul — ce qui n'est pas évident — et souffla un « sans blague ? ».

Je confirmai mes dires d'un signe de tête. Duncan se retrancha dans ses pensées, imitant Flynn. Ils me délaissaient, et je pouvais presque entendre leurs cerveaux phosphorer. Je ne sais pas pourquoi il leur fallait tant de temps. De mon point de vue, les choses étaient simples : au fil des ans, le radon leur avait cramé tous les neurones. Et plus nous resterions — Patricia, Little Stevie et moi — sur cette île, plus on aurait de chances d'avoir nous aussi les neurones foutus.

Duncan finit par déclarer, avec un léger hochement de tête :

— S'il dit la vérité sur le radon, ça se tient.

Je m'approchai de lui et lançai :

— Il est prêtre, bien sûr qu'il dit la vérité.

Flynn ronchonna depuis la fenêtre où il se trouvait, tandis que Duncan poursuivait, imperturbable.

— Oui, c'est cohérent. Cela éclairerait certaines choses. Non pas sur les meurtres, mais sur ce qui est arrivé. (Il tapota doucement son visage tuméfié et avec un clin d'œil prit l'expression d'un benêt.) Je connais que dalle au radon, mais si les taux sont si élevés depuis toujours, on peut craindre des conséquences sur notre santé.

Flynn se retourna.

— Duncan, nous ne nous sommes jamais mieux portés qu'en ce moment, tu le sais. Ce vieux poivrot de docteur Finlay n'a rien à faire de toute la sainte journée.

— Mon Père, je ne parlais pas physiquement, plutôt, au niveau du cerveau.

— Mais on n'est pas… enfin… arriérés.

— Bien sûr que non ! Dans le cas présent, on serait même en avance sur notre temps. Ce que je veux dire, mon Père… vos visions, les pouvoirs de Christine… même Mary Reilly — tout le monde était persuadé qu'elle était en contact avec les esprits — si elle pouvait voir des choses… tout comme vous, mon Père… tout comme Christine… alors peut-être que le radon n'y était pas étranger ?

— Ou alors c'est la consanguinité ? avançai-je, histoire d'en rajouter.

Duncan grogna ; il suivait son idée.

— Je sais que ça peut sembler fou… mais pas moins fou que la Seconde Venue du Messie.

— Cela pourrait expliquer beaucoup de choses, mon Père, dis-je.

— Cela signifierait que rien n'était vrai. Le… (Sa voix se perdit dans ce qui devait être un immense désespoir. Il fixait le plancher constellé de marques de talons. Combien de pas avaient foulé ce sol au fil des années ? Toutes ces traces que je cherchais à camoufler de mes pieds. Cela n'amusait que moi. Flynn leva les yeux vers Duncan.) Duncan, es-tu en train de me dire que si Christine n'est pas la fille de Dieu, elle serait une sorte de déficiente mentale à cause des effets radioactifs du gaz ?

— Non, je…

— Que toutes nos actions en son nom auraient été dictées par nos esprits altérés par ce *radon* ? Que j'aurais mis tout en branle à cause de mes visions, visions générées par ce gaz ?

— Non… mon Père, pas du tout. Je ne prétends pas que ce soit nécessairement une mauvaise chose. Mon Père, si ce radon augmente le pouvoir de l'esprit humain, alors les possibilités sont infinies…

Mais le père Flynn n'écoutait déjà plus. Il se leva soudain et se dirigea vers la porte.

— Mon Père, appela Duncan en courant derrière lui.

— Reste ici, Duncan, tu es en bonne compagnie. J'ai commis une grossière erreur. (Et il tambourina à la porte.) Il faut que je règle cette affaire.

39

Des tessons de lumière crevaient les nuages, éclairant avec peine ce qui ressemblait désormais à une tragédie pure.

La tragédie et moi, on est de vieux potes. On tombait toujours l'un sur l'autre dans les soirées, on buvait quelques bières ensemble, on se remémorait nos chers disparus. Dieu m'est moins familier, mais je reconnais que c'était sympa de Sa part de nous fournir cette lumière. Il était concerné, faut dire. Pareil pour Mère Nature qui exhale son gaz de la terre. Je n'ai pas calculé si ces deux-là font partie de la même entité, et s'ils formaient un « Il » plus un « Elle », ou bien un « Ils » collectif. C'est fou ce qui peut vous passer par la tête, quand cette dernière a une arme braquée sur elle et que vous êtes à genoux dans la poussière.

Je la tournais doucement, ma tête. Duncan, à ma gauche, semblait désespéré. Des invectives nous parvenaient de l'intérieur de l'église : la voix du père Flynn, bien sûr, et celle plus aiguë du père White. Ça discutait sec depuis maintenant deux heures.

Le Conseil s'était évidemment réuni pour débattre avec eux, tandis que les hommes de main montaient la garde à l'extérieur.

Duncan avait l'air résigné à son sort.

— J'ai cru qu'ils m'emmenaient dehors pour m'exécuter. Je considère qu'il me reste une à deux heures pour me réconcilier avec Dieu.

— Dieu a brûlé tes livres ce matin.

— Non, Starkey, pas Dieu. Tu le sais aussi bien que moi. (Nous n'étions pas assis de manière très confortable. On avait les mains sur la nuque, mais c'était mieux que de se prendre une balle dans la tête à une vitesse de plus de cent kilomètres-heure. Les coudes de Duncan se rejoignaient devant son nez.) J'ai envie qu'on en finisse.

— Pas moi.

Parmi bien des choses qui ne contamineraient pas un haut lieu de la résistance tel que Wrathlin — la myxomatose, la télévision satellite, les plats tout préparés de chez Lean Cuisine — il devait y avoir un tas de vieilles maximes particulièrement pertinentes du style « inutile de zigouiller celui qui vous apporte de mauvaises nouvelles ». Sauf que, pour le coup, il en avait été décidé autrement.

Les tentatives du père Flynn pour démontrer à son collègue ses erreurs d'appréciation, en particulier que Christine, bien que dotée de dons très remarquables, n'était pas la fille de Dieu, ne rencontrèrent visiblement qu'un visage fermé, aveugle et sourd. Ou plutôt, un visage rouge de fureur car White était sorti fou de rage de leur entrevue, en ordonnant que Duncan et le plus intrépide des reporters soient prêts à être exécutés. C'était là tout le jeu de la négociation et, malheureusement pour nous, Flynn n'était pas en position de négocier.

Les hommes de White nous avaient traînés dehors, jetés à terre et forcés à nous agenouiller. Ils avaient collé sur nos nuques le froid métal du canon d'une arme. Ensuite s'installa une sorte de répit temporaire, puisque le recours à l'arbitrage allait avoir lieu. Le reste des membres du Conseil avait investi la salle d'un pas lourd, visages sévères, sans nous adresser le moindre regard. Jack McGettigan gifla Duncan à son passage et marmonna quelques phrases incohérentes d'où émergeait le mot « pornographe », ce qui arracha un gémissement au pauvre Duncan déjà bien mal en point. Preuve qu'il n'y a pas pire qu'un alcoolique repenti.

— Quelle connerie de finir comme ça, lançai-je à la face d'un vent glacial et pénétrant.

Une larme se perdit le long de ma joue. Je me mordais les lèvres. Pas question qu'on s'imagine que j'étais en train de chialer. J'étais un cynique, un dur à cuire, affronter la mort, j'avais déjà connu. J'avais déjà pleuré aussi.

— Oui, c'est con de finir comme ça, renchérit Duncan en crachant par terre.

— Vous allez fermer vos gueules, d'accord ? cria un garde dans mon dos en me poussant avec le canon de son fusil.

— Donne-moi une bonne raison.

— Si tu la fermes pas, je te descends, ça c'est une bonne raison, non ? aboya-t-il.

— Tommy, pour l'amour du Ciel, calme-toi. Tu vas nous descendre de toute façon, répliqua Duncan en riant jaune.

— Alors, bouclez-la.

— Merci Duncan, là tu m'as bien remonté le moral.

Tommy était tout seul à nous menacer de son arme. Les autres s'étaient repliés sur les marches, à l'abri du vent. De là, ils pouvaient mieux entendre les débats. Le père Flynn abattait ses dernières cartes. Je n'avais jamais rencontré Tommy auparavant, si ce n'est que ce gars corpulent et barbu, aux yeux de merlan frit, nous avait dévisagés au moment où nous étions retenus dans la salle paroissiale.

— Nous étions dans la même classe à l'école, Tommy.

— Et ça change quoi ?

— Rien. Sauf que tu vas devoir me flinguer.

— Et alors ? Tu es un hérétique et un pornographe.

— Tu le crois vraiment ?

— Bien sûr.

— Parce que c'est le père White qui le prétend ?

— Oui.

— Tu crois tout ce qu'il dit ?

— Bien sûr.

329

— Pourquoi le croire lui, et non le père Flynn?

— Parce que le père Flynn n'a pas toute sa tête.

— Qui t'a raconté ça?

— Tout le monde le sait. Il a un grain. Il raconte des choses bizarres.

— Lesquelles?

— Qu'une sorte de gaz nous rendrait idiots.

— Tu ne penses pas qu'il pourrait y avoir du vrai dans ses paroles? demandai-je.

— Bien sûr que non, répondit-il dans un soupir du style ayons-pitié-des-pauvres-d'esprit. Le père Flynn a perdu la foi.

— Tu ne crois pas à l'hypothèse selon laquelle la naissance du Messie sur l'île pourrait être aussi extravagante que la présence d'un gaz qui nous perturbe tous?

— C'est tout à fait le type d'argument que je m'attendais à entendre de la part d'un païen.

— Tommy, fit Duncan, tu pourrais vraiment nous exécuter?

— Oui, je le pourrais.

— Tu dois nous haïr terriblement.

— Pas du tout. J'aime Christine plus que tout. Et si le père White nous ordonne de vous tuer tous les deux pour la protéger, je le ferai.

— Cela ne pèsera pas sur ta conscience, c'est ça?

— C'est ça.

— Eh bien, dis-je, c'est bon à savoir.

Un mouvement du côté des marches et la porte s'ouvrit. Le père Flynn sortit le premier, suivi du père White et des membres du Conseil qui semblaient — si c'est possible — plus austères que jamais, quoique l'austérité ne soit pas inhabituelle dès qu'il s'agit de religion. Un visage austère chez un religieux, c'est l'équivalent d'un visage souriant chez un non-religieux. Ça va avec le décorum. Personne ne ferait confiance à un prêtre qui se gondolerait comme un bossu.

Les gardes descendirent le petit escalier en courant pour venir se placer en arc de cercle derrière Duncan et moi, dans l'attente respectueuse d'un ordre. Les membres du Conseil étaient répartis équitablement de chaque côté du père White sur la plus haute marche. Seul Flynn s'approcha et j'avais du mal à deviner à sa mine l'issue des débats, car tout le monde avait les traits tirés, pas seulement lui. Quelle belle après-midi lugubre ! Les nuages gris portés par les vents glacés de l'Atlantique n'arrangeaient rien.

Flynn s'arrêta à notre hauteur et mit ses mains dans son dos en dodelinant doucement la tête.

— Je n'ai pas voulu tout ça, dit-il calmement. (Il porta son regard au loin, vers le port. Comme il ne trouva aucun réconfort dans cette contemplation, il se tourna vers le père White qui lui répondit d'un signe de tête.) J'ai proposé que nous quittions Wrathlin immédiatement. J'ai donné ma parole qu'aucun de nous trois ne raconterait quoi que ce soit.

— Ça me semble correct.

— Malheureusement, ma requête a été refusée.

Duncan s'affaissa. C'est le genre de choses qui m'arrive rarement sauf quand je suis ivre. Je défiai les membres du Conseil avec un regard vengeur. Implorer leur clémence viendrait bien assez tôt.

— Le problème, poursuivit Flynn, est que je comprends parfaitement la position du père White et du Conseil. Si vous croyez en quelque chose, en particulier d'aussi important, alors vous êtes obligé de vous armer, littéralement. De vous donner à fond sans laisser quiconque se mettre en travers de votre route. C'est ce qu'ils font, et j'éprouve de la compassion pour eux parce que j'ai vécu ça. Grâce aux récentes informations dont nous avons eu connaissance, il ne m'est plus possible de croire que Christine soit la fille de Dieu. C'est une petite fille exceptionnellement douée, rien de plus. J'ai défendu mes convictions, je peux me tromper, et je le souhaiterais presque pour les gens derrière moi, pour le salut de leurs âmes. Il m'est impossible de les contrer.

— C'est un peu court comme renoncement.

— Je les ai implorés de ne pas vous exécuter tous les deux.

— Merci, fit Duncan.

— Mes appels n'ont pas été entendus.

— Oh…

— Et vous n'écrirez pas l'histoire de Christine, Dan, je le regrette.

— C'est la dure loi de l'édition, mon Père.

— Toujours prêt pour un bon mot, Dan…

— Le comique est un registre plus facile que la mort. Quelle punition allez-vous leur infliger, mon Père, trois *Je vous salue Marie*?

— Oh, ils ne me laisseront pas m'en tirer à si bon compte, Dan. Quand viendra l'heure de la sentence, je serai à vos côtés, dans la poussière, ce n'est que justice.

Et il s'agenouilla près de nous.

— Je ne peux pas croire qu'il vous exécutera aussi, dit Duncan.

— Quel autre choix a-t-il?

— Quel autre choix, vraiment? (Le père White venait de descendre le petit escalier et s'avançait, le visage irradié de joie. Il triomphait. Il goûtait sa puissance. Il s'arrêta devant Duncan et caressa la tête de l'instituteur. Soudain, il lui empoigna les cheveux et le souleva de terre de quelques centimètres.) Voilà ce que tu nous obliges à faire! cria-t-il, le visage déformé par la haine. (Il força Duncan à se placer en face de Flynn.) Ce prêtre, ce collègue, celui qui était mon ami, celui qui nous amena Christine en premier, se révèle être le Serpent du Jardin d'Éden. Qu'est-ce que je devrais faire? Le laisser en vie pour qu'il répande son poison? Qu'il infecte chacun de nous? Qu'il persuade chacun de nous de se liguer contre Christine? Non! Je ne peux pas le laisser faire! (Il lâcha Duncan et brandit un poing tendu vers le ciel.) Dieu nous observe, Dieu bénit notre action!

— *Amen!* s'exclamèrent trois membres du Conseil, les autres acquiesçant d'un air triste.

Le moment me parut opportun de mettre mon grain de sel.

— Dites-moi, avez-vous consulté Christine sur ce point?

— Consulté? répéta White avec rudesse.

— Oui, à propos de notre exécution.

— Je n'en ai pas besoin, souffla-t-il avec mépris.

— Vous aviez pourtant l'air d'y tenir avant. Avant la fuite de Mary Reilly.

Il attrapa mes cheveux et les tordit. Peut-être en voulait-il une poignée pour des implants. Il écrasa son visage contre le mien. J'étais déçu. Il ne puait même pas de la gueule.

— Oui, nous voulions qu'elle soit jugée. Il fallait montrer à tous comment le Diable est à l'œuvre. Mais le mal que vous renfermez tous les trois est d'une nature plus insidieuse. (Il me lâcha.) Mary Reilly était folle à lier et devant une assemblée elle n'aurait pas tenu long-temps. Vous trois, vous êtes lucides dans votre capacité à répandre le mal et l'ordure parmi les braves gens!

— Et vous êtes tous d'accord avec ça? dis-je en m'adressant aux membres du Conseil.

Ils acquiescèrent tous, l'un après l'autre, sans malaise, sans éviter le regard d'un homme condamné. J'optai pour un haussement d'épau-les, sans doute le dernier sur cette île maudite.

— D'accord, les gars, j'ai compris. Qui suis-je pour m'opposer à un processus démocratique? (Je toussai, puis crachai par terre.) Par-don. Ai-je prononcé les mots « processus démocratique »? Je voulais dire meurtre avec préméditation perpétré par une bande de salopards fascistes à l'esprit tordu.

Un petit sourire suffisant et méchant éclaira le visage du père White.

— Vous avez fini?

Je secouai la tête.

— Dirigés par un connard chauve qui ne ferait pas la différence entre la Cène et un pâté à la viande.

— Comme dernières volontés et testament, voilà qui vous révèle à votre juste valeur, Starkey. Bien peu mémorable et pathétique.

— Peut-être, mais au moins je me sens mieux, espèce d'enculé autosatisfait. Vous n'êtes qu'un arrogant gangrené par les radiations.

Deux gardes gloussèrent de rire, mais un coup d'œil sévère les fit taire.

— Vous n'en avez plus pour longtemps à vous sentir mieux, répliqua le prêtre en s'avançant vers Flynn. Voudrais-tu t'exprimer, Frank, avant qu'on en termine ?

— Je veux que tu saches que je te pardonne. Je vous pardonne à tous.

— Merci, Frank. Nous aussi, nous te pardonnons.

— Et toi, le pornographe ? Tu as quelque chose à dire ?

Duncan marmonna quelques mots, les yeux toujours rivés au sol.

— Répète, je n'entends pas ? demanda White qui s'agenouilla près de lui.

Duncan tourna la tête brusquement et lui cracha au visage.

La surprise de l'attaque fit basculer White à la renverse dans la poussière. Il se remit rapidement sur ses pieds alors que Tommy abattit la crosse de son pistolet sur la nuque de Duncan qui s'évanouit sous le choc.

White essuya d'un revers de manche le crachat.

— Tue-le !

Tommy recula, ajusta son arme et visa la nuque de Duncan. Le père White hocha la tête. Tommy regarda les membres du Conseil qui approuvèrent également. Il croisa le regard du père Flynn qui fit signe que non.

— Ne le fais pas, mon fils.

— Tire et qu'on en finisse ! hurla White.

— Il est le père de Christine. Tommy, tu es au courant, non ? m'écriai-je.

— Bien sûr que non. Dieu est le père de Christine. Tu le sais.

— Tu iras droit en enfer, ajoutai-je.

Tommy regarda une fois encore le père Flynn. Il réajusta son tir.

— C'est Joseph, dit Flynn, tu vas assassiner Joseph.

Tommy cherchait de l'aide auprès du Conseil, en vain. Il interrogea les gardes du regard. L'un d'eux l'encouragea :

— Appuie sur la détente !

Il hésitait toujours. De la sueur perlait à son front. Le père White, dans un mouvement d'impatience, arracha le pistolet des mains de l'exécuteur récalcitrant. Tommy sortit du demi-cercle en s'excusant.

Le prêtre saisit délicatement l'arme entre ses doigts avant de se placer au-dessus du jeune instituteur inconscient. Il enjamba le corps, leva son pistolet et récita une prière silencieuse. Puis il tira, deux fois.

40

Le sang, éclaboussé de cette façon, produit toujours cet effet-là.

Les hommes de main, les membres du Conseil, ce prêtre qui était leur chef, tous avaient déjà été impliqués dans un meurtre, sauf qu'ils le vivaient maintenant dans un contexte différent.

Je m'en rendais compte à leurs mines défaites, à leurs mâchoires tombantes. L'employé du ministère, Mary et Murtagh, le jeune prêtre, les deux hommes qu'on n'identifierait jamais avaient été assassinés dans la noiceur épaisse d'une nuit de Wrathlin, dans la panique d'une dispute entre pochards, dans les ombres bondissantes d'un champ abandonné aux herbes folles. Oui, ce meurtre était différent : le corps tressautant d'un homme connu de tous, la vie qui s'échappait de sa tête réduite en bouillie, le cadavre allongé dans la cour de l'église par une fraîche journée d'automne. Tous restaient plantés comme des piquets, tétanisés. Pas un n'émit d'objection quand je fouillai dans ma poche à la recherche de mouchoirs en papier pour essuyer mon visage.

Le père White, l'arme toujours à la main, administrait l'extrême-onction. Aurait-on cherché à symboliser la folie qui s'était emparée de l'île, on aurait retenu cette image. Et personne ne semblait choqué outre mesure.

White se redressa et me toisa. Cela ne dura que quelques secondes,

336

mais elles furent suffisantes pour me mettre martel en tête : je pouvais préparer mes adieux. Les corps que nous avions déterrés du champ de Mulrooney comportaient un petit côté irréel, parce que décomposés depuis longtemps. Les giclées de sang sur mes lèvres rendaient la mort de Duncan bien réelle, comme un avant-goût de ce qui m'attendait.

Si je me considérais comme un mec suffisamment important pour mériter une notice nécrologique dans les pages locales, je l'aurais bien vue rédigée de la sorte : c'était un type bien. Avec une insuffisance de taille : son manque total de sérieux. Il aimait se marrer, picoler, s'amuser, parce que la vie est faite pour ça. Il regrettait la souffrance et les blessures qu'il avait pu causer, et espérait qu'On lui pardonnerait. Il avait vécu une vie formidable et tenait à remercier tout particulièrement James Stewart et Humphrey Bogart, le film *Zoulou*[1], Les Clash et Sugar Ray Leonard pour tous les bons moments qu'ils lui avaient procurés, Charles Bukowski et Dr Feelgood[2] pour leur sens du rythme, les marques de bière Harp, Tennent et Rolling Rock, et bien d'autres regrettés absents. Il avait aimé sa femme. Il avait aimé son enfant.

J'inspirai une grande goulée d'air, de ce vent marin délicieusement salé et mordant, et dardai effrontément mon regard sur le père White.

— Visez bien !

Le père Flynn se réfugia sous une avalanche de prières qu'il murmurait à mes côtés, les yeux fermés.

La mort s'avançait dans mon dos. Le métal froid du canon se plaqua contre mon crâne. Ma dernière heure était arrivée, il ne fallait pas que je perde mon sang-froid.

Adieu Patricia.

Adieu mon amour.

---

1. *Zoulou* (*Zulu*) est un film britannique de 1964 avec Michael Caine ; Sugar Ray Leonard est un boxeur américain qui fut plusieurs fois champion du monde dans les années 80.
2. Dr Feelgood est sans doute le groupe le plus représentatif d'un genre de musique rock apparu en Grande-Gretagne dans les années 70, le pub rock.

Oh, merde! *Goodbye my Love*, c'était le titre d'une chanson de Gary Glitter. Hors de question que ce soit là mes dernières par...
Pan!

Non! Pas pan-pan! Tut-tut!
Un klaxon.
Tut-tut!
Un klaxon.
Hésitation. Relâchement de la pression métallique contre mon crâne.
Tut-tut! Tut-tut! Vrombissement d'un énorme moteur.
J'ouvris les yeux. Comme tout le monde, je me retournai.
Du sommet de la colline descendait un tracteur.
Le tracteur tirait une remorque.
Et derrière la remorque marchaient des gens. Un paquet de gens.

Le père White s'éloigna de moi, son pistolet pendait le long de son corps. Il surprit un changement dans le regard de ses conseillers : ils avaient l'air déstabilisés. Comme un seul homme, ils descendirent les marches en un petit ballet digne d'une chorégraphie radioactive.

Le tracteur et sa remorque s'engouffrèrent non sans mal par le portail. J'aperçus au volant le docteur Finlay. Il abattait sa main sur le klaxon avec une régularité de métronome. À ses côtés, dans la cabine, étaient assises Moira, Christine et Patricia. Derrière la remorque défilaient les femmes de la paroisse, la moitié d'entre elles vêtues de survêtements de gym. Et encore derrière elles, s'étirait par dizaines, jusqu'au bas de la colline, un flot de gens ordinaires : pêcheurs, commerçants, mères aux foyer, enfants. On sentait dans leur attitude comme une tension, un air de provocation qui indiquaient que leur venue à l'église était dictée par un élan plus fort que la foi. Il n'y eut plus de doutes lorsque le docteur Finlay effectua un demi-tour avec le tracteur et libéra la remorque en appuyant sur un bouton. Cette dernière glissa en roue libre sur quelques mètres avant de s'arrêter d'elle-même, déversant six cadavres en décomposition avancée.

Finlay coupa alors le moteur et descendit laborieusement du tracteur avant de s'y adosser. Sur ses lèvres, des traces de boisson, mais le regard était clair, fier et déterminé. Moira sortit de la cabine et pointa un doigt accusateur sur les corps, puis sur le père White.

— Voilà ce que vous avez fait! hurla-t-elle alors que la foule grossissait autour d'elle.

— Moira, s'il te plaît…, commença White, mi-figue, mi-raisin.

— Il a assassiné tous ces pauvres gens!

En ville, les gens avaient été attirés par ce cortège insolite, fascinés comme dans le conte du joueur de flûte de Hameln ou dans une procession du dimanche des Rameaux. Ils s'agglutinaient à présent pour observer de plus près l'enchevêtrement puant.

White écarta les bras en signe de bienvenue, inconscient du fait que sa main gauche brandissait toujours le pistolet.

— Moira, tu ne comprends donc pas…

— Duncan, Moira, pauvre Duncan, regarde ce qu'il lui a fait…, balbutia le père Flynn en se redressant sur ses jambes.

Moira aperçut le corps, porta sa main à sa bouche et réprima un sanglot. Elle se précipita vers Duncan.

— Vous l'avez tué lui aussi?

Ses yeux brillaient de colère.

— Moira, écoute…

— Que Dieu vous vienne en aide!

Elle recula un peu pour prendre de l'élan et écrasa son poing sur le nez de White. Il perdit l'équilibre et vacilla contre ses hommes, lâchant son arme par la même occasion. Ils firent bloc autour du prêtre pour contrer la foule menaçante. Deux cents personnes prêtes à en découdre. Ou bien trop faibles. Ou trop faciles à manipuler. Ou encore assoiffées de justice.

Je me relevai, les genoux flageolants, et ramassai le pistolet.

— Jolie droite.

La bouche de White était déformée par la menace qu'il s'apprêtait à proférer. Moira l'en empêcha et montra Duncan.

— Comment avez-vous pu faire ça ?

— C'était un pornographe et un…

— C'était le père de Christine !

— C'était un…

— C'était son papa !

— Seulement physiquement, Moira. L'esprit de…

Moira le frappa une nouvelle fois.

Ses gardes du corps se montraient pour le moins inefficaces. Ils soutenaient le prêtre, ce qui le maintenait en fait sous le feu des attaques de Moira.

White saignait du nez. Il leur vociférait des ordres, signe supplémentaire qu'il perdait son sang-froid.

— Faites-les reculer ! (Il gesticulait à l'adresse de la foule qui se rapprochait.) Faites-les sortir ! C'est la maison de Dieu ! Ce n'est pas la place de la populace !

Armes pointées en avant, les gardes repoussaient la foule, qui gagnait peu à peu du terrain. Un coup de feu fut tiré en l'air.

Ceux qui ne voyaient pas ce qui se passait crièrent, et d'autres reculaient dans le calme. Les gens ne cédaient pas à la panique.

Une femme, un foulard bleu noué autour du cou, se fraya un chemin au milieu de la cohue jusqu'à l'homme qui avait tiré.

— Jimmy, tu poses cette arme immédiatement et tu rentres à la maison avec moi.

Jimmy ne la quittait pas des yeux. Elle ne plaisantait pas.

— Reste où tu es ! aboya le père White.

Jimmy hocha la tête avec une mimique d'impuissance à l'attention du prêtre. Et il lâcha son fusil.

— D'accord ma chérie.

Et il se fondit dans la foule.

Patricia me rejoignit et m'étreignit.

— Est-ce que ça va ? chuchota-t-elle.

340

— Formidablement bien.

Je l'aimais vraiment. Il faudrait que je songe à le lui dire. Plus tard.

Moira tenait toujours tête au père White ; elle lui hurlait dessus, l'index tendu. Des gouttes de sang dégoulinaient des lèvres et du menton du prêtre.

— Cela fait trop longtemps que vous prenez des décisions au nom de Christine !

— Je l'ai protégée.

— Vous avez assassiné en son nom. Croyez-vous qu'elle voudrait cela ?

— Toutes ces personnes représentaient un danger.

— Un danger pour qui ? Pour vous ?

— Pour Christine.

— C'était pas la peine de leur faire la peau ! cria quelqu'un.

— Pas besoin de les tuer ! siffla une femme.

— Duncan était un brave homme.

— Duncan était mon cousin.

— C'était mon oncle, et vous l'avez assassiné !

— Regardez-le, le pauvre. Il n'a plus de tête...

— De quel droit ?

Moira exigeait une réponse.

— Le Conseil l'a décidé.

Le Conseil ne semblait plus tout à coup aussi affirmatif. L'hésitation gagnait ses membres.

— Mon Père, suggéra Jack McGettigan, peut-être serait-il bon de nous réunir à nouveau ?

— Nous avons statué.

— Mais, mon Père...

La foule recommençait à avancer et, cette fois, les gardes reculaient lentement ; l'inquiétude se lisait sur leurs visages. White regardait autour de lui avec anxiété et s'époumonait :

— Ramenez-moi Christine, qu'on la laisse s'exprimer !

341

— Tu veux la tuer elle aussi ? l'apostropha quelqu'un.

— S'il vous plaît, amenez-la, qu'elle parle...

— Ce n'est qu'une enfant ! s'interposa Moira avec violence, elle est morte de peur !

— Elle est...

— Juste une gosse.

— Que Dieu la protège, dit une femme.

— Que Dieu bénisse son âme, dit une autre.

— Empêchez-le de s'approcher d'elle !

La foule grondait, approuvait, continuait à pousser.

— Arrêtez-vous ! hurla White, sinon je donnerai l'ordre de tirer ! Vous êtes prévenus. Rentrez chez vous, nous allons régler le problème ! Au nom de Christine, partez !

Mais les choses étaient allées trop loin et aucun d'eux n'était disposé à obéir.

— Je vous aurai prévenus. (White se retourna pour filer une tape sur l'épaule d'un de ses hommes.) Toi ! Descends n'importe lequel !

L'homme leva son fusil. Puis baissa son arme en lorgnant sur ses camarades.

— Désolé, mon Père, je ne peux pas.

— Je représente la loi. Je t'ordonne de tirer.

— Je m'excuse, la moitié de ma famille est là, devant. Je ne me suis pas engagé pour...

— Je m'en fous !

White secoua un autre garde.

— Tire. Maintenant ! Vise n'importe qui. (L'homme refusa pour les mêmes raisons.) Eh bien quoi ! Murtagh et Mary Reilly aussi, c'était la famille.

— Mon Père, c'était pas pareil.

— Et je peux savoir pourquoi ?

L'homme marmonna en baissant les yeux au sol.

— C'était la nuit...

342

— Bon sang, pauvre crétin, les créatures du Diable sont tout autant de sortie le jour. Tire !

— Non, ce ne sont pas des créatures du Diable.

— Laisse-moi te montrer…

White voulut lui arracher son fusil, mais l'autre résistait.

— Non, mon Père, je ne peux pas vous laisser faire.

D'un coup d'œil circulaire, White comprit qu'aucun de ses hommes n'était désormais prêt à le suivre. Aucun soutien non plus à attendre des habitants sur lesquels White jetait des regards fiévreux.

— Ne voyez-vous pas ce qui se passe ? Pour l'amour de Dieu, reprenez vos esprits avant qu'il ne soit trop tard !

White ne suscitait même plus de compassion. Les gens ne lui offraient que des regards de glace. Le découragement l'assaillit, il s'affaissa doucement sur ses genoux, le visage dans les mains, et il s'effondra en larmes.

Flynn s'approcha de lui et lui posa la main sur l'épaule.

— Nous avons repris nos esprits.

La foule, plus sereine, était clouée sur place à la vue de cet homme secoué de sanglots. Cela dura un moment avant que le flot de larmes ne se tarisse. White se risqua alors à écarter ses doigts pour scruter alentour, tel un gamin vérifiant que le monstre a disparu.

Un des parents de Duncan se pencha sur lui et lui cracha dessus en visant parfaitement entre l'index et le majeur, soit en plein dans l'œil gauche de White.

— Ils ne sont pas si demeurés, mumurai-je à Patricia.

— Ils ont cessé d'être aveugles, c'est tout.

— Et encore, ils n'ont pas entendu parler du radon.

— Du *quoi* ?

41

Patricia regardait à l'intérieur de la boîte en carton d'un air dubitatif. Elle repoussa une mèche de cheveux qui lui tombait sur les yeux.

— Qu'est-ce que t'en penses ?

Patricia avait retrouvé la pêche, on rentrait à la maison.

— Fais comme tu veux, répondis-je avec ma fiabilité habituelle.

Il y a quelque chose d'un peu excitant à s'ébrouer au petit matin,
quand l'aube pointe à travers la brume et qu'on se prépare dans une
sorte d'ivresse à affronter la journée. Il paraît que cette fraîcheur
humide est vivifiante. En ce qui me concerne, ça me laisse froid.
Mes baskets et le bas de mon pantalon commençaient à être trempés
car j'étais resté un peu trop longtemps dans le jardin empli de rosée.
Je me sentais crevé. On avait passé la moitié de la nuit à faire nos
bagages et à les compacter dans la voiture.

— Comme dit le proverbe, là où crèche le hérisson, là on est
chez soi.

Patricia voulait ramener la bestiole à Belfast.

— Proverbe, mon œil, ouais ! Si tu te charges de le récupérer à
chaque fois qu'il se carapatera, je n'ai rien contre.

— Allez, on s'en est occupé pendant si longtemps !

— Tu plaisantes, à peine quelques jours, Trish, et encore il n'a pas
arrêté de pioncer. De toute façon, imagine qu'il se réveille à Belfast, le

choc culturel pourrait bien le tuer. Ces petits déjeuners sophistiqués sur Malone Road vont lui hérisser le poil.

— Je crois que je m'attache trop.

— Si tu le dis.

— Je suis très attachée à toi. Et cet enfant dont je dois m'occuper.

— Tu parles de moi ?

— De Stevie, banane.

On arriva finalement à un compromis : on le ramènerait sur le continent où on le déposerait dans un buisson un peu à l'écart, dans sa boîte. Il pourrait y hiberner en toute tranquillité, loin des dangers du radon. Un rapatriement sanitaire, en quelque sorte. À n'en point douter, il ne serait pas le seul dans ce cas.

La réunion de la veille avec les habitants du village s'était prolongée jusqu'à une heure avancée de la nuit. Il n'avait pas fallu longtemps pour convaincre une salle paroissiale pleine à craquer de l'existence du radon. La question de savoir s'il faudrait poursuivre ou non une évacuation divisait néanmoins la petite communauté. Il avait été décidé, dans un premier temps, d'envoyer les enfants d'abord, mais les mères voulaient partir avec eux, ne voulaient pas quitter leurs maris, qui, eux, ne voulaient pas partir du tout, sans s'opposer au départ des enfants. Christine jouait au fond de la salle, et son cas était presque sans rapport avec l'objet des débats. Elle avait été rétrogradée en quelques heures du statut de fille de Dieu à celui d'enfant surdouée. Et qui aime une enfant surdouée ? Christine semblait ne pas en être affectée, sauf que personne ne savait combien de temps durerait sa bonne humeur. Les autres gosses avaient l'air ravi de pouvoir lui tirer les cheveux sans encourir de châtiment divin.

Tout le village avait encouragé le père Flynn à récupérer son siège de président du Conseil, bien que le Conseil ne soit pas réuni, et il avait parlé avec éloquence et autorité des événements des derniers mois et années et des dangers à rester vivre sur l'île.

— Beaucoup d'entre nous ont été horrifiés de ce qui s'est passé ces derniers jours, avait-il dit en abaissant le regard sur le père White qui avait les yeux fixés au sol, mais nous ne devons faire rejaillir la faute sur personne. Des gens sont morts. Inutile de chercher les responsables. J'ai peur que la nature même du radon ne soit en cause. Ce gaz a empoisonné nos vies et nos esprits. De la même manière qu'il semblait nous avoir apporté la bonté de Christine, il nous a apporté la folie du meurtre. De la même manière qu'il nous a apporté la générosité d'une bonne santé, il nous a apporté les manifestations imprévisibles de la maladie mentale. (Il joignit ses mains pour donner à ses paroles la force de la prière.) Je crois sincèrement que plus nous resterons ici, plus nous serons en danger. Nous devrions remercier Dieu de nous avoir donné ce bref instant de lucidité et il faut que nous quittions l'île avant que les ténèbres ne retombent sur nous.

Un des parents de Duncan sauta sur ses pieds. Je le reconnus, c'était celui qui avait envoyé un mollard sur le père White. Il cherchait visiblement à lui cracher dessus à nouveau ; il s'écria en pointant le prêtre du doigt.

— Vous ne voulez pas dire qu'on va le laisser partir ? Il a tué Duncan !

White ne bougeait pas d'un cil, comme s'il ne l'avait pas entendu.

— Je serais tenté de te dire que celui qui n'a jamais péché lui jette la première pierre. Shane, on pourrait l'appliquer ici.

— Je n'ai jamais tué personne.

— Non, c'est vrai, mais tu as cru en Christine tout autant que nous tous. Je crois me rappeler que tu t'es fait un point d'honneur à mettre le feu à ton poste de télévision devant chez toi, bien avant qu'on décrète de les bannir. Shane, chacun de nous a été perturbé à sa façon.

— Mais moi je n'ai tué personne !

— Le père White non plus. Le père White que nous connaissons bien et que nous aimons ne l'a pas fait non plus. Ce gaz l'a empoisonné d'une manière plus sournoise. Les membres du Conseil n'y ont pas échappé non plus. Comment pourrait-on les juger alors que c'est le radon le responsable. Non, si vous voulez un coupable, ce serait plutôt moi et mes visions qui ont tout déclenché.

— Vous voulez le laisser filer ?

— Nous sommes tous coupables et nous sommes tous innocents.

Un vieil homme décharné se leva en vacillant.

— Je m'appelle Gerry Mulrooney, dit-il d'une voix caverneuse.

— Oui, Gerry, tout le monde te connaît bien.

— Je m'appelle Gerry Mulrooney, et j'ai travaillé sur ma ferme pendant soixante-cinq belles années, et y a personne qui va me faire quitter ma terre.

Et il se rassit.

— Bien sûr que non, Gerry, répondit Flynn en tentant de l'apaiser.

Mulrooney se releva avec peine.

— Et ch'ais pas bien c'est quoi ce radon, mais j'ai pas remarqué qu'il causait du tort.

— Hé ! (Une voix s'éleva du fond de la salle.) T'as pas remarqué non plus la demi-douzaine de cadavres dans ton jardin.

Rires. Mulrooney lança un regard furieux parmi les bancs devant lui.

— Qu'est-ce que c'est ? grommela-t-il.

— Il a raison sur un point, intervint un homme près de la porte. Je peux pas quitter ma ferme comme ça. J'y ai toujours vécu, Frank. Est-ce qu'on pourrait pas juste passer l'éponge sur toute cette folie ? On s'est tous fait piéger. Maintenant, on fera gaffe.

— Francis, le problème, d'après moi, c'est que nous ignorons quelles conséquences réelles le radon peut avoir sur notre santé.

Moira, assise non loin de White sur le premier banc, prit la parole.

— Mon Père, tout ce que vous dites est vrai, mais cela pourrait tout aussi bien être faux. (Elle regarda l'assemblée à la ronde.) Ce que le père Flynn veut nous expliquer, à mon avis, c'est qu'aucun de

347

nous ne peut comprendre ce qui se passe pour la simple raison que ce gaz brouille les cartes. Nous pourrions raconter des bêtises en ce moment que personne ne s'en rendrait compte. Christine pourrait être encore le Messie. Nous serions seulement en position de nous demander si nous devons quitter cette île pour nous soustraire à son influence.

— Exactement! renchérit Flynn avec enthousiasme, il nous faut partir, et, quand on sera sûr qu'il n'y a aucun danger, alors seulement nous pourrons revenir.

Jack McGettigan, assis à la gauche de Flynn, hocha la tête.

— Vous savez très bien, mon Père, qu'une fois les gens partis ils ne reviendront pas. C'est inévitable.

— Jack, moi, je suis bien revenu, non?

— Oui, et regardez les conséquences! C'est la faute à ce cœur protestant...

— Allons, allons, fit Flynn en le réprimandant gentiment, ne dis pas n'importe quoi.

J'étais debout dans mon jardin à me remémorer la tête déchiquetée de Duncan, le goût de son sang sur mes lèvres, et cette puanteur des corps emmêlés dont je n'arrivais pas à me défaire. Flynn avait raison, la folie régnait sur cette île.

Il n'était même pas sept heures du matin au moment où on ferma définitivement Snow Cottage, sans regrets ni adieux. Je ne m'y étais jamais senti comme chez moi; j'avais dû y écrire trois mots pour mon roman, dont deux au moins sujets à caution. J'avais une fois de plus failli me faire exploser la cervelle et j'avais, une fois de plus, été sauvé par une femme, des femmes plutôt. Ça fait chier, mais c'est ainsi. Patricia, Moira, toutes les nanas de la paroisse avaient été davantage à la hauteur que leurs mecs. Tout au long de cette affaire, elles avaient soutenu leurs maris et gardé pour elles leurs doutes, jusqu'au moment où la situation était partie en vrille. Certes, elles avaient cru en Christine, mais dans un retrait prudent. Et d'avoir laissé toute latitude à leurs hommes masquait seulement une évidence : c'était bien elles qui détenaient le pouvoir. Il avait suffi à Moira et Patricia de propager la nouvelle de la découverte des corps pour que le sentiment d'horreur se transforme aussitôt en rébellion. Soudain, terminé les McCooey, toutes ces dames triomphaient ensemble.

Remarquez, elles avaient quand même eu besoin du docteur Finlay pour conduire le tracteur !

Patricia fredonnait dans la voiture, Little Stevie sur ses genoux. On avait calé la boîte du hérisson dans le coffre.

Nous arrivions en ville lorsque j'interrogeai Patricia pour savoir si elle regrettait le cottage.

— Absolument, c'est tout ce qui me manque !

— Dire qu'on a cru que ce serait un petit coin de paradis.

— *Tu* as cru que ce serait un petit coin de paradis.

— J'ai cru que ça nous rapprocherait.

— Et ton verdict ?

— Je suppose que oui. Et toi ?

— Je n'ai jamais pensé qu'on s'était tant éloignés que ça.

Little Stevie papillonna des paupières.

Je remontai Main Street jusqu'à la maison du docteur Finlay.

— Qu'est-ce que tu fais ? demanda Patricia alors que je m'arrêtais.

— On doit lui dire au revoir.

— On va rater le ferry.

— Chérie, plusieurs allers-retours sont prévus aujourd'hui.

— Attends, je veux monter dans le *premier*.

— On *montera* dans le premier.

Je cognai à la porte ; la bonne, déjà levée, me fit attendre dehors. Au bout de quelques minutes, le docteur Finlay arriva en bâillant, la robe de chambre à peine enfilée.

349

— Nous partons.

Cela n'eut pas l'air de lui briser le cœur.

— Ah… Eh bien alors bonne chance.

— Vous restez ?

— Évidemment. Je suis médecin.

— Et les médecins résistent à tout.

— Quelque chose dans ce goût-là.

— La plupart des gens vont quitter l'île, n'est-ce pas ?

Il hocha la tête avec la mine du type qui a beaucoup réfléchi à la question.

— Pendant des années, beaucoup en rêvaient. L'arrivée de Christine avait redressé la situation. Maintenant qu'elle n'est plus là… enfin — comment dire ? — qu'elle n'a plus d'influence, rien ne pourra plus les empêcher de partir.

— Voulez-vous que je vous fasse parvenir du whisky ?

— Ce serait sympa. (Son visage s'éclaira d'un grand sourire.) J'imagine mal Jackie décider la réouverture de son pub.

— Je me suis demandé s'il avait vraiment enterré tout l'alcool quelque part.

Entre deux bâillements, il se livra à un petit commentaire.

— La gnôle aurait mieux vieilli que ce qu'on a trouvé.

— Et Duncan ? Il va falloir l'enterrer ?

— On va s'en occuper. Et des autres, aussi. Partez tranquille, vous vous êtes suffisamment investi.

— Et Willy Nutt ? Il a refait surface ?

— Il est sans doute toujours en train de cavaler. Ce genre de type, on s'en débarrasse jamais.

Nous contemplâmes le paysage, de la colline au port, puis, au-delà, vers le large. Le continent se perdait entre le brouillard et le ciel nuageux.

— Tous ces meurtres, dis-je, vous croyez que…

— Si je crois qu'il va y avoir une enquête ?

— Oui, au total ça fait huit cadavres, avec Bill et Duncan.

— Sur notre île, on est habitué à protéger nos petits secrets.

— Petits ?

— Un jour, je vous en dévoilerai d'autres…

Je l'observai ; il ne plaisantait pas.

Patricia s'excitait sur le klaxon.

— Bonne chance, dit-il en me serrant la main.

— Merci.

Patricia me faisait des signes. Lui, me gratifia d'un sourire avant de retourner au chaud.

Charlie McManus s'affairait sur le *Fitzpatrick* quand notre voiture s'engagea sur le quai. Une Land-Rover attendait pour embarquer. Je me garai derrière elle. La porte conducteur s'ouvrit et le père Flynn en descendit. Sur le siège passager, je reconnus Moira. Elle m'adressa un petit signe et descendit à son tour. Le visage souriant de Christine apparut par la lunette arrière, elle aussi agitait la main. Puis elle suivit sa mère.

Je baissai ma vitre, Flynn se pencha pour me parler et Moira fit de même du côté de Patricia. Christine n'était pas en reste, elle câlina la tête de Little Stevie.

— Je ne pensais pas que vous seriez les premiers dans la file d'attente.

— Je conduis Moira et Christine à Ballycastle chez des gens que je connais et qui pourront les héberger. Et je reviens ici ensuite, ils ne se débarrasseront pas si facilement de moi.

— Ils y sont presque parvenus.

— Presque est un grand mot.

Je n'avais peut-être pas tort mais je le comprenais.

Charlie McManus se pencha par-dessus le bastingage.

— Hé ! Vous pouvez embarquer si vous voulez, cria-t-il en tirant le cordage en arrière pour stabiliser le ferry.

Le père Flynn, Moira et Christine partirent en courant vers la Land-Rover. Il remonta la rampe d'accès avec précaution et je le suivis. Il y avait juste assez de place pour nos deux véhicules. Charlie referma la barrière en fixant le loquet et, alors qu'il se dirigeait vers le gouvernail, j'entamai la conversation :

— Vous allez avoir beaucoup de travail aujourd'hui.

— Ouais.

— Votre estimation, pour le nombre d'allers-retours ?

— Sais pas.

Il s'éloigna.

— Toujours aussi expansif, dis-je à Patricia. Et Moira ? Comment va-t-elle ?

Elle haussa les épaules et je commençais à croire que ça devenait une habitude familiale. Si jamais Little Stevie s'y mettait avant son premier anniversaire, je pourrais m'enorgueillir d'avoir contribué, même modestement, sur le plan génétique.

— Je crois qu'elle est tout simplement soulagée.

— Oui, c'est ce que je pense. En même temps, être au centre de l'attention générale un jour, et simple mère célibataire au chômage le lendemain, ça doit pas être facile.

— Je ne sais pas si je pourrais gérer une telle situation. J'ai déjà assez de mal à te gérer, toi.

— De voir Duncan mourir n'a pas dû aider. Elle t'avait parlé de lui ?

— Pas un mot.

— C'est bizarre.

— On ne fait pas que jouer les pipelettes. Il existe des femmes qui ne parlent *jamais* des hommes avec qui elles ont couché.

— C'est vrai ?

Les moteurs vibrèrent.

Nous allions appareiller dans quelques minutes, et ainsi quitter ce havre rassurant. Devant nous, le ciel gris se confondait avec les flots, gris également. Le continent n'était qu'à une cinquantaine de kilomètres mais, vu le peu qu'on apercevait de lui, il aurait tout aussi bien pu se trouver à cinq cents. On décida de se regrouper à l'arrière

352

du bateau pour contempler l'île qui s'éloignait peu à peu. Des gens massés sur le quai nous disaient au revoir de la main. On leur rendit leurs saluts. Leurs espoirs déçus, leurs rêves brisés se trouvaient désormais à bord. En l'occurrence, mademoiselle suçait son pouce et avait glissé l'autre pouce dans le creux de son oreille gauche.

— Il y a du café et des trucs à manger dans le fond, beugla Charlie McManus depuis le gouvernail, à moins que les aut' là-bas aient déjà tout bouffé !

Il pointa son pouce en arrière et désigna une petite cuisine quatre marches plus bas, invisible depuis le pont, où des passagers sans voiture avaient pris place.

Je me sentais dans une forme exceptionnelle. La perspective d'ouvrir une canette de bière bien fraîche sans prendre des macchabées en cascade sur le coin de la gueule y était pour beaucoup.

— Je vais vous chercher un petit café ?

Patricia marqua son étonnement.

— C'est super-gentil. (Elle se tourna vers Moira et ajouta :) Il ne boit même pas de café.

— Je sais, fit Moira en me couvrant d'un œil attendri.

Trois cafés, c'est parti !

Comme je m'approchais du coin cuisine, une petite silhouette replète en soutane surgit.

— Oh ! Regardez qui est là ! Mais c'est Napoléon sur le chemin de l'exil ! Je ne savais pas que vous étiez à bord.

— Oui, dit le père White d'un air radieux. Pour mon dernier voyage.

Et il pointa sur moi un pistolet.

42

Une vague perfide se brisa contre le *Fitzpatrick*, et nous fit basculer de côté avec, en prime, le bonheur d'être complètement trempés. Si j'avais eu le loisir de fréquenter les camps d'entraînement des membres du Front Alcoolique, j'aurais certainement su profiter de l'occasion pour maîtriser le père White. Nous nous contentâmes de nous jauger, impuissants, jusqu'à ce que le ferry cessât de gîter. On s'ébroua ensuite, tel un couple de fringants labradors.

— N'est-ce pas étrange, dit White qui gardait son arme dégoulinante fermement dirigée sur moi, que tous les protagonistes de cette petite tragédie finissent réunis ?

De sa main libre, il épousseta ses vêtements.

— Je ne suis pas un protagoniste, je vous rappelle que j'étais là en observateur.

Ni ses yeux fiévreux, où se lisait la folie, ni sa bouche déformée par un mauvais sourire ne plaidaient en sa faveur.

Il m'indiqua le chemin de son pistolet. Un nouveau, bien entendu. La veille, j'avais ramassé son arme juste après sa dégringolade de champion du monde en bon dernier, et elle gisait à présent dans mon coffre de voiture, au milieu de tout mon bordel. J'avais prévu de balancer l'arme par-dessus bord une fois au large.

Je jetai un coup d'œil derrière lui. Trois silhouettes étaient penchées au-dessus de l'unique réchaud à gaz Calor pour se réchauffer le temps que leur casserole d'eau parvienne à ébullition. Ils ne nous prêtaient aucune attention. White, lui, n'en perdait pas une miette.

— Des fidèles ?

— Non, il n'y a que moi.

— Ah !

— Moi et Charlie.

Je me tournai vers le gouvernail et croisai le regard de Charlie. J'éclatai de rire.

— Et vous prévoyez quoi, mon Père ? Vous enfuir à Cuba ?

— J'ai une destination toute proche, dit-il avec calme, le Paradis, si vous voulez savoir.

— Pas mal ! Et qui paie le passeur ?

— Qu'est-ce que vous voulez dire ? répliqua White en fronçant les sourcils.

Je laissai passer dix secondes avant de lâcher :

— Moi, rien.

Il me poussa de la pointe du canon et je l'entendis dans mon dos :

— Vous faites référence au passeur qui conduit les âmes des damnés ? (Je restai silencieux.) Vous voulez suggérer quoi, que tout passeur a un coût ?

— Non, j'ai trouvé ça dans une chanson de Chris de Burgh, et ça me *coûte* à moi d'avoir à prononcer son nom. Honte sur moi !

— Charlie est un fidèle parmi les fidèles, et il restera avec moi jusqu'au bout, vous m'entendez ! s'emporta le prêtre.

— C'est vous qui le dites.

Sans doute je ne lui manifestais pas autant de respect qu'il aurait fallu. Il possédait une arme et des certitudes quant au Messie que la simple logique ne pouvait combattre. Sans doute étais-je passé trop près de la mort pour en avoir envie.

Nous atteignîmes l'arrière du ferry et tout le monde écarquilla les yeux de surprise. On les comprend.

— Et voilà! Et dire qu'on pensait qu'un retour en bateau serait sans danger!

L'incrédulité de Flynn se mua en colère en l'espace de trois secondes.

— Au nom du Ciel, tu te crois où, à la fin?

À force de sourire, White avait l'air presque gentil, ce qui le rendait encore plus inquiétant.

— Sur la terre, mais plus pour longtemps. Je vais faire ce que Dieu m'a demandé, Frank.

— Ah non! Vous n'allez pas remettre ça! s'énerva Moira.

— J'y crois toujours, dit White avec un petit tremblement du menton.

Moira explosa.

— Mais vous avez quoi à la place de la cervelle? hurla-t-elle. Putain de radon! Dieu n'a parlé à aucun d'entre nous, mettez-vous ça dans le crâne!

White agita son arme sous le nez de Moira et Christine se recroquevilla contre sa mère.

— Pauvre Moira, tu as été dupée.

— Mais regardez-vous! s'emporta à nouveau Moira, vous êtes prêtre et vous portez une arme, vous éliminez tous les gens qui vous contredisent. Ne voyez-vous pas que quelque chose ne tourne pas rond?

— Je vois ce que Dieu me donne à voir. Je vois qu'Il a placé le monde entre nos mains et vous avez tout foutu en l'air!

— Il a placé que dalle! Nous nous sommes tous bercés d'illusions.

— Nous avions tout, et Dieu nous avait confié la mission de prendre soin de Christine.

— Je *continue* à en prendre soin, moi!

White s'approcha pour attraper Christine, mais Moira recula.

— Non, Moira, tu ne t'en occupes pas bien. Tu l'emmènes sur le continent. Elle y perdra son innocence, son âme sera corrompue.

— Non, elle…

— Je te dis que si ! Je le sais.

— Je t'en prie…, soupira Flynn qui se pencha vers lui.

— Arrière ! cria White en repoussant Flynn violemment de la pointe de son arme qui ricocha sur le menton du prêtre.

Sous le choc, Flynn s'écroula contre la paroi du ferry.

Christine éclata en sanglots.

White s'écarta de Flynn. Le bateau tangua et fit vaciller White du côté de Christine qui s'échappa des bras de sa mère pour s'enfuir en larmes.

— Regardez ce que vous avez fait !

Moira poussa un cri strident et voulut s'élancer derrière sa fille, mais White hurla :

— Ne bouge pas !

Moira pivota sur elle-même.

— Qu'allez-vous faire, mon Père, me tuer ?

— Si tu m'y obliges, oui.

Patricia attrapa Moira par le bras.

— Moira, je t'en prie…

Moira se dégagea d'un geste brutal, Little Stevie commença à pleurer et elle courut après sa fille.

White pointa son arme et tira. Moira s'écroula.

— Nom de Dieu, dis-je.

Des visages inquiets passèrent la tête dans le réduit. Un homme se leva comme pour venir en aide à Moira, mais il se ravisa et referma la porte.

Moira roula sur elle-même et attrapa sa jambe de ses deux mains ; elles furent rapidement tachées de sang. Elle fusilla le prêtre du regard.

— Cela n'a aucune importance, Moira, que tu perdes du sang, tu auras ta place au Paradis, je t'emmène avec moi.

— Ce n'est pas au Paradis que vous allez finir.

White braqua de nouveau l'arme contre elle.

— J'allais justement vous dire la même chose…

Il tourna alors son arme dans ma direction.

— Vous, vous parlez trop. (Flynn s'était relevé et se frictionnait la mâchoire. Il se dirigeait cahin-caha vers Moira.) Reste où tu es ! cria White en pointant à présent le pistolet sur Flynn.

— Tu vas me tirer dessus ?

— Tu sais que j'en suis capable.

Flynn s'était arrêté à mi-parcours.

— Est-ce que ça va, Moira ?

— Bien sûr que non ! hurla-t-elle de douleur.

— Laisse-moi m'occuper d'elle, s'exclama Flynn. Elle est la mère de Christine !

— Plus maintenant ! (White effleura de son arme le corps de Moira qu'il enjamba.) Christine ! Viens ici !

— Je vous en prie…, gémit Moira en tentant d'agripper le prêtre au passage ; il l'esquiva sans trop de difficultés.

Christine s'était tassée derrière le capot de la Land-Rover de Flynn, mais ses cheveux blonds flottant au vent rendaient sa cachette inefficace. Elle se penchait de côté pour surveiller furtivement le pont sans voir que White arrivait derrière elle. Christine émit un petit cri perçant quand il l'empoigna.

— Tout va bien, tout va bien, chuchota-t-il d'une voix rauque et bien peu rassurante.

Alors que White la tenait fermement par le bras, Christine se débattait et pleurait. Elle lui décocha un coup de pied, mais ses petites jambes tapaient dans le vide. Son visage parsemé de larmes était tourné vers sa mère.

Le père Flynn aida Moira à se relever et ils avancèrent prudemment dans le sillage de White, suivis de Patricia, de Little Stevie qu'elle embrassa sur le front, et de moi.

Le père White ne pouvait pas aller plus loin. Les vagues se brisaient contre la coque avec fracas, comme un pogo déchaîné et plein de rage. White nous observait ; il rattrapa d'une main crochue Christine qui avait essayé de s'enfuir. Il la prit dans ses bras et la plaqua contre sa poitrine.

— Nous arrivons à la fin de notre aventure !

— S'il vous plaît… ! implora Moira.

— Au nom de Notre Seigneur…, balbutia Flynn en s'approchant de lui.

Je me rapprochai pour ma part du coffre de ma Fiesta. Patricia se blottit contre moi.

— Dan, je t'en prie, fais quelque chose…

— J'ai oublié mon gilet pare-balles.

Les embruns aspergeaient White qui essuya son visage, l'arme à la main. Il vociférait à l'attention du père Flynn.

— Frank, tu m'as tout enlevé. Tu as détruit ce paradis sur terre que nous avions construit. (Il embrassa Christine sur le front en la serrant étroitement car elle cherchait toujours à se dégager.) Dieu aime tant le monde qu'il avait offert à Son Fils. Ce monde où nous vivons depuis deux mille ans. Et maintenant il nous donne Sa Fille. Et tu voudrais recommencer l'histoire : la tuer, la corrompre, la sacrifier ! Frank ! Je ne te laisserai pas faire ! Il ne reste qu'une solution, la rendre à Son Père. Lui a besoin d'elle. (Il lorgnait sur la mer déchaînée, la bouche ouverte comme s'il voulait mordre les flots.) Nous allons nous jeter à l'eau, Frank, là où Dieu a créé la vie, là où Il nous accueillera à nouveau en son sein.

Je voyais dans le regard de Patricia combien mon attitude la décevait. Je lui chuchotai :

— Je veux que tu ailles à côté de Moira.

— Mais…

— Je veux que tu lui donnes Little Stevie. En offrande. Pour qu'il l'emporte au Paradis avec lui.

— Tu peux aller te faire foutre !

— S'il te plaît… j'ai besoin de faire diversion.

— Plutôt crever, oui.

— Fais-le. Crois-moi, j'ai une idée pour arrêter tout ce cirque. (Elle avala sa salive.) Je t'en prie, mon amour, c'est notre seule chance.

— C'est mon seul bébé.

— *Notre* bébé, c'est la prunelle de mes yeux… Je t'en prie.

Je la poussai du coude et elle me lança un regard furieux. À contre-cœur, elle marcha vers White qui ne quittait plus Flynn des yeux. Il fulminait.

Patricia s'y prit formidablement bien pour le déconcentrer. Elle s'avança en tendant Little Stevie devant elle.

— Prenez-le avec vous, je vous en prie…

— Pardon ?

— Patricia ? fit Moira.

Flynn tenta de la retenir. Patricia passa outre.

— Il a raison, ce n'est pas un endroit pour Christine, ni pour aucun enfant. Ils doivent être auprès de Dieu. Prenez-le aussi.

Putain, où ai-je foutu cette saloperie ?

White tenait Christine d'un bras, de l'autre son arme. Il parut décontenancé. Indécis.

— Donnez-le à Christine, c'est un honneur.

Patricia s'avança et Christine, soudain apaisée par la présence du bébé, tendit ses petits bras. Patricia marqua un instant d'hésitation.

Putain, où ai-je foutu…

Christine s'empara de Little Stevie mais Patricia le retenait encore, tiraillée entre l'angoisse et la nécessité de jouer le jeu. Christine tirait de son côté mais Patricia résistait. White grogna entre ses dents :

— À présent, laissez-le.

— Je dois lui dire adieu, souffla-t-elle en jetant un coup d'œil désespéré derrière elle.

Une lame aiguisée se plaqua contre mon cou.

Une voix grave grommela : « Perdu quelque chose ? »

Je me retournai avec précaution. Charlie McManus. Une lame. Un couteau de pêche.

Je haussai les épaules.

— Donne ! dit-il en indiquant le coffre.

Le bateau gîtait vers l'arrière. Le père White trébucha sur Patricia qui se retrouva quasiment dans ses bras. Il en profita pour saisir le bébé, mon bébé, *notre* bébé, et la repoussa brutalement. Elle tomba à la renverse parmi des cordages et un amas de caisses à claire-voie. White tenait à présent Little Stevie et Christine contre sa poitrine, et l'arme toujours fermement dans sa main. Une vague déferla sur eux trois ; ils étaient trempés. Little Stevie bramait. Patricia porta son poing à sa bouche.

— Tu donnes tout doucement, ordonna Charlie McManus.

J'attrapai tout doucement la boîte en carton. Je soulevai le tapis de feuilles et découvris le hérisson.

Charlie fronça les sourcils. La pression du couteau se fit moins insistante.

— J'ai cru que…

Je jetai la bestiole de toutes mes forces. Charlie s'écroula en hurlant, un millier de piquants plantés dans le visage. Je plongeai désespérément ma main dans le coffre… Cette fois, la chaussure… Dedans, le flingue. Je m'élançai.

White tanguait sur ses jambes de droite à gauche, marmonnant une vague prière, cherchant l'équilibre, mais il guettait en même temps la prochaine déferlante qui le propulserait, lui, Christine et mon enfant, dans les eaux grises. Il n'était pas assez courageux pour sauter directement dans les flots.

— Posez-les, mon Père, criai-je en pointant mon pistolet.

Il porta son regard vers moi avec un vilain sourire aux lèvres.

— Vous n'oserez pas.

Lorsque la proue du bateau se souleva, je visai entre les deux yeux.

Il bascula en avant, les enfants glissèrent de ses bras. Sa tête heurta lourdement le pont.

Hurlements.

Patricia se saisit de Little Stevie.

Christine roula sur le sol en criant.

Je fermai les yeux.

Je respirai à fond.

Une fois. Deux fois.

Le père Flynn m'effleura le bras.

— Ils vont bien. Ils vont bien. (Il poussa un long soupir de soulagement.) Vous vous êtes comporté comme un héros.

J'ouvris les yeux. Le pont était inondé d'eau teintée de sang.

— Comment avez-vous su qu'il basculerait vers l'avant ? demanda Flynn.

— Je ne le savais pas.

— Comment avez-vous réussi un tir pareil ?

— J'ai eu de la chance.

— Notre Seigneur dans Sa grande clémence a veillé sur nous !

— Espèce de salaud ! vociféra Patricia. (Elle fonçait vers moi et, avant même que je puisse me justifier, elle me frappa là où ça fait très mal.) Tu as failli les tuer tous les deux !

Et je perdis connaissance.

Mais je n'étais pas en colère.

Je n'avais aucune raison de l'être. J'avais fait tout ça par amour.

43

Le cardinal Tomas Daley, primat de Toute l'Irlande — et toujours le mieux placé pour devenir le premier pape de langue anglaise depuis Robbie Coltrane — leva les yeux de son bureau, le visage blême, l'air soucieux.

— Eh bien, de lire ça noir sur blanc, quel choc!

— Si vous vous étiez trouvé là-bas, le choc, vous l'auriez vécu en couleurs.

— Je suis sûr que cela a dû être atroce. Ah! Si j'avais su!

Je répliquai par un haussement d'épaules, mais ce fut une très mauvaise idée. Ma tête bourdonnait comme si on l'avait foutue dans une bétonneuse. Outre la conséquence d'une traversée terrifiante en pleine tempête, c'était plus vraisemblablement le résultat de deux jours de cuite tout juste achevés. J'avais fêté le baptême de Little Stevie qui avait eu lieu dans l'église presbytérienne, à deux pas de la maison. J'avais été surpris de constater que je pouvais m'asseoir sur un banc d'église sans qu'on essaie de me décapiter.

— Comment se porte votre épouse… et le bébé?

— Ils sont en forme; bien que j'aie renoncé à leur proposer une île comme prochaine destination de vacances.

— Je comprends. Et vous, comment allez-vous?

— Parfaitement bien. Je songe à ma possible reconversion dans les ordres. C'est une vie vachement palpitante.

Il me regarda droit dans les yeux quelques minutes en tapotant gentiment mon rapport sur le bureau. Il se leva et traversa la pièce en direction d'une magnifique cheminée. Il se retourna vers moi avec un regard très austère, et jeta mon rapport dans un feu éclatant.

On suivait le spectacle tous les deux.

Comme mon rapport ne s'était toujours pas consumé au bout d'un certain temps, je me permis de lui faire remarquer que son feu de cheminée était factice.

— Ils font des imitations remarquables je trouve, non ?

— Je dois vous confesser que je n'y avais jamais vraiment prêté attention. Voilà pourquoi ils ne viennent pas remettre du charbon… (Il se baissa pour récupérer le document dans l'âtre.) Je vais le détruire dans une broyeuse à papier.

— Ça ne changera rien. Vous n'avez aucune chance de réussir à camoufler sept meurtres.

— Nous n'allons pas tout censurer, Dan. Le… radon… est une menace véritable et je suis certain que les médias vont s'y intéresser de près… mais ces meurtres… oui, c'est une chose épouvantable, et nous n'y gagnerions rien si l'affaire était portée au grand jour. Pas plus que l'histoire de Christine et du Messie. Elle possède des dons, certes, mais inutile de le mentionner…

— Cardinal, ce n'est pas tâche facile.

— Vraiment ? Vous savez, Dan, j'ai des réseaux. Les… *corps*… ont déjà été enlevés ; on s'en est débarrassé.

— Aussi simple que ça ?

— Aussi simple que ça. Nous avons de l'expérience.

— Vous avez…

— Plus de questions, je vous en prie.

— Bon… peu importe après tout. Je ne vois pas comment vous allez réduire au silence huit cents et quelques personnes.

— Dan, je le répète… vous seriez étonné… Sans doute y aura-

364

t-il quelques fuites… mais croyez-vous que les gens de Wrathlin se sentent vraiment fiers de ce qui s'est déroulé sur leur sol ? Non seulement ils sont honteux, mais ils ont peur d'être impliqués… et ne sous-estimez pas non plus la foi catholique… elle n'a pas son pareil pour vous effrayer quant au salut de votre âme, vous me suivez ?

— Je commence doucement à comprendre.

— Vous ajoutez à cela les subventions de repeuplement, les sub-ventions à la création d'entreprise, toutes les aides que notre bonne Mère l'Église peut accorder à son troupeau… *vous seriez étonné*, Dan.

— Ça va vous coûter cher, non ?

— Qu'est-ce qui ne l'est pas de nos jours ?

— Ben voyons, dis-je sans humour aucun, moi je n'ai pas besoin de subvention de repeuplement.

— Vraiment ?

— Ni d'un travail.

— J'imagine que non.

— Et pourtant je suis aussi catholique que l'était Cromwell.

— Vous cherchez à marquer un point, Dan ?

— Un petit point. Figurez-vous qu'avec toutes ces aventures où j'ai héroïquement protégé l'Église catholique de nombreux désagré-ments — au péril de ma vie — il m'a été en fait impossible de commencer à écrire le roman que j'étais censé écrire !

— Disons que vous avez été dépassé par les événements.

— Je me demandais si une bourse d'écriture serait envisageable ? Pour pouvoir tenir au cours des prochains mois. Une année, à tout casser. (Le cardinal hocha lentement la tête.) Je n'ai pas encore décidé du sujet. Bien entendu, mes personnages n'ont pas à être catholiques, ni même insulaires. Ils ne vivraient pas sur une petite île isolée. Et si vous insistez, il pourrait s'agir de personnes confinées chez elles, en fauteuil roulant.

— Chantage est un mot si laid, souffla le cardinal.

— Tout comme le mot « inanition », plus long et plus difficile à réaliser au Scrabble, je vous assure.

J'avais dit ça au pif, mais ça produisit l'effet recherché : il s'empara de son chéquier.

Quelques semaines plus tard, je tombai par hasard sur le père Flynn. Sur le coup, je ne le reconnus pas. La silhouette voûtée, il avait les yeux cernés et perdu énormément de poids. Il contemplait la vitrine de la librairie Waterstone's sur Royal Avenue. J'étais revenu sur mes pas quand je compris qui j'avais croisé.

Il semblait heureux de me revoir. Il m'offrit une poignée de main chaleureuse bien que tremblotante.

— Vous n'avez pas de nouvelles de Christine ou de Moira, n'est-ce pas ? fut sa première question, une fois passées les politesses d'usage.

— Je croyais que vous les aviez aidées à reprendre pied ?

— Oui, c'est exact. Puis le cardinal s'en est mêlé et les a installées autre part. Il pense qu'il est préférable pour elles qu'elles n'aient plus de contacts avec moi. Il doit avoir raison. Elles me manquent, vous savez.

Nous discutâmes un petit moment, sans nous dire grand-chose de plus. On échangea nos numéros de téléphone. Je notai le sien au dos d'un ticket de jeu que je perdis dès le lendemain en allant toucher des paris. En donnant mon reçu, je me rendis compte que je perdais en même temps son numéro, mais je laissai filer.

Je ne lui avais pas menti, enfin pas tout à fait. Je n'avais pas revu Moira, ni Christine, et je n'avais aucune intention de le faire. J'avais fauté, alors une fois suffisait. Cependant Patricia les avait revues à plusieurs reprises, pour déjeuner. Elles vivaient dans un appartement à un kilomètre de notre maison et Moira retravaillait comme infirmière. Christine était entrée à l'école primaire avec un an d'avance. Elle était la première de sa classe et s'y était bien intégrée.

Un soir, en allant la chercher à l'école, Christine ne l'attendait pas à la sortie avec les autres enfants. Moira s'inquiéta et, n'y tenant plus, fonça dans la salle de cours.

Christine allait bien, elle était avec son institutrice, mais sans chaussettes et les pieds sanguinolents.

Devant une Moira pétrifiée, l'institutrice eut bien du mal à la rassurer en lui expliquant que les chaussures de Christine, trop petites, l'avaient blessée.

Cette anecdote nous fait régulièrement pleurer de rire, Patricia et moi. Nous marrer ensemble, voilà ce que nous aimons par-dessus tout. Ça et nous battre. Et parfois aussi faire l'amour sur le canapé de notre salon.

Les gens racontent qu'une fois qu'on a un gosse, votre vie n'est plus jamais la même. Je confirme. On vous abandonne sur une île perdue et une bande de fanatiques religieux à la cervelle cramée par les radiations essaie de vous assassiner.

Sans doute avions-nous eu un mauvais démarrage avec Little Stevie. Nous avions déjà eu pas mal de soucis avec cette histoire de paternité, nous aurions pu nous éviter l'épisode de Wrathlin. Car si l'idée de départ portait en elle une promesse de romantisme, nous n'y gagnâmes rien de très romantique à l'arrivée, comme c'est souvent le cas dès qu'on parle d'amour.

Une nuit — Little Stevie avait alors six mois — Patricia et moi, debout dans une semi-pénombre, main dans la main, nous le regardions dormir. Nous le trouvions beau. Même avec ses cheveux. Surtout qu'ils avaient foncé un peu au point de se rapprocher d'un blond vénitien.

— Dan, tu l'aimes ce gosse, pas vrai ?

— Bien sûr que je l'aime.

— Autant que moi ?

— Autant que toi tu l'aimes ?

— Non, autant que toi tu m'aimes.

— Oui, vraiment. Je t'assure.

— Merci, dit-elle en m'embrassant tendrement.

— Merci *à toi*.

Elle déposa un autre baiser sur mes lèvres.

— Viens te coucher, mon bel amour.

Elle s'en alla la première tandis que je m'attardais près du lit. Little Stevie ouvrit les yeux et m'offrit le plus beau des sourires. C'était mon petit bonhomme à moi, même si je n'y étais pour rien. J'allais veiller sur lui et en faire un homme. Moi Papa Starkey.

Les mauvais souvenirs de Wrathlin auraient bien pu remonter à quatre ans plutôt qu'à quatre mois, il ne s'en souviendrait guère. Il ne se souviendrait pas de Duncan, de la mort de Duncan, de la découverte des cadavres, de la folie des habitants. Jamais il ne se rappellerait qu'il avait frôlé la mort en étant si malade, ni que j'avais risqué sa vie lors de mon pari sur un hérisson. Il souriait aux anges d'un air béat, sans se soucier de ce monde cruel.

Je m'attardai encore un peu près de la porte pour baisser le variateur de lumière.

— Bonne nuit, mon fils, dis-je en refermant doucement la porte.

— Bonne nuit, papa.

Je rouvris la porte en un éclair…

NOTE DE L'AUTEUR

L'île de Wrathlin existe réellement et elle vaut le détour, ne serait-ce que pour la quantité d'oiseaux sauvages qu'elle abrite. Il va sans dire que la plupart des lieux mentionnés dans ce livre, ainsi que les noms des personnages, sont totalement fictifs, exception faite du Messie, et de Sa *Venue*. Aussi est-il temps de vous reprendre en main. Même chose en ce qui concerne le radon : on trouve ce gaz à l'état naturel en divers endroits du Royaume-Uni, et dans des proportions variables. Je voudrais remercier ici le docteur H. C. H. Glochamner de la Section des gaz naturels au ministère de l'Environnement pour son aide inestimable dans mes recherches pour l'écriture de ce roman. Qu'il soit donc amplement remercié, vu que son ministère et lui-même n'existent pas.

Quant au retour de Dan Starkey, c'est pour bientôt.

Déjà parus dans la même collection

Thomas Sanchez, *King Bongo*
Norman Green, *Dr Jack*
Patrick Pécherot, *Boulevard des Branques*
Ken Bruen, *Toxic Blues*
Larry Beinhart, *Le bibliothécaire*
Batya Gour, *Meurtre en direct*
Arkadi et Gueorgui Vaïner, *La corde et la pierre*
Jan Costin Wagner, *Lune de glace*
Thomas H. Cook, *La preuve de sang*
Jo Nesbø, *L'étoile du diable*
Newton Thornburg, *Mourir en Californie*
Victor Gischler, *Poésie à bout portant*
Matti Yrjänä Joensuu, *Harjunpää et le prêtre du mal*
Äsa Larsson, *Horreur boréale*
Ken Bruen, *R&B – Les Mac Cabées*
Christopher Moore, *Le secret du chant des baleines*
Jamie Harrison, *Sous la neige*
Rob Roberge, *Panne sèche*
James Sallis, *Bois mort*
Franz Bartelt, *Chaos de famille*
Ken Bruen, *Le martyre des Magdalènes*
Jonathan Trigell, *Jeux d'enfants*
George Harrar, *L'homme-toupie*
Domenic Stansberry, *Les vestiges de North Beach*
Kjell Ola Dahl, *L'homme dans la vitrine*
Shannon Burke, *Manhattan Grand-Angle*
Thomas H. Cook, *Les ombres du passé*
DOA, *Citoyens clandestins*
Adrian McKinty, *Le Fleuve Caché*
Charlie Williams, *Les allongés*
David Ellis, *La comédie des menteurs*
Antoine Chainas, *Aime-moi, Casanova*
Jo Nesbø, *Le sauveur*
Ken Bruen, *R&B – Blitz*
Joe R. Lansdale, *Tsunami mexicain*
Colin Bateman, *Turbulences catholiques*

Composition : IGS
Achevé d'imprimer sur Roto-Page
par l'Imprimerie Floch à Mayenne,
le 30 mai 2007
Dépôt légal : mai 2007
Numéro d'imprimeur : 68464

ISBN 978-2-07-030560-5 / Imprimé en France.

132757